LA PLUIE ET LE BEAU TEMPS

Lily King

LA PLUIE ET
LE BEAU TEMPS

Roman

Traduit de l'anglais (Etats-Unis)
par Bruno Boudard

PRESSES
DE LA CITÉ

Titre original : *Father of the Rain*

© 2010 by Lily King
© Presses de la Cité, 2012 pour la traduction française
ISBN 978-2-258-09198-6

Presses
de | un département **place des éditeurs**
la Cité

place
des
éditeurs

A Lisa et Apple

« La pluie a-t-elle un père ? ou qui
engendre les gouttes de la rosée ? »

Livre de Job, XXXVIII, 28

PREMIÈRE PARTIE

1

Mon père chante.

Au-dessus des eaux du lac Cayuga, ça pue comme dans une poubelle.
Certains disent que c'est le lac Cayuga, d'autres le campus de Cornell.

Il chante toujours, en voiture. Il a une voix grave, éraillée par le tabac et par tous ses braillements. Sa pomme d'Adam proéminente et pointue s'agite de haut en bas, blanchissant à chaque passage sa peau bronzée. Il tend le bras pour caresser le chiot blotti sur mes genoux.

— T'es un bon petit chenapan. Oh que oui ! dit-il de sa voix pour chien, une voix joviale et optimiste qu'il n'utilise guère avec les gens.

Le chiot était une surprise pour mon onzième anniversaire, célébré la veille. J'avais choisi le plus vilain du magasin. Mon père et le propriétaire de l'animalerie avaient essayé de me tenter avec les terre-neuve pure race, ramassant ces sacs noirs au pelage soyeux pour me coller contre la joue leurs grosses gueules lourdes. Mais j'avais tenu bon. Il serait encore plus dur de se séparer d'une telle bête. Je les avais repoussés et avais montré le corniaud à poils durs, vendu vingt-cinq dollars, qui croupissait dans la cage du coin depuis l'hiver. Mon père avait reposé le dernier terre-neuve dans sa litière de copeaux. « Ma foi, c'est son anniversaire », avait-il concédé avec une pointe d'amertume. Il ne m'avait de nouveau adressé la parole qu'une fois dans l'auto. Alors, avant de démarrer, il avait enfin touché le chien, lui plaquant sur le crâne ses oreilles disgracieuses. « Je dis pas que t'es pas moche, parce que t'*es* moche. Mais t'es trop chou. »

— *Des murs de Montezuma aux rives de Tripoli*[1] *!* claironne-t-il à tue-tête sur la nationale qui nous ramène à la maison.

Nous avons l'un comme l'autre oublié le Projet Genèse. Le minibus bleu est garé dans notre allée, bloquant l'accès au garage.

— Jésus, Marie, Joseph ! s'écrie-t-il, prenant sa voix de pleureuse tout en se frappant le front contre le volant. Pourquoi moi ? interroge-t-il, se tournant légèrement pour s'assurer que je ris avant de recommencer à geindre. Pourquoi moi ?

Nous les entendons avant de les voir : cris perçants, chocs sourds et claquements secs, une fille qui ne cesse de beugler « William ! William ! » et presque tous hurlant « Regarde-moi ! Regarde un peu ça ! ».

— Chuis vot' nouveau voisin, me souffle mon père, mais pas de sa voix joviale pour chien.

Je porte le chiot tandis qu'il me suit avec le panier, les gamelles et la nourriture. Ma piscine est méconnaissable. Des vagues moutonnantes en balaient la surface, comme sur l'océan. Habituellement chauds

----

1. Début de l'hymne officiel du corps des marines. *(Toutes les notes sont du traducteur.)*

et secs, au point de grésiller au contact de mon ventre mouillé, les carrés de ciment qui l'entourent sont inondés par toute l'eau qui déborde.

C'est ma piscine parce que c'est pour moi que mon père l'a construite. Le matin de mon cinquième anniversaire, il m'avait emmenée me baigner à notre club. Alors que je mettais le pied sur la première des larges marches du petit bassin, les yeux rivés sur le grand bain et ses épaisses lignes bleues et rouges peintes au fond, le maître nageur cria de son perchoir qu'il restait encore quinze minutes de baignade pour les adultes. Mon père, membre de ce club depuis vingt ans et organisateur de tous les tournois de tennis – qu'il gagnait haut la main –, expliqua que c'était l'anniversaire de sa fille.

Le garçon, Thomas Novak, secoua la tête de gauche à droite. « Je suis désolé, monsieur Amory, répondit-il. Elle devra attendre comme tout le monde. »

Mon père éclata de son rire « pauvre crétin ».

« Mais il n'y a personne dans la piscine !

— Je suis désolé. C'est le règlement.

— Tu sais quoi ? répliqua mon père, le cou marbré de plaques violacées. Je vais rentrer chez moi et construire ma propre piscine. »

Il passa l'après-midi au téléphone, les pages jaunes et un bloc-notes sur les genoux, à discuter avec des entrepreneurs en bâtiment et à griffonner des numéros. Couchée dans mon lit ce soir-là, je l'entendis parler à ma mère dans le petit salon. « C'est le règlement », singeait-il d'une voix de bébé, répétant sans arrêt que si ce gamin n'était pas employé au club, il ne serait jamais autorisé à en franchir les portes, imitant le « M'sieurs dames ! » que lançait toujours sa mère au drugstore où elle travaillait. Au cours des semaines suivantes, des arbres furent abattus et un énorme trou fut creusé, cimenté et peint avant d'être rempli d'eau. A côté de celui-ci, un petit édifice sortit de terre, abritant des vestiaires, un local technique et des W-C, sur la porte desquels mon père accrocha un écriteau qui disait : NOUS N'ALLONS PAS NOUS BAIGNER DANS VOS TOILETTES – S'IL VOUS PLAÎT NE VENEZ PAS PISSER DANS NOTRE PISCINE.

Vêtue d'une robe droite et portant de grosses lunettes de soleil, ma mère me fait signe de la rejoindre à l'endroit où elle est assise sur le gazon, en compagnie de son ami Bob Wuzzy, qui dirige le Projet Genèse. Mais, lui montrant le chiot, je poursuis mon chemin en direction de la maison. Je lui en veux. C'est à cause d'elle que je ne peux pas avoir de terre-neuve.

— « Wuzzy Frisottis est un hibou, me récite mon père en se délestant de son fardeau sur le plan de travail de la cuisine. Wuzzy Frisottis n'a pas un poil sur le caillou. »

Puis, jetant un coup d'œil à la piscine par la fenêtre :

— « Wuzzy Frisottis est sans frisottis, mais il n'est pas oisif. »

Mon père déteste tous les amis de ma mère.

Charlie, Ajax et Elsie viennent immédiatement sentir le nouveau chien. Ils forment un cercle autour de nous, battant de la queue, et mon père les chasse dans la salle à manger, dont il ferme la porte. Puis il se hâte de traverser la cuisine dans une parodie de pas de l'oie pour gagner celle du salon et la claquer juste avant que les chiens aient eu le temps de faire le tour jusque-là. Ils grattent et gémissent, finissant par se coucher contre le battant. Je pose le chiot sur le linoléum. Après quelques tâtonnements frénétiques, il fonce dans le petit recoin séparant le réfrigérateur du

16

mur. C'est un endroit chaud. Autrefois, quand j'arrivais à m'y glisser, j'aimais me cacher là pour jouer à Harriet l'espionne. Il a le poil hérissé comme les piquants d'un porc-épic et la chair qui frissonne de peur.

— Pauvre petit bougre.

Mon père s'accroupit à côté du frigo, ses longues jambes repliées comme les pattes d'une grenouille, ses genoux osseux saillant sous le coutil de son pantalon.

— N'aie pas peur, petit bonhomme, n'aie pas peur, susurre-t-il avant de se tourner vers moi. Comment va-t-on l'appeler ?

Cet animal qui tremblote dans son coin symbolise parfaitement l'accord conclu avec ma mère. Alors, je songe : Adieu. Appelle-le Adieu.

Il y a trois jours, ma mère m'a appris qu'elle allait passer l'été chez mes grands-parents, dans le New Hampshire. Nous étions dans sa salle de bains, toutes les deux en chemise de nuit. Mon père venait de partir au travail. Elle avait le visage luisant de Moon-drops, la lotion qu'elle s'applique matin et soir.

« J'aimerais que tu viennes avec moi.

— Et mes cours de voile ? Et mon camp de sensibilisation artistique ? »

J'étais inscrite à toutes sortes d'activités qui débutaient la semaine suivante.

« Tu pourras prendre des cours de voile là-bas. Ils habitent au bord d'un lac.

— Mais sans Mallory et Patrick. »

Elle a serré les lèvres et ses yeux – marron, ronds, ne ressemblant en rien aux deux fentes jaune-vert de mon père – se sont chargés de larmes, alors j'ai répondu que oui, je l'accompagnerais.

Mon père tend le bras et attrape le chiot.

— On va attendre de voir comment t'es avant de te donner un nom. Qu'est-ce que t'en dis ?

La bête fourre le museau au creux de son cou, léchant et flairant mon père qui lâche un rire aigu, son rire « tu me chatouilles », et je me prends à regretter qu'il soit dans l'ignorance totale de ce qui va advenir.

J'installe le panier près de la porte, plaçant à côté de celui-ci les deux gamelles. J'en remplis une d'eau et laisse la seconde vide, parce que mon père nourrit tous les chiens au même moment, à cinq heures, juste avant son premier verre.

Je monte mettre mon maillot de bain. Par la fenêtre de la chambre de mon frère, je vois ma mère et Bob Wuzzy, à présent calés dans des fauteuils, qui sirotent du thé glacé dans des verres garnis d'une épaisse rondelle de citron et d'une tige de menthe, tandis que les gamins s'amusent à s'éclabousser, à se pousser, à se faire couler – le genre de jeux qu'en temps normal ma mère ne tolère pas dans la piscine. Certains s'élancent du tremplin pour des plongeons extravagants, pas des bombes ou des sauts carpés, mais des poses farfelues et grotesques, s'immobilisant ensuite en plein vol avant de tomber, comme dans les dessins animés, quand un personnage bondit d'une corniche et continue à courir jusqu'à ce qu'il regarde soudain en contrebas. Les plus âgés recommencent inlassablement leurs pitreries pour les autres qui, en dessous, rient si fort qu'ils donnent l'impression d'être en train de se noyer. Lorsqu'ils ressortent et repartent en galopant vers le plongeoir, l'eau miroite sur leur peau, qui semble lustrée à la cire. Aucun d'eux n'est vraiment « noir ». Ils affichent tous diverses nuances de chocolat. Je me demande s'ils détestent qu'on leur attribue une mauvaise couleur. J'avais déjà remarqué cela l'année précédente. « Ils aiment qu'on dise qu'ils sont noirs, m'avait affirmé mon père en prenant l'accent d'Albert [1]. Ne t'amuse pas à dire qu'ils sont chocolat. Chocolat, c'est out. Noir, c'est in. »

La sensation de l'herbe épaisse et rêche sous mes pieds est agréable. J'étale ma serviette sur le siège voisin de celui de ma mère.

— Tu étais au courant que Sonia avait perdu son financement ? l'interrogeait Bob.

Je ne sais pas si Bob Wuzzy est blanc ou noir. Il n'a pas de cheveux, pas une seule mèche, et sa peau a la couleur du caramel. Lorsque j'ai posé la question à ma mère, elle m'a demandé en quoi cela importait, et lorsque je l'ai posée à mon père, il a répliqué que s'il n'était pas noir, il devrait l'être.

— Non, répond ma mère d'un ton grave. Je l'ignorais.

— Kevin a dû laisser tomber.

— Quel crétin ! Et comment va Maria Tendillo ? s'enquiert-elle d'une voix plus enjouée.

Elle prononce le nom avec l'accent adéquat, ce que raille parfois mon père.

— Libérée vendredi dernier. Pas de poursuites.

— Gary est le meilleur.

Ma mère sourit, puis lève la tête vers moi.

— Bonjour, monsieur Wuzzy, dis-je en tendant la main.

Il se met debout. Ses doigts sont froids et humides à cause du thé glacé.

— Comment vas-tu, Daley ?

— Bien, merci.

Ils échangent un regard approbateur sur mes manières, qui comblent d'aise ma mère.

— Vas-y, ma chérie, suggère-t-elle.

---

1. Personnage d'une série télévisée d'animation américaine : « T'as l'bonjour d'Albert », créée et produite par Bill Cosby.

Ce matin, elle m'a expliqué que j'étais maintenant assez grande pour participer au Projet Genèse avec elle, que tous les gosses avaient à peu près mon âge, que je serais comme une ambassadrice dans de nouveaux territoires, grâce à qui les plaies pourraient commencer à se refermer. Je ne voyais pas du tout de quoi elle parlait. Elle a conclu en disant qu'il me suffirait d'être aimable, afin qu'ils se sentent acceptés et intégrés.

« Comment est-ce que je peux faire pour qu'ils se sentent intégrés, alors que moi je suis toute seule et qu'eux sont si nombreux ? »

Je savais que ma réponse ne lui plaisait pas, mais comme elle craignait de me voir révéler à mon père que nous allions partir, elle m'a gentiment priée de lui promettre de me baigner avec eux, c'est tout.

Je me tiens sur la première marche, mes pieds pâles grossis par l'eau comme par une loupe. Ma mère voudrait que j'aie un comportement différent, je le devine, mais j'en suis incapable. Je ne peux pas me jeter dans la mêlée comme ça. Ce n'est pas dans ma nature de présumer que les gens désirent ma compagnie. La seule chose que j'arrive à faire est de les considérer en adoptant une expression avenante. Les plus grands sont encore en train de sauter du plongeoir en se tortillant. Les plus jeunes sont là, dans le petit bassin, barbotant sur place plutôt que nageant, le visage au ras de la surface telles des feuilles de nénuphar. Dans l'angle, deux filles s'amusent à tenter une conversation sous l'eau. Un garçon en maillot de bain bordeaux se faufile entre elles et elles bondissent en l'air en lui criant après, bien qu'il ne puisse les entendre, étant lui-même immergé. Il y a quatre garçons et trois filles, tous de taille différente, et je me demande si certains sont frères et sœurs. A les entendre vociférer entre eux, on le croirait. Mais personne ne s'énerve ou ne finit en larmes, contrairement à moi dans la même situation.

Je descends lentement, une marche après l'autre, puis m'avance sur la pointe des pieds. Même si aucun d'eux ne me regarde, tous s'écartent à mon approche. Quand je parviens au plan incliné qui délimite le grand bain, mes pieds dérapent et je coule. C'est frais et silencieux, là-dessous, jusqu'au moment où un corps s'abîme dans l'eau, un sac de bulles. Normalement, quand je lève les yeux du fond de la piscine, la surface est un peu voilée, c'est tout, comme les vitres du grenier, mais à présent elle n'est qu'écume blanche. Le garçon au maillot de bain bordeaux passe juste au-dessus de moi. Ses orteils glissent dans mes cheveux et il pousse un hurlement.

Lorsque je remonte à la surface, le plus petit des garçons se propulse vers moi. Les autres l'observent.

— C'est ta piscine ? demande-t-il, l'eau formant des cristaux dans sa chevelure.

— Oui.

— Tu t'y baignes tous les jours ?

— Quand il fait chaud.

— Mais elle est chauffée, pas vrai ?

Il balance les bras autour de lui en un mouvement de rotation rapide, faisant danser ses doigts sur la surface.

— C'est vrai.

— Moi, je m'y baignerais tous les jours, même s'il faisait moins vingt ! J'y entrerais le matin et je n'en sortirais pas avant la nuit !

— Il faudrait bien que tu manges, sinon tu mourrais.

— Alors, je mourrais dans cette piscine. C'est l'endroit idéal pour mourir.

Je décide de ne pas évoquer le cas de Mme Walsh, à qui c'est arrivé. Elle a eu une crise cardiaque. « C'est

Mme Wash qui flotte dans la piscine ? » aime à plaisanter mon père lorsque j'oublie un matelas pneumatique dans l'eau. Ma mère ne trouve pas cela drôle.

Profitant de cette pause dans notre conversation, le garçon s'éloigne en ramant avec les bras. Je me sens à la fois gênée et soulagée.

Le sourire de ma mère s'efface lorsqu'elle constate que je sors. Comme Bob est en train de lui parler d'une soirée de collecte de fonds, elle ne peut pas l'interrompre pour me pousser à y retourner. Je me laisse sécher un instant à l'air libre, avant de traverser la pelouse et de grimper l'escalier à toutes jambes.

Mon père est dans le petit salon, occupé à regarder le match des Red Sox en fumant une cigarette. Je m'assois à côté de lui avec mon maillot de bain mouillé. Que la housse risque de déteindre est le cadet de ses soucis. Pendant la publicité, il se tourne vers moi.

— Ce n'était pas bien, ta baignade ?

— J'avais froid.

Il lâche un petit reniflement ironique.

— L'eau doit être à plus de trente, maintenant qu'ils ont tous pissé dedans.

— Ils ne font pas pipi dedans.

Je m'attends à ce qu'il me réponde qu'on dirait ma mère, mais au lieu de cela il pose sa main chaude sur ma jambe.

— Je te promets que ça ne se reproduira plus, petit lutin. Je vais y mettre le holà.

Tu n'auras pas besoin d'y mettre le holà, ai-je alors pensé, ça s'arrêtera tout seul.

Ils ne viennent que quelques fois au cours de l'été. Les autres week-ends, ils se rendent dans d'autres villes, chez d'autres gens qui possèdent une piscine ou une plage privée. Fin juin, entre le pensionnat et ses vagues projets de vacances, mon frère était resté quelques jours avec nous, et je le revois prendre son ton sérieux de présentateur de télévision pour déclarer : « Le Projet Genèse... Au commencement étaient des bassins d'eau chlorée au fond des jardins, des trampolines, des Mercedes et de généreuses mères de famille disposées à partager un peu, juste un peu. » Ma mère avait gloussé. Mon père s'était renfrogné. Les taquineries de mon frère amusent plus ma mère que celles de son mari.

Ils se baignent des heures durant, jusqu'à ce que Bob finisse par leur demander de sortir et d'aller se changer dans le pool house. Lui et ma mère allument le charbon de bois et, quand la braise est assez chaude, ils déposent quinze petits steaks hachés sur la grille du barbecue. Les mômes explorent le jardin de fond en comble, de la tyrolienne à la balançoire, sans oublier les branches basses du pommier. Ils osent des acrobaties auxquelles je ne me risque pas, comme se suspendre la tête en bas à la tyrolienne qui file d'un arbre à l'autre, parcourir à quatre pattes l'étroit tube du portique de la balançoire, s'élancer du mur de pierre qui enclôt la roseraie de ma mère.

Je les observe de la fenêtre de la cuisine.

— Bande de singes, grommelle mon père en se préparant un cocktail sur le bar.

Ils ont une telle énergie ! A côté d'eux, j'ai l'impression de n'avoir qu'un seul poumon. La plus petite s'écorche le genou sur l'une des énormes roches qui émergent de l'herbe du jardin et les deux plus âgées la bringuebalent à tour de rôle dans leurs bras en trottinant sur la pelouse, lui plantant des baisers dans les cheveux et essuyant ses larmes d'un geste doux, la laissant se cramponner à elles un long moment.

— Daley, lance ma mère de la porte à moustiquaire. S'il te plaît, viens manger avec nous.

23

— Oh oui, lâche mon père. Va donc manger avec la tapette et ses petits amis.

Ma mère fait comme si elle n'avait rien entendu. Une fois sur l'escalier, à l'écart de lui, elle m'entoure l'épaule du bras. Il émane toujours d'elle un parfum de fleur.

— Je sais que c'est difficile, mais essaie de te montrer moins distante. C'est important, ma chérie, chuchote-t-elle.

D'habitude je dîne en compagnie de Nora, mais elle est partie en Irlande deux semaines chez des cousins. Elle y va chaque été et ça me chiffonne toujours. Le reste de l'année, elle vit avec nous, sauf le dimanche où, après la messe, elle se rend en voiture à Lynn, chez sa sœur, pour y passer la nuit. « Lynn, Lynn, ville de stupre et de rapine. Quand on y entre, on ne sait jamais comment ça se termine », déclame souvent mon père quand son auto s'éloigne, mais jamais en face d'elle. C'est une fervente catholique et elle n'apprécierait pas. Je l'ai maintes fois accompagnée chez sa sœur, à Lynn, les dimanches soir. Elles mangent des côtelettes, puis jouent à la Dame de Pique et se couchent tôt. Ni stupre ni rapine pour elles, à Lynn. Sur le bureau de Nora, dans notre maison, trône une photo d'elle et de mon père debout sur des rochers au bord de l'océan. Elle a dix-huit ans, mon père un an. Il s'accroche à sa main de ses menottes. Sa mère avait embauché Nora pour un été dans le Maine, mais celle-ci les avait finalement suivis à Boston, où elle était restée neuf ans, jusqu'à l'entrée de mon père au pensionnat. A la naissance de mon frère Garvey, elle travaillait pour une autre famille, quelque part en Pennsylvanie, mais elle était de nouveau disponible lorsque je suis venue au monde. Après le repas du soir, Nora et moi regardons la télévision – *Mannix* et *Hawaï police d'Etat* –, toutes les deux en peignoir sur son lit. Ensuite, elle me couche et nous récitons «Jésus, le jour vient de s'achever» et le Notre Père, encore que celui de son Eglise ait une fin différente. Ma mère dit qu'après notre départ Nora demeurera auprès de mon père pour l'aider, lui qui est incapable de se faire cuire un œuf.

Mes parents n'avaient pas choisi de prénommer mon frère Garvey. Ils l'avaient baptisé Gardiner, comme mon père, et toute ma vie durant il avait été Gardiner, jusqu'à ce qu'il entre au pensionnat, d'où il est revenu Garvey. Ma mère a essayé d'y mettre un terme, mais en vain : Garvey lui est resté. Au point que, lors de la cérémonie de remise de diplômes, il y a quelques semaines de cela, même le proviseur l'a appelé Garvey.

Nous sommes installés dans l'herbe en un cercle informel. Comme la robe de ma mère est trop courte pour qu'elle puisse s'asseoir à l'indienne, elle replie les jambes sur le côté, ce qui la fait pencher vers Bob Wuzzy. Je suis consciente de la façon dont la scène apparaîtra aux yeux de mon père, lequel sirote son verre derrière la fenêtre de la cuisine.

Bob nous invite à dire à tour de rôle notre prénom, après quoi nous demeurons silencieux. Même les deux adultes semblent incapables d'entretenir une conversation. Nous mangeons nos hamburgers, puis Bob demande :

— Qui veut jouer à cache-cache ?

— Moi ! s'écrient-ils tous en chœur.

Je sais que mon père préférerait que je rentre lui tenir compagnie, mais les yeux de ma mère sont rivés aux miens.

Bob explique que nous pouvons utiliser uniquement la partie du jardin délimitée par les allées de derrière et de devant, et qu'il n'est pas question d'aller dans l'un ou l'autre des bâtiments de la propriété. A l'écouter, on croirait un campus d'université miniature. Puis il désigne une fille prénommée Devon, qui part se cacher en premier. Quant à nous autres, nous comptons à voix haute jusqu'à cinquante, aussi vite que possible, omettant voyelles et syllabes, comme lorsqu'on dévale des marches quatre à quatre. Ensuite, nous nous dispersons pour tenter chacun de trouver Devon sans être vu du reste des joueurs. Je suis certaine que c'est moi qui la découvrirai, puisque je connais le terrain et toutes les bonnes cachettes. Je commence par le massif de rhododendrons de devant, puis par la petite fontaine vide plantée au milieu de la roseraie. Ensuite, j'inspecte l'amas de granit proche de la rue. Bientôt, tous les autres ont également disparu, à l'exception du garçonnet appelé Joe, mon copain de piscine.

— Allons voir là-bas, dis-je.

Je lui indique du doigt les jeunes pins qui se dressent au-delà de la piscine, mais Joe part en courant dans la direction opposée.

Tandis que je longe la véranda de derrière, je perçois un bruissement. Ils sont tous agglutinés sous l'escalier, entassés dans un espace sombre et exigu, infesté d'araignées, qui m'a toujours effrayée. Au fur et à mesure que je m'approche, le bourdonnement de leurs bavardages est si fort que je me demande comment j'ai bien pu passer deux fois devant sans les entendre. Je me penche et me faufile parmi eux. Pour me frayer une place, je suis contrainte de me presser contre plusieurs corps. Nous avons tous la peau poisseuse et chaude. Le brouhaha cesse. Personne ne souffle mot. J'ai l'impression qu'ils ont tous arrêté de respirer. Je cherche quelque chose à dire, une bêtise – comme est parfois capable d'en imaginer Patrick – qui nous ferait tous ricaner. Dans la demi-obscurité du jardin, le petit Joe se met à pleurer et Bob Wuzzy nous ordonne de sortir.

Le garçon qui a trouvé Devon le premier part à son tour se cacher et les autres s'égaillent en courant pour compter. Je remonte discrètement la volée de marches de la véranda.

Mon père est en train de manger une entrecôte minute qu'il a tartinée d'une épaisse couche de sauce steak A-1. Il a le front et le nez recouverts d'une pellicule de sueur, comme toujours lorsqu'il dîne. Son regard est fixé droit devant lui et il m'est impossible de savoir s'il est conscient de ma présence.

— T'es une brave gosse, tu sais, lutin ?

Sa voix dérape légèrement.

Son repas terminé, il se prépare un autre cocktail. Il pioche dans le bocal deux petits oignons vinaigrés et me les donne. Dans quatre jours, je ne vivrai plus ici avec lui. Ma mère a expliqué que lorsque nous rentrerons à Ashing, à l'automne, elle et moi habiterons un appartement et que je viendrai là uniquement les week-ends.

Dehors, le jeu s'est achevé et nul son ne nous parvient plus par la porte à moustiquaire. Alors, l'éclairage de la piscine s'allume : les lampes en forme de champignons plantées dans la pelouse et le gros spot immergé au-dessous du plongeoir. Un flot de corps se déverse du pool house pour ensuite plonger dans l'eau avec fracas. Au bruit, mon père se raidit.

Il finit sa vodka martini, agitant les glaçons avant d'avaler les dernières gouttes. Puis il repose le verre sur le plan de travail.

— J'ai une idée, déclare-t-il.

Je ne dis pas non aux idées de mon père, tout comme je ne dis pas non à celles de ma mère. Si mon père m'avait demandé de partir avec lui, je l'aurais fait. Quand il est à la maison, mon frère dit tout le temps non, ce qui a le don d'exaspérer tout le monde.

Nous nous déshabillons sur la véranda de derrière. Le chiot est avec nous, qui bondit autour de nos chevilles, sentant qu'il se passe quelque chose de différent.

— Un, deux, trois, compte mon père en français, une langue dont il a appris les rudiments en allant pêcher au Québec. On y va !

Il se dirige directement vers la piscine, ses longues jambes de tennisman parcourant d'une foulée sautillante le gazon qu'il tond toujours ras, une boule de muscles saillant sur chaque mollet, ses cuisses à la fois fines et fermes, son derrière haut, plat et tout blanc dans l'obscurité, tandis que ses longs bras battent l'air d'un mouvement rapide au rythme de sa course, le droit plus fort que le gauche, avec une bande Velpeau autour du poignet. Il se meut comme personne dans ma famille, avec grâce et fluidité. Parvenu à la piscine, il se met à grogner. Il bifurque sur la droite, s'éloignant de l'endroit où ma mère et Bob Wuzzy sont assis avec leurs sodas pour ensuite emprunter le ruban d'herbe qui sépare la longueur de la piscine du mur de pierre du jardin.

Le premier à nous voir est un garçon qui flotte sur mon matelas gonflable rouge.

— Des nudistes ! crie-t-il.

Mon père saute au-dessus des lampes trapues en forme de champignons vénéneux, les franchissant une par une, ses grommellements devenant de plus en plus sonores, cependant que ses bras commencent à remonter vers sa poitrine en dessinant un arrondi et que sa colonne vertébrale s'incline en avant. Il tourne à l'angle du grand bain, son corps tout en muscles et en puissance, éclaboussé de veines argentées et de tendons, miroitant dans le reflet vert pâle de la piscine.

A présent, tous les gamins hurlent en frappant la surface de l'eau, dans un charivari ponctué d'éclats de rire si énormes qu'ils sont contraints de nager jusqu'au bord pour s'accrocher.

Il garde ma mère pour la fin. Le voilà qui fond maintenant droit sur elle après avoir dépassé le pool house ; droit sur le bain de soleil où elle est installée, les couilles ballottant de gauche à droite, le pénis semblable à celui d'un garçon, aussi menu qu'une souris. Il recourbe alors entièrement les bras, se gratte les aisselles et, nez à nez avec elle, lâche « *Ooouuu-ooouuu-ooouuu* » avant de disparaître.

L'espace d'un instant, ma mère affiche l'expression de quelqu'un qu'on vient de pousser hors d'un avion en vol. Puis elle se compose un sourire à l'intention de Bob, lequel, par égard pour les enfants, affecte l'attitude de celui pour qui tout cela n'est rien d'autre qu'une farce innocente, quoiqu'un peu bizarre. Mais lorsqu'elle m'aperçoit, quelque chose se brise. Elle se lève d'un bond pour essayer de m'attraper, mais je cours vite et, sans mes vêtements, mon corps lui échappe comme une anguille. Je sens le gazon dru et épais entre mes orteils, ainsi que l'air humide des nuits d'été qui caresse les poils de mes bras et mon sexe glabre. Moi aussi, je ressemble à un garçon, avec deux boutons rigides sur ma poitrine, et ce soir je suis presque aussi leste, rapide et agile que mon père. Mes deux poumons fonctionnent à plein régime. Je veux que rien ne m'empêche de galoper, que rien n'empêche la brûlure dans les muscles de mon ventre et la douleur dans ma gorge, que rien n'empêche les étoiles de contempler mon corps nu de tout juste onze ans sur l'herbe, aussi vif et gracieux que celui d'un chevreuil dans les bois.

Sur la véranda, nous rions tous les deux, haletants, nos vêtements à nos pieds, tandis que notre chiot décrit autour de nous des cercles joyeux et que mon père me gratifie de son plus large sourire, me regardant comme s'il m'aimait, comme s'il m'aimait vraiment, plus qu'il n'a jamais aimé quiconque dans sa vie.

2

La veille de notre départ d'Ashing, je vais à vélo jusqu'à la crique de Baker's Cove. Comme la plage y est plutôt petite et que ça sent mauvais à marée basse, nous avons en général l'endroit pour nous seuls. Quand on grimpe sur les rochers pour en faire le tour, personne ne peut nous voir de la route.

Mallory a les Lark de sa mère, moi les L&M de mon père et Gina les Marlboro du sien. Patrick dit que sa mère est en panne de cigarettes et Neal qu'aucun de ses parents ne fume. Personne ne le croit. C'est la première fois que Neal Caffrey nous accompagne à la crique. Je ne sais pas qui, au juste, lui a téléphoné.

— Tu as peur de voler, c'est tout, affirme Teddy en sortant une boîte en argent remplie de menthols.

— Mon père est asthmatique, se défend Neal en prenant une Salem avant de refermer le couvercle. Qui est G.E.R. ?

Nous baissons tous les yeux sur les arabesques que dessinent les trois initiales gravées dans l'argent. Le nom de famille de Teddy est Shipley. Il hausse les épaules.

— On s'en fout, répond-il en retirant une chaussure. On joue, ou quoi ?

— Je n'ai pas fini ma clope, dit Mallory.

Elle fume exactement de la même façon que sa mère, sa main libre coincée sous l'autre bras, lequel est replié en V, la cigarette ne se trouvant jamais à plus de quelques centimètres de ses lèvres.

Chaque fois, les garçons n'ont qu'une seule envie : l'embrasser, alors ils attendent.

L'air est épais et chaud, mais de temps à autre une rafale apporte un peu de fraîcheur de la mer. On la voit venir de loin, ridant la surface de l'eau telle une aile noire géante. Après son passage, tout redevient clair et plat. Le vent a décoiffé les boucles de Neal. Il est ce que j'ai connu de plus craquant et mon cœur bat un peu plus vite qu'à l'accoutumée. Je ne peux pas croiser le regard de Patrick, parce que je sais qu'il sait. Il est comme ça.

— Qui veut commencer ? demande Teddy.

— Moi.

Mallory écrase sa cigarette sur le rocher et réunit ses cheveux en une queue-de-cheval, sérieuse comme un pape. Elle fait tourner l'une des chaussures bateau de Teddy. Lorsque celle-ci s'immobilise, le bout pointe vers moi et tout le monde rit. Mallory la refait tourner. Elle pointe à présent vers l'espace entre Patrick et Gina.

— Si ça tombe entre deux personnes, tu peux choisir qui tu veux, précise Teddy.

— Patrick, annonce-t-elle.

Patrick lève les yeux au ciel. Il joue toujours à celui qui déteste être embrassé.

Ils se penchent l'un vers l'autre et leurs bouches se rencontrent le temps d'un bisou furtif. Mallory dit qu'elle aime bien choisir Patrick, parce qu'il a des lèvres agréables et sèches.

Après Mallory, le jeu se poursuit dans le sens des aiguilles d'une montre. Le suivant est Neal. Il fait tourner le vieux soulier boueux à deux mains. Celui-ci s'arrête en tremblotant, le bout pointant incontestablement vers moi.

Il déploie son corps pour se lever, contourne le cercle par l'extérieur jusqu'à moi, me prend la main, me met debout et m'embrasse. C'est un baiser chaud, pas tout à fait aussi rapide que celui de Mallory et de Patrick. C'est lui qui me lâche la main en dernier. Je suis consciente d'avoir le visage enflammé et je garde la tête baissée jusqu'à ce que mes joues reprennent leur couleur normale.

Gina embrasse Teddy. Teddy embrasse Mallory. Puis vient mon tour. J'implore silencieusement : « Neal, Neal, Neal », mais la chaussure indique Teddy.

— Le coup du chapeau ! se réjouit-il, signifiant ainsi qu'il a gagné le droit de nous embrasser toutes les trois.

J'en finis au plus vite. Il a des lèvres mouillées, mais qui s'effritent comme du pain détrempé.

Quand c'est de nouveau à Neal de lancer, le soulier s'arrête entre Gina et Teddy.

— Choisis, dit Gina d'une voix pleine d'optimisme.

— Daley.

Et cette fois, il m'entraîne plus loin du groupe, presque jusqu'aux arbres.

— Tu as un lit dans les buissons ? plaisante Teddy.

— Je n'aime pas avoir du public.

Puis, s'adressant à moi doucement :

— Ça t'embête, que je t'aie encore choisie ?

Je réponds non de la tête. J'ai envie de dire que c'était ce que j'espérais, mais il ne m'en laisse pas le temps, car voilà qu'il m'embrasse, plus longuement, entrouvrant légèrement la bouche.

— C'était bien, souffle-t-il.

— Oh oui.

Tout a l'air si étrange, comme si je me glissais dans la peau de quelqu'un d'autre.

— Teddy m'a dit que vous vous retrouviez ici toutes les semaines.

— Ce n'est que la troisième fois.

— Tu viendras, la semaine prochaine ?

— Pas sûr.

— Hé ! arrêtez de jacasser, c'est à mon tour ! s'exclame Gina. Et puis Patrick doit retrouver sa grand-mère au restaurant du Beach Club pour le déjeuner.

Tous sont tournés vers nous, à présent.

— Essaie, me dit posément Neal.

Le jeu se termine peu après. Nous fumons encore quelques cigarettes en observant les mouettes qui lâchent des moules sur les rochers pour les fracasser et se disputent ensuite les morceaux.

— Vous imaginez, si c'était votre vie ? demande Patrick à la cantonade.

— Je me jetterais d'une falaise, affirme Teddy.

— Mais comme tu serais une mouette, ça ne marcherait pas, réplique Gina. Tes ailes se mettraient à battre, c'est tout. Tu vas aux cours de voile, cette année ?

— Ouais, répond Teddy. Et toi ?

— On y va toutes les trois, explique-t-elle en pointant ses pouces vers Mallory et moi.

— Vous croyez que, dans l'histoire des animaux, il existe un animal qui se soit suicidé ? interroge Neal.

— Non. Leur cerveau n'est pas assez gros pour qu'ils se rendent compte à quel point leur vie est stupide, plaisante Teddy.

J'ignore si c'est l'effet des cigarettes, mais ils me semblent tous loin de moi. Si je parlais, il me faudrait crier pour qu'ils m'entendent.

Lorsque nous repartons à vélo, je roule un peu en arrière, les cinq autres zigzaguant sur toute la largeur de la route. Je me retourne vers la crique. Je croyais que j'aurais tout l'été pour les cigarettes et le jeu de la chaussure. Une mouette se pose à l'endroit où Teddy a laissé un noyau de prune, auquel l'oiseau donne deux coups de bec avant de s'envoler de nouveau. L'eau a monté, grignotant la face des rochers tapissée de coquillages. Devant moi, Neal me lance un regard par l'ouverture entre son bras droit et le guidon de son dix-vitesses, l'air de rien, comme s'il était juste en train de baisser les yeux sur sa jambe.

Dans l'allée, ma mère s'approche de mon vélo avec une clé anglaise à la main. Je ne l'avais jamais vue utiliser un outil du garage avant ce jour. Elle démonte sans difficulté les deux roues, puis les pose, avec le cadre, sur nos valises, à l'arrière de sa décapotable. Elle a un fichu sur la tête, comme lorsqu'elle jardine. Ses gestes sont sûrs et étudiés, tels ceux d'un acteur en représentation. Elle appuie à plusieurs reprises sur le coffre et, quand enfin la fermeture s'enclenche, un rire s'échappe de ses lèvres, bien qu'il n'y ait rien de drôle.

Parfois, si personne ne peut venir me chercher, c'est un professeur qui me ramène en voiture à la maison. C'est la sensation que j'ai en ce moment : qu'un professeur, un étranger, m'emmène quelque part.

— Monte, mon chou, dit-elle.

Le chiot tout vilain gratte contre la moustiquaire. Lorsque mon père rentrera, il découvrira son urine jaune vif et sa merde molle sur le journal que je viens d'étaler sur le carrelage de la cuisine. Il y a une heure, je lui promettais que je laisserais l'animal dehors la plus grande partie de la journée.

« Il faut que tu t'occupes bien de lui chaque fois qu'il va faire ses besoins à l'extérieur », m'avait-il expliqué. Il portait sa tenue de travail estivale – un costume brun clair et une cravate bleu ciel –, les cheveux encore humides de sa douche, avec une raie bien nette sur le côté droit. « Voilà comment tu dois procéder : brave bête, brave bête, brave bête... », et il m'avait frotté le ventre et le dos en même temps, avec des mouvements rapides et appuyés, me soulevant pratiquement du sol. Tout en riant, j'avais répondu : « D'accord, d'accord. » Il avait arrêté et je m'étais accrochée à son bras, suspendue à lui. « Tu es sûre que tu pourras y arriver ? — Oui. »

Il avait des mains larges, bronzées et osseuses, aux ongles rongés et aux veines saillantes, qui formaient des bosses bleu-vert sur sa peau. Après qu'il m'eut dit au revoir, je les avais embrassées avant de les lâcher.

Dans l'auto de ma mère, la radio est toujours réglée sur les informations, la station WEEI. « Cinq jours seulement après la fin de sa tournée au Moyen-Orient, annonçait un journaliste, le président Nixon est arrivé aujourd'hui à Bruxelles, en Belgique, pour une série d'entretiens avec les dirigeants européens avant de repartir jeudi pour Moscou. »

Ma mère s'adresse directement à l'autoradio.

— Oh, tu peux fuir, Dick. Tu peux fuir, mais tu ne peux pas te cacher.

A l'intersection, je profite de l'arrêt au stop pour jeter un coup d'œil dans Bay Street. Mallory habite la grande maison blanche située au coin et Patrick la dernière à gauche, en face du Beach Club. Tous les deux téléphoneront chez moi aujourd'hui et personne ne répondra.

« Ce jour, tandis que le président volait au-dessus de l'Atlantique, son médecin a déclaré aux journalistes que celui-ci souffrait toujours d'une inflammation des veines de la jambe gauche. Voilà quelques semaines maintenant que le président se sait atteint de cette affection, nommée "phlébite", mais il a ordonné que cela soit gardé secret, a expliqué son docteur. »

Ma mère lance un reniflement de mépris en direction du tableau de bord.

Nous traversons la ville. Dans le parc, des remorques sont arrivées avec les attractions de la fête foraine qui se tient pendant une semaine chaque été. Des hommes déchargent d'énormes pièces de métal peintes et les déposent sur la pelouse. Avec leurs sièges en cuir rouge à haut dossier, les grosses voitures rondes du Tilt-a-Whirl sont éparpillées non loin de ce qui, normalement, est la première base du terrain de baseball. Mais une fois les manèges, les stands et les camionnettes à pizza ou à beignets installés, on ne reconnaît plus le parc. Sur les gradins, quelques bambins regardent le spectacle, comme nous à leur âge.

Le centre se résume à une rue bordée de commerces. La mère de Neal travaille de temps en temps à la mercerie. Son auto est garée devant, une Pinto orange avec une petite bosse sur la portière conducteur. La circulation qui vient en sens opposé est ralentie : des touristes qui se rendent à la plage de Ruby Beach. On nous fait signe – Mme Callahan et Mme Buck –, mais ma mère n'y prête pas attention, occupée qu'elle est à écouter les informations en se mordillant la lèvre. Lorsque nous parvenons à l'autoroute, elle me prend la main, puis appuie sur le champignon et monte à cent vingt.

Nous nous arrêtons au Howard Johnson's pour déjeuner. J'aime leurs palourdes frites, car il n'y a que le siphon, pas le corps, lequel me donne envie de vomir. Mais on m'en sert une montagne. On dirait de gros vers frits. J'en mange trois. Ma mère ne peut pas avaler grand-chose de son club sandwich elle non plus. La serveuse nous demande si nous souhaitons emporter le reste de la nourriture, mais nous répondons toutes les deux d'un signe de tête négatif.

— Toi et moi, ça va bien se passer, me rassure ma mère en me frottant le bras.

— Je sais, dis-je, à son soulagement manifeste.

Dans l'auto, elle me laisse mettre une cassette huit pistes pendant un moment. Je choisis John Denver, qui chante le matelas en plumes de sa grand-mère. Je passe et repasse le morceau, jusqu'à ce qu'elle me demande de cesser. Elle me rend joyeuse, cette chanson, avec tous ces gamins et ces chiens et le cochon qui dorment ensemble dans le lit.

Nous entrons dans le New Hampshire. Avant de se marier, à l'âge de dix-neuf ans, ma mère séjournait chaque été au lac de Chigham. Elle affirme que j'y suis déjà allée, mais je ne m'en souviens pas. Le seul souvenir que j'aie de mes grands-parents, c'est chez nous, pour Thanksgiving ou pour Noël, où je les revois chacun assis dans un fauteuil. Je n'ai aucun souvenir d'eux debout.

Au bout d'un certain temps, nous quittons l'auto-route pour emprunter des routes de plus en plus étroites. Les arbres, eux, semblent de plus en plus hauts. Nous tournons dans un chemin de terre marqué par un petit écriteau avec une inscription peinte en bleu : ROUTE DE LA POINTE. Au-dessous, en caractères beaucoup plus petits : *Chemin privé*. Ma mère inspire profondément, puis expire en lâchant :

— Allez.

Je porte mon regard au bout de la piste. Il n'y a aucune maison, rien que des arbres – des pins et des érables –, qui ne laissent pas filtrer le moindre rayon de soleil.

— Tu t'en souviens, maintenant ? interroge ma mère.

— Non.

Nous avançons. C'est une route interminable, de laquelle partent d'autres chemins, de longues allées avec des noms de famille peints sur des planches en bois clouées aux troncs. Au travers du mur d'arbres, de broussailles et de sous-bois, on aperçoit épisodiquement la sombre silhouette d'une résidence ou un reflet d'eau miroitante. Nous nous engageons dans l'une des dernières allées et nous garons à côté d'une berline marron. Construite en bois brun foncé, la demeure est à quelques mètres seulement du lac, dont la surface figée est encore trop brillante pour nos yeux habitués à l'obscurité de la piste.

— Et voilà, retour à la maison... soupire-t-elle.

Mon grand-père sort. Il a la bouche totalement crispée, comme s'il était en colère. Il descend à la hâte l'escalier de la véranda, tandis que ma mère le rejoint pratiquement en courant, et tous les deux s'étrei-gnent fort. Ma mère émet un son, et Grindy murmure « Chuuut, chuuut, chuuut » en lui caressant les cheveux, faisant tomber son fichu sur l'herbe. Elle lui dit quelque chose, doucement.

— Je sais, répond-il. Je sais que tu as essayé. Vingt-trois ans à essayer, c'est bien assez.

Il m'appelle d'un geste du bras et, lorsque je suis assez près, il m'attire dans leur étreinte avant de me déposer une bise sur le front.

Quand nous montons avec tous nos bagages, Nonnie nous attend sur le pas de la porte. Elle nous embrasse toutes les deux sur la joue. Sa peau est duveteuse et a l'odeur de ces oreillers minuscules qu'on met dans son tiroir pour parfumer les vêtements. Elle n'est pas ma vraie grand-mère, m'apprend ma mère cette nuit-là, alors que nous sommes allongées sur nos lits jumeaux, dans la chambre que nous partageons. Je l'avais toujours ignoré. En fait, je n'ai jamais rencontré ma vraie grand-mère. Elle vit en Arizona et ma mère ne l'a pas revue depuis que Garvey était bébé.

Le visage de Nonnie est encore jeune, mais ses cheveux sont vieux, complètement blancs. Elle les relève toujours avec des épingles, mais si on descend à la cuisine suffisamment tôt le matin, on peut la surprendre en peignoir écossais bleu, avec sa chevelure lissée et luisante qui lui dégringole au-dessous de la taille. Le reste de la journée, celle-ci a disparu, tressée et ramenée en un chignon à l'arrière du crâne.

Ce soir-là, au cours du dîner, Grindy et ma mère se disputent au sujet de Nixon.

— Tous ces témoignages et toutes ces audiences font passer le reste au second plan. Ces enregistrements ridicules ! Le pays n'a pas besoin d'écouter ce tas d'inepties. Nous traversons une grave récession. Laissons-le s'occuper des choses réellement importantes.

— Rien n'est plus important que cela, p'pa. Les responsables doivent répondre de leurs actes. Sinon, nous préparons la voie à un nouveau Hitler.

Grindy secoue la tête.

— Ma petite fille, souffle-t-il avant de prendre un ton plus sec. Tu n'as pas le droit d'accoler dans la même phrase les noms de Richard Nixon et d'Adolf Hitler. Pas le droit. Richard Nixon n'était pas au courant pour le Watergate.

Puis, interrompant d'une main levée ma mère qui voulait intervenir :

40

— Il n'était pas au courant et le seul crime qu'on puisse lui reprocher, c'est d'essayer d'éviter la prison à ses hommes. Tu es naïve, ma petite fille. Il y a *toujours* eu des histoires d'espionnage interne. *Toujours.* Ces gens-là se sont fait prendre, c'est tout. Mais il est nécessaire que le président puisse en revenir aux affaires du pays.

Ma mère a la même expression que lorsqu'elle regarde mon père. Nonnie demande si quelqu'un veut encore des haricots.

Après le repas, mon grand-père s'installe devant le match des Red Sox. Debout derrière son fauteuil, je polis son crâne chauve avec ma manche. Je suis fascinée par le lustre de son cuir chevelu, par les taches blanches de vieillesse, par les taches brunes de vieillesse. Ma mère me prie de le laisser tranquille, mais il lui répond que c'est agréable. La fine épaisseur de peau tannée et brillante a l'odeur des champignons avant qu'ils soient cuits. Quand je vais me coucher, il plaque ses mains sur mes oreilles et me donne sur le front un gros baiser aux poils de barbe.

Ma mère soutient que mon père sait où nous nous trouvons, mais je n'arrive pas à comprendre qu'il n'ait pas appelé ou qu'il ne soit pas venu. Je soulève de temps à autre le combiné pour vérifier si la ligne marche bien, puis raccroche. Il doit être tellement furieux contre moi.

Sur la carte de la région des lacs placardée dans la salle à manger de mes grands-parents, l'endroit où nous sommes est entouré d'un rond rouge. La pointe où ils habitent ressemble à une petite amygdale accrochée à la rive nord du lac.

— On se croirait dans un bunker, explique ma mère à quelqu'un au téléphone (sans doute son amie Sylvie). Aucune lumière n'entre par les fenêtres. Il faut aller jusqu'au milieu du lac pour voir le soleil.

Dans le couloir de l'étage, il y a une photo de ma mère en train de se gratter la jambe, debout sur le ponton en deux-pièces blanc. Sa peau ressort marron sur le blanc du maillot et elle sourit. En arrière-plan, des copines l'attendent dans l'eau. Ces amies reviennent encore maintenant, avec leur famille, et, dans notre chambre mansardée, ma mère se demande à voix haute devant moi comment elles peuvent continuer à se rendre ici chaque été, année après année, pour y retrouver les mêmes têtes, les mêmes cocktails, le même pique-nique du 4-Juillet, le bal du mois d'août, les innombrables messes du souvenir en hommage à toutes les personnes âgées décédées pendant l'hiver.

Finalement, ma mère déniche une fille prénommée Gail pour que je fasse sa connaissance. Elle entre en sixième elle aussi, mais paraît beaucoup plus âgée. Je l'emmène dans ma chambre pour lui montrer mes albums.

— Tu es menue, relève-t-elle en m'entourant le poignet de ses doigts.

Elle sort un paquet de cigarettes et nous en fumons quelques-unes au deuxième étage, à côté d'un vieux mannequin de couturière. Leur goût me rappelle celui des baisers avec Neal.

Après cela, elle passe presque tous les jours. Je suis la seule fille du même âge dans le coin. Quand il pleut, nous jouons à la bataille et au flip dans le salon de l'une ou de l'autre, et quand il fait beau nous nageons jusqu'au pont flottant qui est destiné à toutes les familles de la pointe, ou nous jouons au tennis sur le court mal entretenu qui se trouve dans les bois. Elle me présente aux autres enfants. Il s'agit, pour la plupart, de petits-cousins à moi, mais ils n'ont pas vraiment l'air de le croire. Ou peut-être qu'ils s'en moquent. Même si nous ne sommes pas à l'école, je me rends compte que Gail est le genre qui plaît à tout le monde. Elle a une personnalité qui s'impose aux autres, ce qui est tellement plus important que l'allure ou la tenue. Je la suis partout, queue de son cerf-volant, reconnaissante d'être ainsi mystérieusement attachée à elle.

Au bout de deux semaines, mon père téléphone pendant le dîner. Nonnie va décrocher et revient rapidement.

— C'est Gardiner, annonce-t-elle, plantée dans l'encadrement de la porte en attendant de voir si ma mère va prendre l'appel.

— Je ne suis pas sûr que ce soit une bonne idée, avance mon grand-père.

Mais ma mère se lève et se dirige vers l'appareil, installé au-dessous de l'escalier du salon. Comme elle parle à voix basse, nous n'entendons pas grand-chose, mais je remarque son dos droit et raide ainsi que la façon dont elle tient le récepteur, à plusieurs centimètres de son oreille. Puis elle m'appelle pour me passer le lourd combiné noir, et mon père me demande alors de rentrer à la maison.

— Voilà ce que je veux. Je veux que toi et ta mère rentriez à la maison.

Sa voix est aiguë, comme lorsqu'il est moqueur, sauf qu'il ne l'est pas. Il est au bord des larmes. Je sens son odeur, celle du steak, de la sauce A-1 et des petits oignons dans son cocktail.

Je ne sais pas trop quoi dire. Après un long silence, il m'apprend qu'il a baptisé le chiot Scratch, que c'est une brave bête et aussi que Mallory est venue la veille avec Patrick pour se baigner dans la piscine. Son débit devient plus régulier et il m'explique ensuite avoir amené Scratch chez le véto cet après-midi. Il a eu quatre piqûres et il s'est montré bien courageux.

— Il est là, poursuit-il, juste à côté de moi et il te dit bonjour et te demande de vite rentrer à la maison, petit lutin.

— J'essaierai, papa.

Une fois que j'ai raccroché, je vois ses mains, la sueur sur son nez, et il me manque tellement que j'ai l'impression que ma peau se détache de mon corps.

Dans la salle à manger, ma mère peste contre lui, contre les vodka martini et contre le fait qu'il a de toute évidence dû parler à un avocat qui lui a conseillé de se comporter comme s'il désirait son retour.

— Tu verras, il va envoyer un courrier, affirme ma mère. Il va mettre tout ça par écrit.

Me voyant écouter la conversation, ma grand-mère demande si quelqu'un veut encore du poulet.

J'écris à Mallory, à Patrick et à Neal Caffrey. Mallory est la première à me répondre. Elle tape sa lettre en forme de girafe.

Chère
Daley,
Comment ça va ?
Tu me
manques
à mort.
J'arrive
pas à
croire
que tu
sois partie
sans rien
me dire.
Il y a d'au-
tres trucs que
tu m'as pas dits ??
Non, je te charrie. Est-ce que
tu te marres bien, là-bas, avec tes
grands-parents ? Est-ce que tu t'es déjà fait
une super copine ? Ne regrette pas les cours de
voile. Le prof a un bec-de-lièvre et il est vraiment bizarre. Il est monté à bord de mon
bateau hier et il nous a
a tous mis les jetons.
On va dans un
hôtel ranch dans le
Wyoming au mois
d'août. C'est
une sur-
prise pour
l'anni- ver-
saire de ma
mère (mais
mon père
me l'a
dit – il
n'est pas
aussi doué que toi pour les secrets !). Souhaite-moi bonne
chance, pour apprendre à faire du cheval comme dans
l'Ouest sauvage ! Vivement que tu rentres. Je t'envoie des
tonnes de bisous – M.P.G.

Patrick est le suivant. Il m'écrit sur une carte turquoise, avec son nom gravé en relief sur le haut.

Chère Daley,
J'ai eu ce papier à lettres pour Noël et c'est la première fois que je m'en sers. C'est un peu ringard. On s'est beaucoup baignés dans ta piscine. J'espère que ça ne t'embête pas. Il fait chaud, ici. M. Amory et moi sommes allés au magasin de fournitures pour racheter du chlore et une nouvelle trousse d'analyse DPD. Nous sommes aussi allés chez Payson prendre une rallonge et des punaises. Quand est-ce que tu rentres ? La fête foraine est finie. Elyse a vomi sur le Scrambler. C'était dégoûtant. On a chaviré trois fois hier.
Bises,
Patrick.

C'était toujours moi qui partais avec mon père faire des courses le week-end. La dernière fois où nous nous sommes rendus chez Payson, il m'a acheté un porte-clés rond, l'un de ces gros anneaux argentés comme en ont les concierges de notre école, qui s'accrochent à la ceinture et qui ont un petit bouton dur au milieu, que l'on presse pour remettre les clés dessus. J'ai oublié de l'emporter avec moi et, après avoir lu la lettre de Patrick, je pleure comme une Madeleine à cause de ce stupide porte-clés.

Puis c'est mon père qui écrit, ainsi que l'avait prédit ma mère, une lettre pour chacune de nous deux, nous demandant de rentrer à la maison. Il a utilisé le papier blanc du bureau du salon, qui porte notre nom et notre adresse en rouge. Il a employé un stylo bille bleu et il devait appuyer fort sur le sous-main, car on dirait qu'elle est rédigée en braille au verso de la feuille. Il jure que nous lui manquons, qu'il nous aime et qu'il veut que nous revenions vivre avec lui. Ma mère me permet de conserver son courrier dans ma valise. Elle ne lui répond pas. Moi si, mais comme je n'ai pas envie de donner l'impression que je m'amuse bien ni que je suis malheureuse, c'est une lettre nulle, sans intérêt. Après cela, il ne nous écrit plus.

C'est ensuite au tour de Nora, qui prend l'habitude de m'envoyer des cartes illustrées par des fleurs ou des oiseaux bleus, à l'intérieur desquelles je découvre de courts poèmes. L'un d'eux dit :

> *Ce petit oiseau, avant de s'envoler,*
> *Veut te souhaiter une bonne journée*

Elle signe toujours : *Toute mon affection, Nora.*

J'espère un mot de Neal. J'accompagne presque tous les matins mon grand-père à l'épicerie générale de Chigham, où il achète le *Boston Globe* pour lui et un paquet de bonbons à la cannelle Hot Tamales pour moi. Puis nous traversons la rue pour nous rendre au petit bureau de poste. Une femme prénommée Mavis est assise derrière le guichet. Elle rougit à tout ce que mon grand-père peut lui raconter. Chaque jour, je me tiens à un endroit différent de la pièce, en me disant que si j'arrive à me placer là où il le faut, il y aura une lettre de Neal dans la boîte de mon grand-père. Parfois, il parle pendant cinq ou dix minutes à Mavis, sans jamais remarquer le rouge qui enflamme ses joues flasques et duveteuses. Ensuite, il prend la clé dans sa poche, se dirige vers la boîte n° 5 et, en attendant le clic de la porte qu'il referme, je garde les yeux rivés sur le plancher, tandis que mon cœur bondit dans ma poitrine jusqu'à ce que je m'aperçoive qu'il n'y a rien de Neal ; alors, ses palpitations se calment petit à petit.

47

A la fin du mois de juillet, mon frère vient au lac avec sa nouvelle petite amie, Heidi.

— Hermey ! s'exclame-t-il.

Il me soulève et m'étreint. Il sent un peu mauvais et n'est pas rasé.

— Hermey est si grande, maintenant, et elle a les cheveux encore plus mousseux.

Il me surnomme Hermey parce que je lui rappelle le lutin fabricant de jouets qui veut devenir dentiste dans *Rudolph, le petit renne au nez rouge.*

— C'est l'humidité, réponds-je en essayant d'aplatir mes frisottis.

Il me présente Heidi. Elle a une longue chevelure lisse et des yeux verts limpides. Il l'a rencontrée à la fin du mois de juin, dans une fête à Somerville, où il réside pour l'été.

— Quel jour de juin ? lui demandé-je plus tard, pendant le dîner.

— Je ne sais plus. Un lundi soir.

— Le vingt-quatre, proteste Heidi en frappant affectueusement mon frère.

— Aïe ! feint-il de se plaindre.

— La veille de notre départ de Myrtle Street, dis-je.

Pour moi, tout bascule ce jour-là : il y a un avant et un après.

— Je vais l'épouser, Daley, me confie-t-il sur le canapé après le repas, pendant qu'elle s'absente pour aller aux toilettes. Putain ! Je vais l'épouser ! ajoute-t-il en appuyant avec force ses mains sur son crâne.

Lorsqu'elle revient, il la serre dans ses bras, lui tripote les cheveux, lui chuchote à l'oreille et rit dans son cou. Je ne l'avais jamais vu avec une fille. Il n'amenait que des garçons à la maison. Ils passaient tout le week-end enfermés dans sa chambre, à jouer de la guitare et à rouler ce qui ressemblait à de la terre dans des petits carrés de papier de soie. Ils écoutaient des disques dont je n'avais jamais entendu parler, dévalisaient les étagères du frigo et du garde-manger, puis disparaissaient à bord d'une voiture jusqu'à la fois suivante. Avec Heidi, Garvey est très différent. Il est doux, gentil, et ne manque jamais de lui demander ce qu'elle pense ou ce qu'elle désire.

— Il est vraiment amoureux, note ma mère.

Allongées sur nos lits jumeaux, nous les écoutons murmurer dans la chambre où est logée Heidi. Ma mère me parle de son premier amour. Elle l'avait rencontré ici, un été. Il venait voir Jeremy, le cousin de ma mère. Je le connais. Il a déjà l'air d'un vieillard, avec sa peau épaisse et burinée. Il veut toujours qu'il y ait des enfants pour l'accompagner quand il va faire de la voile, mais il vous aboie après si vous vous trompez et tirez la mauvaise corde sur son bateau. L'ami de Jeremy s'appelait Spaulding. Il avait aperçu ma mère alors qu'il se tenait sur la véranda de Jeremy.

— Il m'a dit : « T'es rudement mignonne, t'sais ? », comme ça ; « t'sais » parce qu'il était de Géorgie, ce qui m'intriguait. J'avais quatorze ans. Je l'ai rejoint illico sur la véranda. Le premier soir où nous sommes sortis ensemble, je lui ai avoué que j'avais l'impression d'être dans un roman. C'était ce que je ressentais avec lui. C'est toujours ce que je ressens quand je tombe amoureuse.

Garvey et Heidi ont cessé de bavarder et produisent d'autres bruits. Je sais ce qu'ils font, mais on croirait qu'ils sautent sur le lit, ce qu'on m'interdit toujours.

— Heureusement pour tout le monde que mon père devient dur d'oreille ! plaisante ma mère.

Le lendemain, nous nous rendons sur l'une des îles qui se trouvent au milieu du lac, avec un plein seau de poulet frit. Sur la couverture du pique-nique, mon frère lèche les doigts de Heidi, avant que ma grand-mère leur rappelle qu'ils ont des serviettes. Ensuite, ils vont se promener autour de l'île. Mes grands-parents remettent leurs chaussures et partent dans la direction opposée, bras dessus, bras dessous, penchant la tête l'un vers l'autre lorsqu'ils parlent. Ma mère, avec son bikini jaune et ses énormes lunettes de soleil, lit le journal et s'adresse à celui-ci, comme à son habitude.

— Un blanc de cinq minutes et dix-huit secondes dans le dernier enregistrement. C'est scandaleux !

Pendant une fraction de seconde, je crois voir mon père sur la première page du quotidien – le dos voûté, les sourcils épais, les petits yeux –, mais c'est Nixon, debout sur la passerelle en métal de son avion, en train de saluer.

Tard ce soir-là, Garvey, Heidi et moi marchons jusqu'à la route principale, là où le ciel s'ouvre à nous, offrant tellement d'étoiles qu'il est difficile de discerner la Grande Ourse et la Petite Ourse, ou encore Cassiopée. Toutes paraissent s'éloigner alors même que je les contemple, mais tout me paraît lointain, cet été, tout paraît me fuir. Heidi m'explique que la plupart des étoiles que nous voyons n'existent plus. Elles sont mortes. Mais comme elles sont si loin de nous et que leur lumière met tant de temps à parvenir jusqu'à nous, nous pouvons encore les apercevoir, alors qu'elles ne sont plus là.

— Il n'y en a pas de nouvelles ?

— Si, mais on ne peut pas encore les distinguer, me répond-elle.

Je tends le cou pour observer les étoiles mortes. Je n'aime pas l'idée que nous puissions voir la lumière de choses qui n'existent pas en réalité. Je ressens la fragilité d'une existence, la fragilité de l'univers. Je vais tout simplement mourir sans même laisser derrière moi un éclat de lumière. Je baisse de nouveau la tête vers la terre d'un mouvement brusque, mais rien n'y fait. Il n'y a pas de réverbères. Je n'arrive pas à inspirer profondément. Mes mains, puis mes bras, commencent à picoter, comme s'ils s'étaient endormis, comme s'ils ne recevaient pas assez de sang. En un rien de temps, mon cœur se met à battre la chamade sans aucune raison, à battre plus vite qu'il ne le fait au bureau de poste, si vite qu'il ne peut qu'exploser, semble-t-il. Je meurs. J'en suis soudain certaine. Je continue à avancer, mais j'ai envie de me recroqueviller, de me ramasser en une minuscule boule et je prie pour que cette sensation passe. Mon frère marche devant moi avec Heidi et j'ai l'impression qu'au prochain pas, ils vont tomber d'une falaise colossale et je sais que je meurs, mais je suis incapable de les appeler. Ma voix m'a abandonnée. Je disparais. Ils rebroussent chemin sur la route de la pointe. J'implore mes jambes de les suivre.

— Mais non, entends-je mon frère dire.

— Si, je te jure.

Mon frère rit et, l'espace d'un instant, il a le rire de mon père. Il tapote la tête de Heidi.

— Qu'est-ce qu'il y a, là-dedans ? Du marsh-mallow ?

— C'est vrai ! Mon papa et moi on allait se balader le soir et il me parlait des étoiles.

— Le fabricant de frites est un astronome refoulé ?

Elle lui donne un coup de poing. Fort. Il rit, puis lui rend son coup tout aussi fort.

Je manque d'air. Je ne parviens pas à ralentir le rythme de mon cœur. Je ne parviens même pas à percevoir d'intervalle entre ses battements.

— Va te faire foutre ! crache Heidi avant de détaler en courant.

— Garvey... me mets-je à marmonner.

51

Je veux lui expliquer qu'il faut m'emmener à l'hôpital.

— Elle n'est pas en colère, me rassure-t-il. Elle aime bien s'amuser un peu brutalement, parfois.

Le son de sa voix est apaisant.

— Elle est gentille, dis-je.

Le son de la mienne est bizarre, comme sorti d'une boîte de conserve. Mais j'espère qu'il va continuer à parler et il exauce mon vœu. Il me raconte qu'elle a sur la hanche une tache de vin qui le rend fou et qu'elle embrasse comme un poisson-chat en rut.

Lorsque nous revenons à la maison, elle n'y est pas. Garvey l'appelle et sa réponse nous parvient d'un peu plus loin. Nous la trouvons assise sur l'herbe, devant le chalet du cousin Jeremy.

— Toutes les allées se ressemblent, se justifie-t-elle.

Mon frère se penche, mais elle l'attire contre elle et je ne reste pas pour assister à la suite. Jugeant que je ne vais pas mourir, je rentre chez mes grands-parents.

Chaque vendredi matin, ma mère descend en voiture à Boston, où elle a rendez-vous avec son avocat. Elle reste dîner en ville et je m'endors sur le canapé en attendant son retour. Elle me rapporte toujours un cadeau : une corde à sauter, un jeu de cartes magiques, un livre de coloriage « Watergate », sur des gens appelés « Les plombiers » et sur un hippie qui parle à un homme sans visage surnommé « Gorge profonde » dans un parking souterrain. Les autres jours, elle demeure auprès de moi à la pointe. Elle dit que je peux prendre des cours de voile, mais je n'en ai pas envie. J'aime être avec elle. Nous écoutons dans notre chambre la musique que j'ai apportée – Helen Reddy, Cat Stevens, les Carpenters. Nous allons à vélo jusqu'au marchand de glaces installé sur la route principale. Je lui apprends à jouer à la bataille, mais je gagne toujours. Elle ne me laisse jamais pour assister à un déjeuner ou organiser un repas de collecte de fonds ou participer à un rassemblement. Lorsqu'elle doit se rendre à la pharmacie, chez le coiffeur ou encore acheter un présent, je l'accompagne, comme avec mon père, que j'accompagnais partout. Elle me raconte des histoires sur sa famille, sur son enfance, sur les livres qu'elle a lus et les pièces qu'elle a vues. Elle a tout un tas de souvenirs qu'elle ne m'avait jamais racontés auparavant.

Un jour, alors que nous sommes à bord du canot de mon grand-père, elle me montre un hangar à bateaux rouge qui se dresse de l'autre côté du lac.

— C'est là que j'ai fait la connaissance de ton père.

— Où ?

— Ce local abrite un club de tennis. Ton père jouait dans un tournoi. Je l'ai vu sur le court et je suis passée lentement le long du grillage. Il était en train de s'échauffer, il travaillait son service. Et quand il est allé ramasser les balles, il m'a demandé si je voulais prendre un thé glacé avec lui après la partie.

Ça se passait vraiment comme ça, en ce temps-là ? Un type se pointait et vous cueillait tout simplement comme une fleur ?

— Et tu as dit oui ?

— Non. J'ai dit que j'avais rendez-vous chez le coiffeur. Alors, il m'a invitée au cinéma, ce qui était bien mieux qu'un thé glacé.

— Est-ce qu'il te plaisait ?

— Oui. Bien sûr que oui.

Elle arrête de ramer. Je crois qu'elle me regarde, mais c'est difficile à dire, avec ses lunettes de soleil. Sa lèvre inférieure s'écrase sur la supérieure, comme si elle avait tout d'un coup pris conscience de mon lien avec tout ce qu'elle vient de m'apprendre.

— Il était très séduisant, très drôle. Je ne me rappelle plus le film que nous avons vu, mais au milieu de l'histoire, un couple se couche dans des lits jumeaux et ton père s'est penché vers moi pour me dire : « Lorsque nous serons mariés, nous aurons un lit double. » J'ai trouvé ça si touchant, ajoute-t-elle en secouant la tête. Il suffit de quelques mots par-ci par-là. On peut s'accrocher longtemps à quelques mots. Et combler les trous avec les frivolités de son imagination.

Elle se remet à ramer.

— Mais quand est-ce qu'il t'a demandé de l'épouser ?

— A la fin de l'été. Je ne sais pas pourquoi ça s'est passé si vite, mais c'était comme ça à l'époque. Nous étions tous tellement pressés. Et puis ton père était fils unique. Il était fraîchement diplômé de Harvard et je pense que la solitude lui faisait peur.

Lorsque Nixon donne sa démission en août, nous sommes obligés de suivre son allocution dans notre chambre, sur le petit téléviseur de la cuisine de Myrtle Street que nous avons emporté avec nous, parce que mon grand-père refuse catégoriquement de regarder ça.

« Bonsoir, dit Nixon, qui porte un costume et une cravate noirs. C'est la trente-septième fois que je m'adresse à vous de ce bureau où ont été prises tant de décisions qui ont façonné l'histoire de cette nation. »

D'habitude, ma mère fustige toujours Nixon chaque fois qu'il apparaît à la télévision, mais ce soir elle ne souffle mot. Elle écoute attentivement, assise sur son lit, se mordillant la lèvre. Nixon tient sa liasse de papiers et commence à lire la première feuille, qu'il pose ensuite doucement sur le côté avant d'attaquer la lecture de la suivante. Je ne vois pas ses mains trembler. Ses paroles me glissent dessus : base politique, sécurité nationale, intérêts américains. A mes oreilles, c'est un discours comme tous les autres. Il ne jette que de brefs regards à la caméra, sauf en une occasion, où il abaisse ses papiers et, sans lire, déclare : « Je n'ai jamais été homme à abandonner. »

Au bout d'un long moment, son débit se fait plus lent et je sais qu'il arrive à la fin.

« Les fonctions que j'ai exercées dans ce bureau m'ont permis de ressentir un lien personnel très fort avec chaque Américaine et chaque Américain. Je le quitte en formulant cette prière : que la grâce de Dieu soit avec vous pour les temps à venir. »

Alors, il rassemble ses feuilles et les caméras s'arrêtent.

— Adieu, et bon débarras ! braille ma mère.

Puis elle se laisse retomber sur ses oreillers, épuisée, satisfaite.

3

Nous quittons le lac de Chigham à la fin du mois d'août. On dirait notre arrivée, mais projetée à l'envers, avec Nonnie qui nous embrasse sur le pas de la porte et ensuite Grindy qui nous attire, ma mère et moi, dans une étreinte, debout dans l'herbe à côté de notre voiture chargée. Mais nous ne rentrons pas directement à Ashing. Nous nous arrêtons à Boston, où ma mère me dépose à Park Street pour retrouver Garvey. Elle viendra me chercher trois jours plus tard. Garvey et moi nous engouffrons au-dessous de la rue par une volée de marches crasseuse, puis nous empruntons le T jusqu'à Somerville.

L'appartement de Garvey est situé au deuxième étage d'une maison qui a glissé de ses fondations pour s'affaisser sur le côté. Un angle de la véranda s'enfonce dans le sol. Tout est cassé – la balustrade de la véranda, les fenêtres. La porte d'entrée est même parcourue par une fente en plein milieu.

— Le meilleur endroit, c'est là, dit-il en s'immobilisant dans la cage d'escalier sombre pour humer l'air. Tu sens ça ?

Je sens beaucoup de choses, toutes répugnantes.

— Ta transpiration ?

Garvey rit.

— Non. C'est de la cuisine indienne. Cette femme en prépare tous les jours à l'heure du déjeuner. Et en plus elle est superbe. Elle porte ces sortes d'étoffes, explique-t-il en balayant du bras sa jambe de haut en bas. Et elle a ce petit sourire narquois que je n'arrive pas à interpréter.

Il secoue la tête et reprend son ascension, sans un mot sur les gens du premier dont la musique tonitruante résonne à travers la porte. Plus nous montons, plus il fait chaud. Le sommet de l'escalier est lumineux – le soleil entre à flots par deux grandes fenêtres – et c'est une véritable étuve. Il pousse une porte apparemment dépourvue de poignée.

— Nous y voilà. *Home sweet home.*

Il flotte une odeur de vinaigre et de chaussettes sales mouillées. Il y a du linoléum, pas seulement à la cuisine, mais sur tout le sol de l'appartement et mes baskets collent dessus comme si j'avais du chewing-gum sous les semelles.

— Tiens, apporte tes affaires dans ma chambre.

Trois chambres donnent sur le petit couloir.

— Deena... commence-t-il.

Il m'indique une pièce bleue bien rangée, avec un couvre-lit vert-jaune et, suspendues à des rubans fixés sur le mur, des centaines de boucles d'oreilles, le genre de boucles pendantes que ma mère refuse encore de me laisser mettre.

— Heidi...

Sa chambre n'est qu'une pile de vêtements, sans lit.

— ... et moi.

Celle de Garvey n'est que lits : deux matelas doubles posés côte à côte.

— Nous aimons bien nous étaler, explique-t-il. Je vais en ramener un dans la chambre de Heidi, comme ça tu auras ton chez-toi.

— Est-ce que maman et papa savent que vous vivez ensemble ?

J'ai suffisamment entendu mon père pester contre la génération de Garvey pour savoir que cela ne lui plairait pas du tout. Garvey me parodie en écarquillant les yeux et en plaquant ses deux mains sur la bouche.

— Ooooh, ne leur dis rien ! J'ai trop peur de ce que « maman et papa » vont penser !

— Ils ne sont pas morts. Ils divorcent, c'est tout.

— Oh, merci pour cet éclaircissement.

— Ils sont toujours nos parents.

— Ils sont mes géniteurs, pas mes parents. Le mot « parents » suggère un peu plus d'implication, ajoute-t-il en tirant l'un des lits en direction de la porte. Et puis, ils seraient mal placés l'un comme l'autre pour me reprocher quoi que ce soit en ce moment.

— Pourquoi ?

Il lâche le matelas et me tapote gentiment le crâne.

— Le petit bébé dans les bois... Tant de choses à apprendre...

Un ventilateur tourne dans un coin de la pièce. Je m'accroupis pour sentir l'air sur ma figure. Ma sueur devient fraîche, puis s'évapore. Garvey s'allonge sur le lit qui gît maintenant à côté de la porte.

— Je suis étonné que tu aies laissé maman s'enfuir pour un rendez-vous galant avec son soupirant.

En entendant ces paroles, j'ai un mauvais pressentiment.

— Ça t'ennuierait de parler normalement ?

— Tu as laissé maman se tirer avec son mec.

— Elle est juste chez Sylvie. J'y suis déjà allée.

— Elle est chez Sylvie. Mais Sylvie est en France. Et donc c'est un certain Martin qui va être chez Sylvie avec maman. Décidément, tu n'es pas fute-fute.

58

Les larmes me montent aux yeux, chassées vers mes oreilles par le souffle du ventilateur. « Dis bonjour à Sylvie de ma part », venais-je de lui demander dans la voiture juste avant qu'elle me dépose. « Je n'y manquerai pas », avait-elle promis.

— C'est vrai, tu n'étais pas au courant ?

Je réponds non de la tête. Une fois que j'ai retrouvé ma voix, je l'interroge :

— Est-ce qu'il est d'Ashing ?

Mon frère rit, fort – parce qu'il est couché sur le dos et parce qu'il adore quand je suis stupide.

— Mais non, putain ! Bon sang, Daley, tu crois qu'elle voudrait encore avoir de quelconques rapports avec les cadavres réchauffés de cette ville ?

— Mais c'est là qu'on *habite*. Nous y retournons lundi. Je vais entrer en sixième. Maman a trouvé un appartement dans le centre, dans Water Street.

J'énumère tout cela pour m'assurer que c'est encore vrai.

— Je sais. Et c'est pour toi qu'elle fait tout ça. Pour toi. Ça fait bien longtemps que maman s'est lassée de cette ville.

— Alors qui est Martin ?

C'est tout juste si je parviens à remuer mes lèvres. J'avais oublié à quel point mon frère pouvait me mettre mal à l'aise quand il le voulait.

— Je n'en sais rien. Je pensais que tu me pourrais me l'apprendre.

Si ma mère a menti sur la personne avec qui elle se trouvait, elle aurait pu aussi mentir sur l'endroit où elle se rendait. A l'idée de tout un week-end à rester dans l'ignorance, j'en ai la tête qui tourne.

Au moins, je sais où est mon père. Un vendredi à cinq heures et demie, il doit être assis au petit salon avec sa deuxième vodka martini, à regarder les informations locales, tout en songeant qu'il lui faudrait nettoyer la piscine demain matin et mesurer le taux de chlore. Leur gamelle terminée, les chiens sont certainement en train de trottiner dans tout le jardin pour trouver le bon endroit où faire pipi et caca. Maintenant, Scratch doit avoir appris, mais s'il lève la patte sur les rosiers de ma mère, mon père bondira pour lui crier après.

— As-tu vu papa ?

— Ouais. J'y suis monté le week-end dernier. Débile...

— Qu'est-ce qui s'est passé ?

Mon frère se couvre les yeux en poussant un grognement.

— Je ne pense pas que je devrais te le dire.

— Qu'est-ce qu'il y a ? Qu'est-ce qu'il y a avec papa ?

Je l'imagine allongé sur le sol de la cuisine pour une raison ou pour une autre, incapable de se remettre debout. Le tableau m'apparaît avec une telle netteté que je me lève moi-même, comme si je pouvais aller l'aider.

— Il n'y a rien avec papa, Daley. Assieds-toi, me convie-t-il sur le ton d'un professeur principal. Il est maqué avec...

Il me jauge du regard pour savoir si je peux supporter la nouvelle. Mais je m'aperçois que je la connais déjà.

— La mère de Patrick.

— Je savais bien que tu n'étais pas aussi bête que tu en avais l'air.

M. Amory et moi sommes allés chez Payson. M. Amory et moi avons nettoyé la remise. J'ai lu cette histoire tout l'été.

A six heures, nous nous rendons à la franchise Brigham's où travaille Heidi. Après la fournaise de l'appartement de mon frère, la rue paraît fraîche ; en poussant la porte du Brigham's, on a l'impression de pénétrer dans un frigo. Heidi est en train de servir une grand-mère accompagnée de son petit-fils. Elle nous adresse un sourire discret, avant de nous tourner le dos pour préparer leurs milk-shakes. Elle a un tablier bleu lâchement noué autour de la taille et ses cheveux dégringolent en une tresse qui s'effiloche. Elle fait glisser les grands verres et deux pailles à ses clients, puis encaisse leur argent sans un mot. La peau de son visage est moite, malgré l'air conditionné. Elle est différente de l'image que j'avais conservée dans mon souvenir, comme flétrie.

— Salut, me dit-elle.

Mais nous voir l'un comme l'autre ne semble pas la réjouir. Au lieu du vert limpide que j'ai en mémoire, ses yeux sont ternes et olivâtres.

— Tu es arrivée ? ajoute-t-elle.

En attendant la fin de son service, Garvey et moi nous partageons un sorbet framboise-citron vert à une table nichée dans un angle. Dehors, nous retrouvons la chaleur et les trottoirs sont envahis de gens qui sortent de la bouche de métro ou qui s'y précipitent. Après un été dans les bois, ce chaos me rend mal à l'aise. Je ne lâche pas mon frère d'une semelle tandis qu'il nous emmène jusqu'à une sandwicherie grecque.

— Ça fait au moins depuis hier que je ne suis pas venue ici... grommelle Heidi.

— Je n'ai pas vraiment les moyens d'aller à la Dolce Vita, se défend Garvey en indiquant un restaurant chic situé un peu plus loin.

— Tu ne sais même pas ce que c'est que la *dolce vita.*

Elle sourit, mais pas mon frère.

Dans le restaurant, il fait chaud et ça sent mauvais – pas étonnant que Heidi n'aime pas cet endroit.

Nous nous entassons dans un coin. Mon frère me commande un sandwich aux falafels, dont le goût m'évoque un mélange de sciure et d'oignons. Il se prend une grande assiette de viande coupée en dés et Heidi me conseille de le regarder manger, parce qu'on dirait une vache qui rumine. Mon frère lui réplique qu'elle aurait mieux fait de rester avec Graham et les yeux de Heidi deviennent roses. Elle arrête ses larmes avec son pouce. Ils boivent quelque chose qui s'appelle « grappa » et qui semble les amener à se détester.

Cette nuit-là, l'appartement de mon frère est un chaudron, comme si toute la chaleur de la ville s'était élevée pour se concentrer ici. Allongée dans le noir sur le lit qui reste, je sens mes pieds et mes mains qui enflent, ma peau qui s'étire telle l'enveloppe d'une saucisse en train de cuire. Ils ont emporté le ventilateur dans la chambre de Heidi. Aucun souffle d'air n'entre par les trois fenêtres ouvertes. L'eau et ses brises rafraîchissantes me manquent. Jamais on n'a aussi chaud à Ashing ou à Chigham. Lumières de phares et de feux stop dansent au plafond. J'en viens à rendre les voitures et les gens qui circulent au-dessous responsables de cette atmosphère étouffante. Une sirène retentit, vomissant de l'air encore plus brûlant. Dans mon rêve, je retresse inlassablement les cheveux de Heidi. Je n'arrive pas à obtenir une natte assez serrée. Le bruit d'une porte qui se ferme me tire du sommeil.

Par la fenêtre, je vois mon frère et Heidi qui s'éloignent à pied sur le trottoir, sans se toucher. La veille au soir, Garvey m'avait expliqué qu'une course les obligerait à sortir tôt le matin, mais qu'ils seraient revenus à dix heures. Je demeure aussi longtemps que possible dans la chambre, mais la faim et le besoin de faire pipi me poussent à en sortir. Les toilettes sont encore plus crasseuses en plein jour. J'évite de laisser ma peau entrer en contact avec la cuvette, ainsi que me l'a enseigné ma mère. Je trouve des corn flakes et du lait à la cuisine, mais, juste au moment où je m'installe sur le canapé avec mon bol, la porte de Deena s'ouvre et un homme sort de la pièce, nu. Il est très poilu.

— Salut ! lance-t-il.

Il prend son jean et son tee-shirt, qui sont posés à côté de moi. Toujours nu, il quitte l'appartement par la porte d'entrée battante et dépourvue de poignée. Je l'entends s'habiller dans le couloir, puis je perçois le bruit de ses pieds nus qui collent aux marches tandis qu'il descend.

La chaleur est légèrement retombée ; la brise, une vraie brise, se glisse par les ouvertures. La chambre de Deena se rouvre.

— Merde ! Il est parti ?

— Ouais, réponds-je.

— Merde ! redit-elle en contemplant une paire de lunettes dans ses mains. Merde !

Elle les jette par la fenêtre. Ensuite, elle étire ses longs bras jusqu'au plafond, puis d'un côté et de l'autre. Elle est nue elle aussi et a des seins énormes, trois fois plus gros que ceux de ma mère. Comme elle est mince, ils paraissent à l'étroit sur sa poitrine, les mamelons se trouvant presque face à face. Sa taille va en s'effilant, puis ses hanches s'évasent, couronnant des cuisses épaisses et puissantes. Son corps est fascinant, pour moi, car il possède une féminité que n'a pas celui de ma mère ni celui de mes tantes de Chigham.

— Je vais mettre quelque chose et j'arrive, dit-elle, remarquant mon regard appuyé.

Elle revient habillée d'une robe courte au tissu brillant qui lui couvre à peine le derrière.

— Alors comme ça tes parents se séparent ? demande-t-elle en s'asseyant à côté de moi, là où étaient les vêtements de l'homme.

— Ouais.

— Ça fait quoi ?

Ça fait quoi ? La question résonne. Je hausse les épaules.

— C'était dur de les voir se disputer tout le temps ?

— Ils ne se disputaient jamais. Ils ne se parlaient pas tant que ça, en fait.

Elle rit.

— Je suppose que Garvey et toi n'aviez pas les mêmes parents.

— Si, réponds-je trop hâtivement, avant de comprendre ce qu'elle voulait dire.

— Il t'a dit où il allait, ce matin ?

— Non.

Elle avance les lèvres, puis les rentre en une moue pensive. Si je lui pose la question, je sais qu'elle me l'apprendra, mais elle me donne l'impression d'être dangereuse, pleine de choses que je n'ai pas envie de connaître.

— Il est réellement tordu. Tu le sais, hein ?

Mon cœur se met à battre vraiment vite, premiers signes de la sensation « étoiles mortes ». Je pose mon bol dans l'évier et retourne dans la chambre de Garvey. Je ferme la porte à clé. Jetant un coup d'œil par la fenêtre, je les découvre plantés devant la maison, immobiles. Heidi a le haut de la tête écrasé contre la poitrine de mon frère, lequel l'enlace maladroitement. On dirait qu'il est le seul support qui l'empêche de s'écrouler par terre.

Ils rentrent à l'appartement une demi-heure plus tard. J'attends que Garvey vienne dans sa chambre pour voir ce que je fais, mais en vain. Je les entends déplacer des objets dans celle de Heidi, puis le sifflement d'une bouilloire me parvient, suivi de la voix de mon frère qui lance dans le couloir « Lait et miel ? », à quoi Heidi répond « Oui, s'il te plaît » d'une voix basse et inégale, comme si elle ne s'en était pas encore servie ce matin, ou peut-être trop servie.

Ils s'assoient dans la pièce, de l'autre côté du mur. Je perçois le bruit de leur conversation, doux, calme, discontinu, telles des vaguelettes qui clapotent contre la coque d'un bateau. Et alors retentit un son affreux, une sorte de glapissement, semblable à la plainte d'un animal dans les bois ; impossible de dire si c'est un cri masculin ou féminin, je sais seulement qu'il provient de la chambre voisine. Puis plus rien.

Je ramasse sur le sol un mince livre de poche intitulé *Le Sein*, dont les premières lignes sont : « Ça a débuté de manière bizarre. Mais quoi qu'il en soit, pouvait-il en être autrement ? » Je lis quelques chapitres. Un type normal s'est transformé en un gros nichon de soixante-dix kilos. C'est d'abord son pénis qui a changé pour devenir un mamelon. Seul Garvey peut avoir un tel livre chez lui. Au bout d'un moment, lassée de ma lecture, j'essaie de fureter discrètement, mais il n'y a rien, pas de calepin secret ou de bouts de papier cachés dans ses tiroirs. Je lui en veux de m'avoir oubliée et j'espère trouver une horreur sur lui que je pourrais lui coller sous le nez.

Quand enfin il revient, il se laisse tomber à plat ventre sur le lit et demeure un long moment ainsi, sans bouger ni parler. Sa chemise à carreaux élimée s'est relevée avec le mouvement de ses bras, dévoilant ses hanches maigrichonnes et la peau pâle du bas de son dos, où sa colonne vertébrale s'achève par une touffe de poils noirs. Il a le derrière plat, comme celui

65

de mon père, et le jean qui couvre celui-ci est presque noir de crasse. Je me rends compte qu'il ne dort pas : sa respiration est bruyante, mais saccadée, comme charriant des mots que je n'arriverais pas à saisir. Lorsqu'il est entré il m'a regardée, mais je ne suis pas sûre maintenant qu'il m'ait vue. Alors il se retourne et plante ses yeux fébriles directement dans les miens, puis, après une autre inspiration à la fois sonore et poussive, il me dit :

— Je t'en conjure, Daley, quoi que tu fasses, ne laisse jamais un mec te toucher. Jamais. Pas avant que tu aies trente ans. Ou quarante.

Je pense à Neal, que je vais revoir dans moins de deux semaines et qui ne m'a pas écrit.

— S'il te plaît. Ecoute-moi, je t'en supplie. Ils ne feront que te bousiller, c'est tout. Ne tombe pas amoureuse. Ne les laisse pas t'approcher tant que tu ne sais pas précisément qui tu es et où tu vas.

— D'accord, conviens-je d'une voix posée pour qu'il cesse de me dévisager.

Il détache son regard de moi pour le river sur le plafond, puis se met à sangloter. Je n'avais jamais vu mon frère pleurer avant cela et il est mauvais dans cet exercice, secoué de spasmes, la bouche déformée et les mains battant l'air autour de son visage, comme si elles ne savaient où aller. Je ne le reconnais plus vraiment comme étant mon frère et je place mes doigts sur l'intérieur de son bras pour m'assurer que c'est bien lui. Il m'attrape et me serre très fort contre lui. Ma tête suit le mouvement de sa poitrine au rythme de ses sanglots. Ça s'arrête aussi soudainement que ça avait commencé : il dit « Merde ! », puis me repousse et sort de la pièce.

Dans la chambre de Heidi, leur discussion démarre une nouvelle fois doucement, mais bientôt mon frère lui crie après. Et elle répond en criant elle aussi, mais ce qu'elle fait ensuite ne ressemble plus à un cri. Il n'y a plus de mots : c'est comme l'horrible glapissement que j'avais entendu plus tôt, mais cela ne s'interrompt pas, c'est un long hurlement caverneux sans fin et j'éprouve au plus profond de moi ce besoin de hurler. Alors, l'espace de quelques secondes, je me demande avec inquiétude si ce n'est pas moi qui suis en train de pousser ce cri, tant je me sens le ventre creux et l'estomac à vif.

Puis le silence revient et je me couche de tout mon long sur le lit avant de m'endormir. Lorsque je rouvre les yeux, le soleil a disparu et la nuit au-dehors est une brume vert pâle. Un bruit de voix me parvient du salon et je le suis. Mon frère et Heidi sont installés face à face sur le canapé, en train de manger des nouilles dans des bols bleus.

Il marmonne quelque chose qui la fait ricaner et à ce moment ils se tournent tous les deux vers moi.

— Sers-toi, il y a à bouffer sur la cuisinière, m'invite Garvey.

— Attends, je vais voir s'il reste du lait.

— Du lait ? Elle ne boit pas de lait en mangeant. Elle n'a plus quatre ans.

— Les gosses ont besoin de lait, pour leurs os.

— Oui, petite maman…

— On n'en a pas, déclare Heidi d'un ton subitement plat en claquant la porte du frigo.

Lorsqu'elle revient au canapé avec son bol, elle ne s'assoit pas aussi près de mon frère.

— Excuse-moi, l'entends-je chuchoter dans mon dos pendant que je me sers. Je suis si idiot.

Je prends place sur un fauteuil en mousse.

— Figure-toi que Heidi est venue avec moi le week-end dernier.

67

— Chez papa ?

— Elle a eu droit à la totale. « Patrick, où est passé ce clebs ? »

Mon frère imite à la perfection mon père, adoptant sa voix rude et cassée aux intonations exaspérées.

— « Bordel, il s'est encore enfui ? Vous devez toujours le tenir à l'œil, les gamins ! »

— « Il a pissé dans la piscine ? » enchaîne Heidi, mais sa tentative de parodie est nulle.

— « Non, je crois qu'il a chié sur mes affaires de tennis ! Nom de Dieu, c'est une balle de golf qui sort de son cul ! »

Heidi éclate d'un rire haut perché. Je comprends qu'ils se sont amusés à cela toute la semaine.

— Maman a un nouveau nom, m'informe Garvey.

— Qu'est-ce que tu veux dire ?

— Elle n'est plus maman ou Meredith. Elle est « Ta putain de mère ». Tu ferais bien de t'y habituer. « Tu sais ce qu'a fait Ta putain de mère ? »

Sa faculté à se glisser de but en blanc dans le corps de mon père est étonnante.

— « Elle a carrément volé les bijoux de famille ! » Tu le savais, au fait ?

J'ignore de quoi il parle.

— Je crois que je vais aller me coucher, annonce Heidi.

— Je te suis, dit mon frère.

Il ramasse le bol de Heidi et va le poser à côté de l'évier, puis revient pour l'aider à se lever.

— C'est bon, proteste-t-elle, mais sans résister.

Puis elle se penche vers moi et me plante un baiser sur le front, comme en avait coutume mon grand-père à l'heure du coucher. Elle sent bon et j'espère que mon frère va l'épouser comme il l'avait déclaré. Ils me souhaitent bonne nuit par-dessus leurs épaules et entrent, bras dessus, bras dessous, dans la chambre de Heidi.

Je fais la vaisselle. Il y a un téléviseur dans un coin, mais j'ai peur que si je l'allume Deena ne réapparaisse et ne veuille de nouveau me parler. Alors je retourne dans la chambre de Garvey, reprends l'histoire de l'homme qui se transforme en sein et m'endors.

Comme j'ai oublié d'aller aux toilettes, je me lève au milieu de la nuit. Tandis que j'ouvre la porte sans bruit, puis traverse le couloir au sol poisseux, je ne cesse d'entendre mon frère en train d'imiter mon père. *Vous devez toujours le tenir à l'œil, les gamins !* Je vois le corniaud à vingt-cinq dollars, avec ses poils hérissés et sa vilaine tête allongée. *Les gamins. Les gamins.* Et ce n'est plus à moi ou à mon frère qu'il parle.

Ni je ne tire la chasse ni je ne me lave les mains, de crainte de réveiller quelqu'un, mais, alors que je rejoins la chambre, je jette un regard au bout du corridor et constate que quelqu'un d'autre est debout. Garvey. Je distingue le contour de son dos étroit. Il bouge, il s'étire ou il se gratte, la tête penchée sur un côté. Je veux retourner me coucher, mais j'ai la sensation qu'il a besoin de moi, qu'il veut de la compagnie.

— Hé ! chuchoté-je en m'approchant, mais il n'entend pas.

Encore quelques pas et la scène change du tout au tout, passant de Garvey seul en train de se gratter le dos à quelque chose de totalement différent. La main sur son dos n'est pas une main, mais un pied et un tibia. Ils sont deux, unis dans une étreinte, remuant ensemble, s'embrassant, s'entortillant, le tout dans un silence absolu. Et alors ils se tournent, Garvey la portant devant lui, ses jambes légèrement arquées cependant qu'il avance vers le canapé, ses jambes à elle enroulées autour de lui, tous les deux nus, se frottant l'un contre l'autre, puis ils tombent sur les coussins, ses seins énormes s'affaissant sur le côté avant que Garvey les saisisse à pleines mains pour les fourrer dans sa bouche, et pendant tout ce temps-là, son derrière se déplace de haut en bas, tandis qu'elle a les mains glissées entre leurs jambes et que son visage, le visage de Deena, est figé en un cri muet.

4

Ma mère vient me chercher le lundi et nous rentrons directement à Ashing. J'ai l'impression d'être partie depuis des années. Nous dépassons la ferme aux sapins de Noël, l'auberge à l'angle de Baker Street, la station-service Citgo, mais ensuite, au lieu de traverser le centre de la ville pour grimper la colline qui mène à Myrtle Street, ma mère tourne à droite dans Water Street, puis à gauche pour s'engager sur un parking. On dirait un motel miniature, beige avec des moulures blanches et six appartements : trois en haut, trois en bas. Ma mère me donne une tape sur la jambe.

— Nous voici chez nous.

Notre appartement est au rez-de-chaussée, au milieu. Un grand 2 orne la porte, que ma mère ouvre avec une clé préalablement cachée dans la petite lanterne fixée au-dessus de la sonnette.

— Je pense qui ni toi ni moi n'avons envie de nous embêter à avoir une clé sur nous, explique-t-elle.

A ma connaissance, jamais nous n'avons eu de clé pour notre ancienne maison. Je n'ai même pas le souvenir de serrures aux portes.

Les déménageurs ont apporté tout le mobilier : chaises, canapés et lits qui meublaient auparavant Myrtle Street. Je m'installe sur le sofa à fleurs jaunes qui était autrefois dans le petit salon. Est-ce que mon père s'assoit par terre, maintenant ?

— Viens voir ta chambre.

Elle m'entraîne dans un long couloir. Ma chambre est exiguë et sombre. L'unique fenêtre donne sur la place de stationnement où est garée notre voiture. Mais mes anciens lits sont là, avec les mêmes couvre-lits blancs, sur lesquels sont disposées toutes mes peluches. En juin, j'avais oublié de les mettre dans des cartons et elles me semblent étranges, à présent, avec leurs ventres boursouflés et leurs sourires cousus sur la gueule.

— Alors ?

— Elle me plaît.

Je la déteste.

— Je peux voir la tienne ?

Celle-ci est au bout du couloir, aussi vaste que le salon, avec des portes-fenêtres qui s'ouvrent sur une terrasse, et elle abrite le lit à baldaquin qui se trouvait dans la chambre d'amis. Toute ma vie j'ai demandé à avoir ce lit dans ma chambre.

— Il faut que nous mettions des trucs aux murs, que nous achetions des plantes, mais il y a du potentiel, se réjouit-elle. Et c'est pratique, d'être dans le centre. Tu pourras voir tes amis chaque fois que tu en auras envie.

Je réponds d'un hochement de tête.

— Papa sait que nous sommes revenues ?

— Je n'en ai aucune idée.

— Je peux aller chez lui ?

— Maintenant ?

Elle consulte sa montre. Il n'est que deux heures et demie.

Je sors mon vélo de la voiture et remonte les roues.

Comme c'est le Labor Day[1], Ashing grouille d'autos ainsi que du flot de piétons débarqués du train en provenance de Boston qui entreprennent le long trajet jusqu'à la plage. Des mômes de mon âge traînent sur les marches du Bruce Variety, le bazar discount. J'en reconnais quelques-uns, mais ignore leurs noms. J'ai fait toute ma scolarité dans la même école privée et je ne connais que ceux qui la fréquentent eux aussi.

— Bourge, lance l'un d'eux quand je passe à bicyclette.

J'ai déjà entendu ce mot. Je crois que ça signifie riche. Quand ils disent des choses comme ça, je ne sais pas si c'est moi qu'ils visent en particulier ou si c'est parce que je ne vais pas dans la même école qu'eux.

J'habite la résidence de Water Street, maintenant, ai-je envie de répliquer. Ma mère n'a pas de boulot et elle a peur que mon père ne paie pas la pension alimentaire.

Je parviens à la mercerie. Pas de Pinto orange. Je cherche Neal dans chaque visage que je croise. Lorsque j'arriverai chez papa, j'appellerai Patrick pour qu'il me raconte tout ce qui s'est produit pendant l'été. Mallory est chez sa tante, à Cape Cod, jusqu'à mercredi.

Je monte la côte, tourne à droite dans Myrtle Street au feu clignotant et roule jusqu'à la demeure en stuc à l'allée en demi-lune. Là, je m'arrête, telle une touriste. Le devant de la maison est une façade que seul le facteur utilise, avec son allée revêtue de jolies pierres blanches au lieu des habituels gravillons et sa volée de marches en ardoise qui serpente entre les

---

1. Aux Etats-Unis et au Canada, jour férié fixé le premier lundi de septembre pour célébrer la fête du Travail.

rhododendrons pour accéder à la large terrasse. Derrière les fenêtres se trouve le petit salon, la pièce de mon père, mais il n'y est jamais pendant la journée, sauf quand il pleut. Un jour, quand j'étais en CE1, un parent qui n'était pas au courant m'avait déposée là au retour d'un anniversaire. Une fois en haut de l'escalier, je m'étais retrouvée nez à nez avec un chien errant qui lapait de l'eau de pluie dans un grand dessous-de-pot. Il avait aussitôt attaqué et m'avait renversée, puis m'avait déchiré la peau des bras ainsi que de l'oreille gauche. J'avais eu beau hurler, personne ne m'avait entendue. Je m'étais alors souvenue du sac de friandises rempli de bonbons à la gelée que j'avais dans la poche de mon manteau et l'avais jeté au bas de l'escalier. Profitant de ce que le chien bondissait dessus, je m'étais précipitée à l'intérieur. Même si elles sont un peu effacées, j'ai conservé sur les bras des traces de l'incident. Le devant de la résidence est un trompe-l'œil ; toute l'activité se concentre à l'arrière. J'entends des cris en provenance de la piscine.

Je descends un peu Myrtle Street, puis remonte l'allée de derrière qui traverse le bosquet où, parfois, la pluie stagnante gèle en hiver, nous permettant de patiner entre les arbres, et je gagne le pool house, qui résonne du ronron de ses machines. Chez moi. Me voici enfin chez moi.

Un torrent d'eau s'écoulant du bas de son bikini, Mme Tabor est en train de se hisser hors du petit bassin de la piscine.

Patrick est occupé à tailler l'herbe autour des lampes en forme de champignons vénéneux. C'est lui le premier à me voir. Il lâche les cisailles.

— Daley ! s'exclame-t-il.

— Daley ? répète sa mère.

Elle rit, comme s'il venait de lancer une vieille plaisanterie. Puis elle m'aperçoit à son tour et dit :

— Mon Dieu !

C'est un peu comme revenir d'entre les morts, un peu comme Huckleberry Finn et Tom Sawyer lorsqu'ils avaient assisté à leurs propres funérailles. Seul Frank, le frère aîné de Patrick, m'ignore pour se lancer dans un saut de l'ange, puis glisser telle une raie au-dessus du fond de la piscine.

— Quand es-tu rentrée, mon chou ? interroge Mme Tabor, qui enfile à la hâte une robe en tissu éponge avant de me rejoindre.

— Aujourd'hui.

Elle me serre dans ses bras. Son corps qui sort de la piscine est froid et l'eau de sa chevelure me dégoutte dans le cou. Bien que mouillés, ses cheveux noirs ne sont pas plus raides que lorsqu'ils sont secs et ils lui dégringolent en une ligne droite jusqu'au creux des reins. Pâle d'habitude, sa peau est à présent cuivrée. Elle a dû passer beaucoup de temps au bord de ma piscine, cet été.

— Eh bien... commence-t-elle en regardant l'allée, puis la maison.

J'attends qu'elle se mette à me poser des questions – elle n'en était jamais avare quand j'allais chez Patrick.

— Ton papa va regretter de t'avoir loupée.

— Où est-il ?

— Chez RadioShack. C'est bien là qu'il est allé ? demande-t-elle à Patrick, qui acquiesce de la tête. Peux-tu repasser plus tard ?

Elle a une drôle de manière de se tenir et j'ai l'impression que si j'essaie de m'approcher de la maison, elle va me plaquer comme un joueur de rugby. Je jette un coup d'œil en direction du garage pour m'assurer que la voiture de mon père n'y est pas, ce qui est le cas.

— Hé ! dit Patrick en me tapant le bras. Il faut que je te montre ce qu'on a acheté pour la piscine.

Sa mère est sur le point de parler, mais elle s'interrompt. Je suis Patrick jusqu'au pool house. Je ne remarque rien de réellement différent, si ce n'est certaines des serviettes suspendues aux crochets. Patrick m'entraîne jusqu'à un petit meuble nouvellement installé à côté du bar et m'invite à l'ouvrir. Dans celui-ci, je découvre une chaîne stéréo avec une platine, un lecteur de cassettes huit pistes et une radio. Il appuie sur le bouton ON et de la musique retentit à l'intérieur comme à l'extérieur. Il m'indique des haut-parleurs jaunes dans les arbres qui bordent la piscine.

— Ils sont étanches, m'explique-t-il. Pour la pluie. Oh, et il y a aussi autre chose que je dois te montrer ! C'est vraiment cool.

— Profitez du beau temps. N'allez pas vous enfermer, nous lance Mme Tabor quand nous passons devant son bain de soleil en nous dirigeant vers la maison. Patrick, tu m'écoutes ?

Mais Patrick continue à avancer et lorsque nous parvenons à l'escalier de derrière, sa mère est de nouveau allongée.

A la cuisine, la table a disparu et le seul meuble est maintenant un club en cuir rouge que je n'avais jamais vu auparavant. Quant à la table, ils l'ont installée dans l'office, où ils l'ont recouverte d'une nappe orange et marron qui n'est pas à nous. Au living, il y a deux nouvelles lampes (ma mère a emporté la paire de lampes chinoises blanc et bleu), avec un pied noir brillant et un abat-jour argent, veiné d'une sorte de motif vert moulé. Au petit salon, le canapé et les fauteuils à fleurs jaunes ont été remplacés par deux sièges inclinables bleu layette. Sur le manteau de cheminée trône un cadre en plexiglas avec une photo de deux personnes âgées que je ne connais pas.

Patrick monte à l'étage d'une démarche de propriétaire des lieux et entre dans la chambre de mes parents. Même lit, plus de commode, nouveau fauteuil avec repose-pied. Draps à dessin géométrique bizarre sur le lit défait. Il s'assoit du côté où couche mon père et ouvre le mince tiroir de la table de chevet. Il en sort un objet en plastique noir qui a la forme d'un petit œuf décalotté et surmonté d'un bouton rouge, du bas duquel s'échappe un cordon électrique.

— Si tu appuies là-dessus, la police viendra.

— Quoi ?

— Ça s'appelle un signal d'alarme. Gardiner – ton père, je veux dire – a relié toute la maison. En bas, il y a un boîtier que tu allumes quand tu sors et, si quelqu'un franchit n'importe quelle porte de la maison, un signal se déclenche au commissariat, en ville, et les flics doivent débarquer dans les deux minutes, sinon ils sont virés. C'est pas super, ça ? demande-t-il, assis sur un peignoir en velours rasé or.

Dans le tiroir qui abrite le signal d'alarme se trouvent plusieurs vieilles montres, des reçus, des tees de golf blancs, un bouton de manchette et un stylo plume en argent que ma mère avait offert à mon père pour ses quarante ans. Le week-end, durant l'après-midi, j'aimais à m'amuser avec le contenu de ce tiroir pendant qu'il faisait la sieste, baigné par les images saccadées du match de baseball que diffusait la télé allumée au pied du lit. Il dormait si profondément, que je pouvais entortiller les tees de golf dans les poils de sa poitrine sans qu'il se réveille. Parfois, je m'assoupissais à côté de lui. Le tiroir, ainsi que tout ce côté de la chambre, porte son odeur, une odeur à la fois humide et épicée.

Dans le tiroir, je remarque deux nouveaux objets : un tube d'un produit appelé KY Jelly[1] et le mot que ma mère avait laissé sur la table de la cuisine au matin du 25 juin. Même s'il est chiffonné en une boule cachée au fond, je sais ce que c'est. Si j'étais seule, je le sortirais pour le lire, mais je ne veux pas que Patrick sache qu'il est ici, encore qu'il doive sans doute déjà être au courant.

Je me lève et descends le couloir jusqu'à ma chambre. Elle est close. Patrick me murmure quelque chose, que je ne peux pas saisir car il est trop loin de moi, et puis je n'ai franchement plus envie de l'écouter. J'ouvre la porte. Mes lits ont été remplacés par un lit double que je ne reconnais pas et dans lequel dort une fillette. Je me demande comment j'ai pu oublier que Patrick avait une petite sœur, mais le fait est là. Elle est couchée sur le flanc, plongée dans le sommeil, une courte natte saillant au-dessus de son oreille, les deux mains repliées sous le menton.

— Si elle se réveille, maman va me tuer, avertit Patrick derrière moi, m'incitant à refermer.

C'est l'après-midi dans la maison de quelqu'un d'autre. Je ne sais pas que faire maintenant.

— Nous n'habitons pas ici, précise-t-il. Enfin, pas vraiment.

Nous restons plantés là dans le couloir sombre.

— On pensait que tu reviendrais la semaine prochaine. L'école ne recommence que dans huit jours, mercredi, tu sais. Pourquoi est-ce que tu trembles ?

Je tends le bras, la main à plat. Je tremble comme si j'avais la fièvre.

---

1. Marque de crème lubrifiante.

— Je n'en sais rien.

— Allons nous mettre au soleil.

Nous descendons l'escalier de derrière pour gagner la véranda.

— Il est rentré, dit Patrick en pointant le doigt.

Mon père est installé, en maillot de bain, dans son fauteuil au bord de la piscine. Il se tient de côté par rapport à nous, tandis qu'il bavarde avec Mme Tabor. Elle jette un coup d'œil dans notre direction, mais pas lui. J'ai le temps de franchir toute la pelouse jusqu'aux carrés de ciment qui entourent le bassin avant qu'il lève la tête. Il simule l'étonnement.

— Tiens, quelle surprise !

Sa cordialité est feinte. Je le sais, car je l'ai déjà entendu employer cette voix-là lorsqu'il parle aux voisins qu'il déteste. Il déteste M. Seeley parce qu'il a construit son garage trop près des limites de notre propriété et il déteste les Fitzpatrick parce qu'ils ont trop d'enfants. Il déteste les vieilles sœurs Vance, qui habitent au bas de la colline, parce qu'elles donnent à manger à nos chiens et il déteste M. Pratt, le voisin d'en face, parce qu'il joue la sonnerie de l'extinction des feux à la tombée de la nuit. Il maugrée contre eux, peste contre eux et se moque de leur façon de marcher, de parler ou de rire. Mais chaque fois qu'il en croise un, que ce soit au bureau de poste ou à la station-service, il dit toujours « Tiens, quelle surprise ! » avec cette même cordialité feinte dans la voix.

Je le serre fort, mais ses bras à lui m'étreignent mollement.

— Tu es venue pour te baigner ? L'eau est bonne, aujourd'hui.

Alors qu'il étire le bras pour prendre son verre, je remarque qu'il a lui aussi la main qui tremble, comme moi.

— Non, je n'ai pas apporté de maillot. J'ai juste...

79

— Pourquoi donc ? L'eau est bonne, aujourd'hui, répète-t-il juste avant de boire une petite gorgée.

— Je n'en sais rien. Je n'ai pas encore défait mes bagages.

Je regrette aussitôt d'avoir évoqué mon été loin de lui. En même temps, je veux qu'il sache que la première chose que j'aie faite à mon retour a été de venir ici.

— Nous sommes rentrées il y a une heure seulement, ajouté-je.

Je me rends compte que ce n'est pas vrai. C'était plutôt il y a trois heures, maintenant.

— Oh, vraiment ? Il m'a semblé apercevoir la décapotable en ville ce matin.

A présent, c'est *lui* qui ment. Nous sommes arrivées bien après midi. Je secoue la tête de gauche à droite, mais je ne suis pas d'humeur à me disputer.

Il lance un regard furieux à Mme Tabor. Ce regard, je le connais aussi. Il signifie : « Non mais tu entends le culot de cette petite merdeuse ? » Des gouttes de sueur ont perlé sur son nez.

— Tu m'as manqué, dis-je.

— Ah ouais ?

— Gardiner... tempère Mme Tabor.

— Toi aussi, tu m'as manqué.

Nos yeux se croisent brièvement. Les siens sont d'un vert jaunâtre. J'ai mal à la gorge, à force de me retenir de pleurer.

— Pourquoi n'irais-tu pas donner un coup de main à ton papa pour finir de décharger la voiture ? suggère Mme Tabor.

Nous traversons le gazon dru et vigoureux. Il allume une cigarette avec son briquet, un lourd rectangle argenté qui émet un merveilleux *shlink* quand il le referme d'une chiquenaude. Le côté familier de ce son, de tout, dans l'attitude de mon père, m'est douloureux. L'allée est écrasée de chaleur et l'arrière du break est plus brûlant encore. Je dois monter en avançant sur les genoux pour récupérer les deux derniers sacs. L'odeur des chiens me rappelle que je n'ai pas vu le mien.

— Où est le chiot ?

— Quoi ? répond mon père par-dessus son épaule.

Je presse le pas pour le rattraper.

— Scratch. Où est-il ?

— Il s'est enfui.

— Il s'est enfui ?

— C'est à la mode, cet été...

— Tu l'as cherché ?

— Je sais où il est.

— Où ?

— Chez les vieilles rombières. Ça fait des années qu'elles essaient de me voler mes chiens. J'ai décidé de leur laisser celui-ci. Tu ne le voulais pas.

— Je ne pouvais pas l'emporter. J'ai demandé, mais il n'en était pas question.

Il m'adresse un rapide regard de pur dégoût. Il établit le lien entre mon refus d'avoir un terre-neuve et mon secret avec ma mère.

— Le bon Dieu de clebs le plus moche que j'aie jamais vu de ma vie.

Je l'aide à ranger les piles et le reste de ses achats. Il laisse un paquet d'ampoules dehors, expliquant qu'il doit en remplacer quelques-unes et je le suis quand il se met à la tâche. Mon idée est que si je demeure assez longtemps à ses côtés, il se souviendra de moi, comme un amnésique qui a besoin de temps pour que les souvenirs lui reviennent peu à peu. Nous changeons une ampoule dans le petit salon, puis une dans le couloir de l'étage. Il ne dit pas un mot sur le mobilier manquant, ni sur les nouveaux objets étranges, ni sur le fait qu'Elyse Tabor soit en train de dormir derrière la porte close de ma chambre. Nous nous déplaçons dans la maison en silence, avec pour seul accompagnement le couinement aigu de sa respiration qui siffle bruyamment par ses narines poilues. Une fois le travail accompli, il annonce :

— J'vais te montrer un truc.

Je suppose qu'il veut parler du signal d'alarme ou d'un autre gadget récent, mais il m'entraîne à la buanderie. Il tire la porte du meuble qui abrite le coffre-fort, un lourd cube de la couleur du plomb, muni d'une serrure à combinaison.

— Ouvre-le.

Nous connaissons tous le code : 29-08-31, la date de naissance de mon père. Quand ma mère voulait m'offrir un petit plaisir, elle me permettait parfois d'apporter dans sa chambre le sac en soie qui contenait les bijoux, puis de disposer chaque pièce sur le couvre-lit. C'est une sensation bizarre, que d'ouvrir le coffre-fort sans qu'elle soit dans la chambre.

Il est vide.

— Tu le savais ?

Je réponds non de la tête.

— Elle a tout emporté. Elle a juste tout emporté en s'enfuyant.

Il claque le lourd battant du coffre-fort, mais celui-ci rebondit et s'en retourne heurter violemment le meuble, dont il entaille le bois. Mon père désigne l'intérieur sombre et vide du cube.

— Elle a tout emporté, tous les bijoux de ma mère et de ma grand-mère !

Il a la voix brisée et le visage cramoisi. Il frappe du poing le dessus de la machine à laver en hurlant :

— La salope, la salope, la salope !

Sa voix est aussi aiguë que celle d'un garçonnet. Puis il s'incline en avant et un halètement inarticulé s'échappe de sa bouche. Alors, il se redresse et me regarde.

— Viens ici.

Je m'exécute et il me serre dans ses bras, fort, cette fois, plaquant mes oreilles contre les poils drus de sa poitrine.

— Mais tu es à moi, reprend-il. Tu es à moi. N'est-ce pas ?

— Oui, chuchoté-je contre sa poitrine velue.

Lorsque nous redescendons, Mme Tabor est occupée à préparer le dîner, tandis que Patrick et Elyse jouent aux cartes par terre, là où était autrefois la table de cuisine.

— Est-ce que Daley peut rester manger ? demande Patrick.

Mme Tabor interroge du regard mon père, qui acquiesce de la tête.

— Il faut que je prévienne.

— Reste pour la nuit, dit mon père.

— D'accord. Je vais aux toilettes et ensuite je téléphonerai.

Je ne veux pas utiliser l'appareil de la cuisine, car je n'ai pas envie de me trouver dans une pièce où résonneraient à la fois les deux voix de mes parents.

Un local attenant au petit salon, à côté des toilettes, abrite un téléphone. Je m'assois sur le tabouret pivotant. Sur la table du téléphone est posé l'un des blocs-notes de ma mère, aux épaisses feuilles de papier blanc, sur la première page duquel sont inscrits en rouge les mots N'OUBLIE PAS. A sa vue, elle me manque soudain et je suis contente de l'entendre au bout du fil.

— Je suis encore chez papa.

— Oh, bon. Ça se passe bien, alors.

— Plutôt. Ils veulent me garder à manger et à coucher.

— Très bien.

Pendant que ma mère parle, je perçois un faible *clic*.

— Je dois aller en ville demain matin, poursuit-elle. Bob s'est débrouillé pour me décrocher quelques entretiens.

Le *clic* est sans doute celui de l'appareil qui se trouve dans le solarium, que mon père a certainement décroché pour écouter. Je regrette qu'elle ait mentionné Bob Wuzzy.

— OK. Je te verrai l'après-midi, dans ce cas.

— Il faut qu'on te trouve des vêtements pour la rentrée. Quand est-ce que tu veux faire ça ? Jeudi ?

Je ne désire qu'une chose : que nous raccrochions tous.

— Pas de problème. Dors bien.

— Dors bien, mon chou.

J'attends. Maman repose le combiné sur son support avec un bruit sec. Papa avec le plus discret des *tic*.

Nous entrons dans la cuisine en même temps. Il se dirige vers le bar pour se préparer un cocktail, mais laisse échapper le pot d'oignons. Bien que celui-ci ne se brise pas, il crie « Merde ! Merde ! Merde ! » d'une drôle de voix à la fois furieuse et étranglée, comme s'il s'était ouvert la main sur le verre du bocal. Elyse, tenant ses cartes en éventail, file se réfugier auprès de son frère.

— Oh, ça suffit, Gardiner ! dit Mme Tabor, qui est en train de servir du gratin de pâtes au thon dans trois assiettes.

Frank, qui arrive à ce moment, jette une raquette de tennis en direction de la penderie, mais pas dedans.

84

— Ramasse-moi ce foutu truc et range-le donc à sa place ! ordonne sa mère, mais d'un ton beaucoup plus cassant que celui qu'elle avait employé avec mon père.

— Bonsoir, Frank. Comment vas-tu, Frank ? marmonne Frank de la penderie.

C'est avec la Davis Classic de mon frère, qu'il a joué.

— Tiens, bonsoir, maître Frank ! raille mon père en inclinant la tête. C'est trop aimable à vous de nous honorer de votre présence en cette belle soirée.

Frank se contente d'afficher un sourire narquois, ce qui est à peu près la réponse la plus gentille que l'on puisse tirer de lui.

— Et qu'est-il donc advenu de votre adversaire, je vous prie ?

A ma surprise, Frank joue le jeu.

— Il a été interné dans un asile d'aliénés, tant a été rude le choc psychologique de sa défaite face à moi.

— Tu l'as battu ? s'excite mon père, abandonnant le costume de son personnage.

— 6-3, 6-0.

En cet instant, dans l'attente de la réaction de mon père, Frank a l'air d'un petit garçon. Voilà bien longtemps que M. Tabor, leur père, n'est plus là. Il est parti dans le Nevada avant même la naissance d'Elyse.

Le visage de mon père s'illumine. Je me souviens de ce visage-là. Je me souviens de l'effet que ça fait d'être baigné par la lumière éclatante qui irradie de ce visage-là.

— 6-3, 6-0 ! Jésus, Marie, Joseph ! Tu lui as mis la pâtée ! Tu l'as vraiment bien senti. Il n'a pas pu te prendre un jeu, une fois que tu as pigé comment il jouait, pas vrai ?

85

Frank secoue la tête de gauche à droite, puis s'empresse d'emporter son large sourire hors de la pièce avant que trop de monde le voie.

Chacun de nous reçoit sa portion de gratin, ainsi qu'une assiette en plastique rose agrémentée de quelques tranches de concombre. Nous mangeons dans l'office ; les assiettes jurent avec la nappe. Mon père et Mme Tabor vont dans le solarium avec leurs verres. On aperçoit l'arrière de leurs crânes par une vitre qui donne sur la cuisine. Ils regardent les informations. C'est bizarre, de voir mon père avec tous les chiens dans cette pièce-là, qui, parce qu'elle n'avait pas de télé, avait toujours été celle de ma mère.

— Alors, Daley, commence Frank. Te voilà de retour après... combien ? trois mois ?

— Deux.

Frank et Patrick ont plus de trois ans d'écart, mais comme ils font presque la même taille et qu'ils ont les mêmes cheveux châtains raides, les gens les confondent toujours. Pas moi : Frank est méchant et la seule chose que je voie chez lui est sa méchanceté.

— Et maintenant te voici revenue dans ton ancienne maison. Elle a pas mal changé, non ?

— Je n'avais jamais mangé dans cette pièce avant aujourd'hui.

Je racle une autre fourchetée de gratin en espérant qu'il en a fini avec moi.

— Ça te plaît, les goûts de ma mère ?

Mon cœur se met à battre avec un son sourd.

— C'est différent.

— Tu penses que ta mère a plus de classe, pas vrai ?

— Fiche-lui la paix, Frank, intervient Patrick.

— Oh, la Fouine protège sa petite copine ?

— Ferme-la !

— Enfin, elle ne peut plus être ta petite copine, à présent, n'est-ce pas ? Bientôt, elle sera ta...

— Ferme ta putain de putain de gueule !

En entendant les deux « putain », Frank éclate de rire.

Je n'avais jamais vu Patrick jurer auparavant.

Elyse mange. Elle termine son gratin et passe aux concombres. Comme sa bouche n'arrive pas à la hauteur de la table, elle doit y faire parvenir toute la nourriture d'un geste mal assuré. Elle en a répandu partout. Je lui demande si elle veut un coussin, mais elle me répond non de la tête sans me regarder.

Après le repas, Frank sort pour aller tirer sur je ne sais quoi avec une carabine à air comprimé, pendant que Patrick et moi entamons une partie de Life dans le salon. Elyse traverse de temps à autre le damier en traînant à sa suite un petit beagle à roulettes au bout d'une ficelle. Parfois, elle renverse nos piles de pions pour attirer notre attention, que nous ne lui accordons pas. A travers les portes battantes, j'entends Mme Tabor préparer le repas des adultes et mon père, au bar, confectionner d'autres cocktails. Leurs voix sont de plus en plus fortes, comme si boire les rendait sourds.

— Oh, l'idiote ! Je n'arrive pas à croire qu'elle t'ait dit ça !

— J'étais là tranquille, à faire la queue au drugstore sans rien demander à personne, nom de Dieu ! explique mon père avec délectation. Mais je lui ai rivé son clou.

— Ça, j'en suis sûre, mon canard !

Quelques instants plus tard, il baisse la voix pour la réduire à une sorte de son râpeux qui se veut être un murmure. Tout ce que j'entends est quelque chose comme « alcar » répété encore et encore.

87

— C'est quoi, « alcar » ? demandé-je à Patrick.
— Tu ne sais pas qui est Al Carr ?
— Apparemment non.
— C'est l'avocat de ta mère et il essaie de plumer Gardiner.

Patrick m'annonce ça d'un ton las, mais pas accusateur, comme si cette phrase le fatiguait.

Mon père continue à parler de cette voix rauque. On dirait qu'il s'étouffe avec son bifteck.

Mme Tabor ne prend pas la peine de s'exprimer moins fort. Elle se contente de dire « Mm-hmm » et « Bien sûr » et « Tu as tout à fait raison ».

De dehors nous parvient le bruit des plombs de la carabine qui déchirent les feuilles des arbres.

Si on poursuit le jeu jusqu'à la retraite, une partie de Life peut durer longtemps. Mon auto est pleine de bébés. J'ai eu deux séries de jumelles et un garçon que je dois déposer au milieu du tapis.

Mme Tabor entre au salon et nous demande où est Elyse. Nous n'en savons rien.

— Comment ça, vous n'en savez rien ? Je croyais qu'elle s'amusait avec vous.

Elle a les yeux fermés, mais quand elle commence à basculer vers l'avant, elle les rouvre et se retient sur le dossier d'un canapé.

— Naaan, lâche Patrick.
— Naaan, imite-t-elle médiocrement. Lève ton cul et trouve-la !

Elle articule si mal que je n'arrive pas à prendre sa colère au sérieux. J'ai envie qu'elle s'en aille pour que Patrick et moi puissions nous moquer d'elle, mais il se met debout et quitte la pièce.

— Si tu veux rester ici, tu auras des responsabilités, Daley.

Ses paupières sont de nouveau closes. Elle prononce mon nom Deï-*liii*.

Je suis sur le point de répondre : « Allez vous faire foutre. » Les mots sont à deux doigts de s'échapper de mes lèvres.

— Catherine ! appelle mon père. Il l'a trouvée.

Je me lève et la suis. Patrick porte Elyse, qui dort à poings fermés.

— Elle était sous la table de la salle à manger.

— Laisse-moi la prendre, mon lapin, dit Mme Tabor.

— Non, je la monte dans sa chambre.

— Je vais le faire.

— Tu vas la réveiller, réplique Patrick en gagnant d'un pas rapide l'escalier. Ou la laisser tomber, marmonne-t-il entre ses dents.

— Viens là ! entends-je mon père bredouiller.

Croyant qu'il s'adresse à moi, je me retourne juste au moment où il enlace Mme Tabor. Il approche son visage du sien et attend qu'elle l'embrasse. Les lèvres de Mme Tabor s'entrouvrent et je regarde sa langue s'enfoncer dans la bouche de mon père. Il lui empoigne les fesses à deux mains et l'attire contre lui.

— J'adore ce cul ! s'exclame-t-il sans même essayer de baisser la voix. J'adore ce putain de cul !

Je sors par la porte de derrière. J'ai dans l'idée de rentrer à pied chez maman, mais j'entends alors un plomb frapper le côté de la maison et je ne veux pas m'y risquer. Il fait trop sombre pour voir où est Frank. J'écarte du mur le petit meuble à tiroirs où sont rangées des affaires de jardinage et m'assois derrière pour me protéger.

Mon père est toujours de bonne humeur le matin. Il est debout avant tout le monde, douché, rasé et vêtu de couleurs vives. Il chante pendant qu'il prépare le café à la cuisine et nourrit les chiens.

Couchée dans la chambre d'amis, je l'entends fredonner sous ma fenêtre tandis qu'il va nettoyer la piscine. Comme j'ai dormi habillée, j'ai le temps de le rattraper avant qu'il parvienne au pool house.

Il cesse de chantonner, puis demande :

— Tu ne trouves pas qu'elle est légèrement trouble ?

L'eau est d'un bleu turquoise limpide, comme d'habitude, mais j'ai envie de mesurer le chlore avec lui, alors je réponds :

— Un peu.

Il assemble les pièces de l'aspirateur, les grands tubes argentés et la tête rectangulaire, puis longe lentement le bord de la piscine, l'immense perche s'enfonçant dans l'eau lorsque la machine s'éloigne en direction du drain central, puis s'élevant au-dessus de sa tête lorsqu'il l'approche de lui, juste au-dessous de ses pieds, au fond du bassin. Il me passe parfois le relais, m'aidant quand je laisse l'aspirateur dériver trop loin et que je n'ai plus la force de le ramener, et je ressens par brèves bouffées ce que je ressentais à l'époque où cette maison était mon seul chez-moi, où ma mère dormait encore à l'étage et où rien n'avait changé. Même si la journée s'annonce chaude, l'ambiance rappelle que nous sommes au début de l'automne. Les feuilles des arbres sont sèches et s'agitent bruyamment sous le souffle du vent.

Mon père chantait toujours une chanson de rentrée scolaire inspirée d'une pub diffusée à la télé, dont il avait modifié les paroles pour y inclure nos prénoms. Il l'entonnait chaque fois que ma mère et moi revenions avec nos sacs de courses, début septembre. La mélodie flottait dans la maison des semaines durant, car il y avait toujours quelqu'un qui se mettait à la reprendre juste au moment où les autres l'avaient presque oubliée. Je l'ai en tête maintenant, mais je comprends que si je la chante, ce sera une trahison. Je sais – sans que je puisse expliquer pourquoi, je devine toutes les nouvelles règles – qu'il m'est défendu de faire référence d'une manière ou d'une autre aux petits détails particuliers de notre vie antérieure, ces détails qui nous la rendaient si unique et si personnelle. Nous avions toute une collection de refrains entre nous, mon père, ma mère, Garvey et moi ; des groupes de mots si souvent répétés que je les avais toujours considérés comme des clichés, jusqu'à ce que je découvre petit à petit qu'ils n'appartenaient qu'à nous. *Je ne t'aime pas, je n'aime pas Pinky et je ne passe pas un bon moment,* par exemple. Cette phrase vient de la lune de miel de mes parents en Italie. Au cours de leur troisième jour à Rome, mon père est revenu à leur chambre d'hôtel avec un chiot. Ma mère n'était pas ravie et l'animal l'a senti. Il lui a mordu le petit doigt et c'est pour cela que mon père l'a baptisé Pinky – « petit doigt », en anglais. Je suis née douze ans après leur voyage de noces, mais l'expression était encore très vivace et nous l'employions tous par autodérision à nos moments de bouderie. Mais je sais que cette expression et toutes les autres doivent être enterrées, désormais. Elles sont une langue morte. Si je m'aventurais à dire à mon père *Je ne t'aime pas, je n'aime pas Pinky et je ne passe pas un bon moment,* quelque chose serait détruit entre nous, j'aurais rompu un serment de sang.

Je m'abstiens donc de chanter la chanson de rentrée scolaire pendant que je fais aller et venir l'aspirateur du milieu de la piscine jusqu'au bord, où je me tiens. Et je ne pose pas de questions sur Nora, dont le bureau a été débarrassé : son flacon de Jean Naté, sa boîte à pilules en argent, sa photo de mon père et elle dans le Maine envolés, les tiroirs vidés ; même son peignoir bleu au tissu doux n'est plus accroché dans sa salle de bains.

— Tu as loupé un endroit, relève mon père en m'indiquant une fine bande de crasse que j'allais justement nettoyer.

— OK.

— Comment va M. Morgan ?

Voilà qui me surprend, car j'aurais cru que toute mention du père de ma mère serait totalement contraire aux règles.

— Il va bien, réponds-je.

J'aurais dû me contenter de dire « Pas mal », parce que mon père espérait peut-être qu'il manquait à mon grand-père.

— Il joue toujours autant au golf ?

— Tous les matins. Il a gagné le tournoi, cette année.

Mon père rit.

— Tu sais, toute sa vie il a été très mauvais au golf. Il n'a jamais progressé d'une année sur l'autre.

Je connais bien cette histoire, mais je sens ma poitrine se gonfler en entendant mon père l'évoquer, en entendant mon père évoquer le père de ma mère, faire brièvement fusionner ces deux côtés brisés de mon être.

— Et puis, poursuit mon père en émettant un sifflement de joie aigu, il a eu cette attaque – tu t'en souviens ? –, en 67, et tout d'un coup le voilà capable de frapper la balle comme personne. Il faisait des *pars* 70.

Je ris comme si c'était la première fois qu'il la racontait. Je rayonne de plaisir. Je ne veux pas qu'il arrête de parler de Grindy.

— Il a toujours son vieil épagneul qui sent mauvais.

— Ah ouais ?

Mais il n'a pas écouté. Son attention s'est portée ailleurs.

— Tu as loupé un autre endroit, là-bas, explique-t-il en me reprenant l'aspirateur pour finir le reste de la piscine.

Nous effectuons les tests chimiques, mais il refuse de me laisser tenir les fioles ou y verser les gouttes. Puis Patrick nous rejoint et mon père se met à discuter avec lui de contrôle des vers blancs, ainsi que d'une espèce de conduite d'alimentation ou d'acclimatation. Mon père veut montrer à Patrick je ne sais quoi dans le local technique. C'est une pièce chaude, à l'ambiance électrique, et ils y restent un long moment, mon père demandant à Patrick s'il ne pense pas que la pression sur le machin-bidule est trop basse. Je vais me chercher une canette de jus de légumes V8 dans le minifrigo. Puis je me dirige vers la roseraie de ma mère.

Les plates-bandes – jonquilles au début du printemps, puis tulipes et pivoines, marguerites et lis – commencent aux portes-fenêtres du salon, d'où elles s'enroulent autour d'une terrasse en pierre avant de dégringoler le long d'un escalier, de flanquer une seconde terrasse, plus petite, et de se déployer en éventail au pied des murs qui délimitent la partie principale du jardin, un jardin à l'anglaise avec une pelouse et deux longues haies trapues s'achevant par des volutes qui se replient l'une vers l'autre. A gauche et à droite de ces haies sculptées s'étirent les parterres de roses, en rangées denses et épineuses. A l'extrémité du jardin se dresse une modeste fontaine peinte en bleu turquoise, surmontée par deux enfants grassouillets tenant un gros poisson qui crache de l'eau. Au-delà de celle-ci, deux volées de marches tapissées de mousse amènent à une porte noire en fer forgé qui ouvre sur le bosquet niché dans le virage de l'allée de derrière. Le jardin et la porte donnent l'impression d'appartenir à un ensemble beaucoup plus ancien que la maison et l'allée.

En été, les jours de grand soleil, sous un ciel bleu foncé, ce jardin est féerique. Normalement, on y trouve ma mère, accroupie à côté d'un rosier avec son panier de jardinage, les cheveux ramenés en arrière et retenus par un fichu, ses mains gantées bien enfoncées dans la terre. Elle a de nombreuses variétés de roses et elle connaît le nom de chacune : Southern Belle, Black Magic, April in Paris, Mister Lincoln. Quand je ne comprends pas l'appellation, elle me l'explique. Une fleur généreuse, d'un rose délavé avec, en son centre, une toute petite tache jaune, porte le nom de Christopher Marlowe, dont elle me raconte les pièces : celle sur le docteur qui a échangé son âme au diable contre vingt-quatre ans de pouvoirs magiques, celle sur la reine et le marin qui tombent amoureux dans une grotte au cours d'une tempête. Ses roses sont de couleurs et de formes différentes, certaines fines et délicates comme des larmes, d'autres charnues et duveteuses, avec un million de pétales. Elles sont jaune pâle, rose sombre, rouge profond, saumon, lavande et blanches. Ce sont les blanches qui sont les plus amples. On dirait de la meringue. Plus jeune, j'aimais jouer autour de la fontaine en essayant de capter le regard des enfants souriants qui se débattaient avec le poisson : je grimpais en courant l'une des volées de marches qui mènent à la porte noire, puis redescendais par l'autre, faisant inlassablement le tour jusqu'à ce que je finisse par avoir tellement chaud, que je jetais mes vêtements pour me glisser dans l'eau froide, glaciale, de la fontaine.

Mais maintenant tout est mort ou agonisant, dans le jardin. La tête des roses, si elle n'est pas déjà tombée, est sèche et vidée de sa couleur, les feuilles sont piquetées de trous par les insectes. Chaque plante est encerclée par une couronne constituée de ses propres débris. L'herbe est brûlée, les arbustes sont blancs de pucerons. L'eau de la fontaine est vert olive. Une vase noirâtre en recouvre le fond. Plus rien ne s'écoule de la bouche du poisson. Ce lieu spectaculaire, le plus spectaculaire de toute la propriété, est puni pour avoir été celui de ma mère.

Pendant que mon père et Patrick passent du pool house à la remise, partent en voiture je ne sais où, reviennent à la maison et font marcher plein de machines en même temps, je tente de redonner vie au jardin. Je nettoie la fontaine, en retire les feuilles et la boue, puis la remplis de nouveau. Je sulfate les arbustes et ratisse tout ce qui est mort. Et ensuite j'arrose. Je pince l'ouverture du tuyau avec mon pouce pour créer une pluie de gouttelettes, ainsi que ma mère en avait toujours coutume. Je sens les feuilles et les racines des plantes me remercier tandis qu'elles engloutissent l'eau.

— Eh bien, tu n'as pas chômé, ce matin, constate Mme Tabor lorsqu'elle apporte le déjeuner à la piscine.

— Le jardin va dépérir, si on ne s'en occupe pas.

Alors que je travaillais, je m'étais amusée à rejouer des passages du *Jardin secret*[1] et j'étais encore un peu dans la peau de mon personnage. Mon père porte le dos de sa main à son front et incline la tête sur le côté. Il a cru que je m'exprimais avec l'accent du Sud et que je me prenais pour Scarlett O'Hara.

— Oh là là ! Il va tout simplement dépérir. Que diable pouvons-nous faire ?

---

1. Livre pour enfants de la romancière britannique Frances Hodgson Burnett.

— J'ai une ou deux idées sur la question, répond Mme Tabor de sa voix normale.

Elle sourit à mon père en sirotant son verre. Comme lui, elle boit de la vodka, mais la mélange à du jus d'orange la journée. Mon père avait pour règle d'attendre cinq heures tapantes avant son premier cocktail (parfois, nous regardions l'horloge de la cuisinière et faisions le compte à rebours de la dernière minute ensemble), mais je me demande à présent si ce n'était pas ma mère qui aurait instauré cette règle-là. Aujourd'hui, il descend deux vodka martini avec le déjeuner.

Après avoir mangé son sandwich, il repousse son assiette, se renverse contre le dossier de sa chaise et soupire.

— Je me demande ce que font les pauvres, aujourd'hui.

Mme Tabor glousse.

Puis il se lève.

— Bon, je pense que c'est le moment de se baigner.

Il retire son maillot de bain d'un geste rapide.

Patrick et Elyse éclatent de rire à la vision de son derrière nu et de son pénis brun ballant.

— Ma foi, je crois que je vais me baigner moi aussi, dit Mme Tabor en se mettant debout de façon mal assurée.

Elle se débarrasse du haut, puis du bas de son bikini. Ses seins un peu carrés pendent bas et ses poils pubiens ne sont pas noirs, mais poivre et sel, comme le vieux schnauzer de ma grand-mère.

Patrick et Elyse rient à gorge déployée et essaient d'enlever leurs maillots de bain mouillés, qui résistent, redoublant de rire au fur et à mesure qu'ils se débattent.

Tous les quatre commencent par barboter dans l'eau, avant que Patrick et Elyse se dirigent vers le plongeoir d'où ils sautent en hurlant, nus, cependant que mon père et Mme Tabor se cramponnent l'un à l'autre dans le petit bassin.

— Regardez donc la vieille pudibonde sur sa chaise ! ricane Mme Tabor.

Mon père ne regarde pas. Il est occupé à lui toucher les seins.

Uniquement vêtue d'un gilet de sauvetage, parce qu'elle ne sait pas encore nager, Elyse les observe du plongeoir.

— Attention, Gardiner ! avertit-elle. Tu vas avoir la gaule !

Tout le monde éclate de rire, sauf moi.

— C'est quoi, une gaule ?

Ma question les met au comble de l'hilarité. Même si c'est à mes dépens, j'aime faire rire mon père. Il a tout un éventail de rires feints ou tièdes, mais son vrai rire déclenche une sorte de claquement au fond de sa gorge que j'adore entendre.

Je n'arrive pas à me résoudre à remonter sur mon vélo pour retourner à Water Street, et pourtant j'ai l'impression d'être entrée en scène trop tard pour être autre chose que le faire-valoir de leurs bouffonneries de l'été.

En début de soirée, sans rien dire à mon père, je téléphone à ma mère.

— Est-ce que je peux rester une nuit de plus ?

— Bien sûr. Je suis contente que tout se passe aussi bien. Ça m'a travaillée tout l'été.

— Pourquoi ?

— Ça m'a travaillée, c'est tout.

— Que veux-tu dire ?

— Vous étiez si proches, tous les deux...

Puis, après une pause :

— Daley ?

— Oui.

— Tu es sûre que tu veux rester ?

— Oui, réponds-je, mais la gorge serrée.

— Oh, ma chérie. Tu devrais peut-être revenir. Tu le verras ce week-end. Tu le verras tous les week-ends. Et les choses reprendront petit à petit leur cours normal avec lui.

— Mme Tabor passe beaucoup de temps ici.

— Hmm... fait-elle, ce qui signifie qu'elle est déjà au courant. Patrick est l'un de tes meilleurs amis.

— Moui.

— Oui ou non ?

Elle est occupée à quelque chose, peut-être à se vernir les ongles. L'appareil ne cesse de s'éloigner de sa bouche.

Patrick suit mon père partout, tel un de ses chiens. Ce n'est plus pareil. Rien n'est plus pareil.

— Comment se sont passés tes entretiens ?

— Plutôt bien. Surtout un.

— Lequel ?

— Celui avec un avocat spécialisé dans la protection de l'enfance qui cherche une assistante. C'est quelqu'un de bien. Il aide les enfants.

— Quand sauras-tu si tu as le boulot ?

— D'ici une semaine, à ce qu'il m'a dit. Mais j'ai encore deux entretiens demain. Je serai de retour à la maison au plus tard à quatre heures. Rentre dîner, d'accord ? Tu me manques.

— Toi aussi, tu me manques.

Je raccroche, mais je suis à deux doigts de la rappeler pour lui demander de passer me prendre. Puis Patrick descend me chercher pour me dire que nous allons manger au Peking Garden.

Je suis souvent venue ici avec mes parents. Nous demandions toujours un box le long du mur et notre serveur était Roy, le fils du propriétaire. Mon père choisissait du *moo goo gai pan*, juste pour le plaisir de prendre sa drôle de voix pour l'annoncer à Roy. Ma mère se faisait apporter une boisson avec un parasol en papier de couleur vive afin que je puisse m'amuser avec. Dans mon jeu, il appartenait à ma petite cuiller, dont le couteau était amoureux, bien qu'il ne puisse jamais voir son visage dissimulé par le parasol. Je n'avais jamais soupçonné que nous ne passions pas tous un bon moment.

Comme nous sommes six ce soir – Frank est réapparu pile au moment du dîner –, on nous installe à une table ronde, au milieu de la salle. Mme Tabor porte une robe verte au tissu chatoyant qui lui descend jusqu'aux chevilles et dont les larges manches retombent, sans qu'elle s'en rende compte, dans son assiette ainsi que dans les coupelles de sauce. Elle et mon père commandent un nouveau verre chaque fois que Roy s'approche de la table. Roy m'adresse des clins d'œil, mais on dirait qu'il ne connaît pas mon père, lequel est calme, ce soir, le nez au-dessus de son assiette, les yeux papillonnant de tous côtés, mais sans voir grand-chose. Je me demande si nos dimanches soir tous les trois dans notre box lui manquent.

Patrick et moi nous décidons pour des travers de porc, que nous tartinons d'une épaisse couche de sauce aigre-douce avant de nous lancer dans le concours de celui qui finira de ronger entièrement son morceau le premier.

— Vous êtes dégoûtants, tous les deux, lâche Frank.

Mon père me lance un regard dur.

— Tu as déjà vu ta mère manger du poulet ?

— Non, je mens.

Il glousse tandis que son visage se fend en un sourire, mais je comprends bien qu'il n'y a rien de drôle dans la façon dont ma mère mange du poulet.

— Elle mangeait tout – les tendons, les cartilages, la totale. Puis elle cassait l'os et le suçait pour en aspirer toute la moelle. Je t'assure. C'était quelque chose, conclut-il en secouant la tête.

— Maintenant, c'est toi, l'os de poulet, plaisante Mme Tabor, ravie de son analogie.

Mon père, lui, ne l'est pas. Il grommelle quelque chose que je n'entends pas et essaie d'attirer l'attention de Roy, qui ignore ses gestes et s'en retourne en cuisine sans un regard pour lui.

Elyse tend le bras pour prendre un autre crayon de couleur et renverse son verre d'eau sur les cuisses de mon père, qui se lève d'un bond et hurle à pleins poumons, comme s'il avait oublié qu'il était dans un restaurant.

— Putain ! Putain ! Putain !

Ses yeux jaunes sur sa figure cramoisie bondissent d'Elyse à Mme Tabor. Le silence s'abat sur la salle. Roy reste figé de stupéfaction à côté de l'aquarium. Mme Tabor se met à rire.

— Tu fais chier, petite conne ! Tu fais chier !

Il saisit une chaise, donnant l'impression de vouloir la jeter sur Elyse, mais il se contente de la tenir entre ses mains tremblantes jusqu'à ce que le père de Roy vienne la lui reprendre pour la reposer et essuyer ensuite le liquide répandu. Le petit sourire narquois de Mme Tabor ne s'efface pas entièrement de son visage.

Mon père pouvait agacer ma mère avec sa manie de se plaindre trop souvent de Hugh Stewart, le patron de la société de courtage où il travaille. Elle lui demandait d'arrêter et il lui répliquait parfois « Arrête toi-même ! », mais leurs disputes n'allaient jamais plus loin devant moi. Lorsqu'il criait, ce n'était jamais contre elle, mais toujours contre quelqu'un d'autre. Et quand elle était remontée contre lui, elle serrait les lèvres et détournait les yeux. Je suis sûre que Roy et son père doivent se demander ce qui est arrivé à mon père, lui qui bavardait toujours avec eux en toute décontraction en allant régler l'addition à la caisse.

Elyse continue de colorier son set de table et Frank contemple le mur d'en face d'un air absent, mais Patrick pleure. Je respire lentement et compte mentalement à rebours à partir de mille. Roy glisse à côté de ma cuiller un parasol bleu, fermé par une fine bande de papier enroulée autour.

Sur le chemin du retour, Elyse implore mon père de chanter sa chanson favorite. Visiblement, il sait de quoi elle parle, parce qu'il entonne alors :

— Monsieur Lapin, monsieur Lapin, vos oreilles sont drôlement...

Il marque une pause, qu'elle comble – « marron » – avant qu'il poursuive :

— Oui, Seigneur, j'ai fait caca dans mes chaussons.

Elyse tente de chanter avec lui, mais elle rit tellement que mon père continue seul pour le refrain :

— Chaque petite créature resplendit, resplendit, resplendit. Chaque petite créature resplendit.

Le lendemain après-midi, j'ai du mal à m'en aller. J'en ai envie, mais c'est douloureux, comme si je quittais une nouvelle fois mon père. Je ne cesse de repousser le moment du départ, me laissant entraîner par Elyse dans une partie de jeu de l'oie, par Patrick à remplir des ballons d'eau.

Ils sont dans le solarium lorsque je vais leur dire au revoir.

— Il faut que j'y aille, maintenant.

— Bien, répond-il en regardant Mme Tabor. A la prochaine.

Je m'approche pour l'embrasser sur la joue. Il garde les yeux rivés sur Mme Tabor et ne me rend pas mon baiser.

— Je reviendrai vendredi.

— Lorsque l'école aura repris, arrange-toi avec Patrick pour profiter du ramassage en voiture. Je crois que le vendredi, c'est Mme Utley qui s'en charge, explique Mme Tabor.

Je ne sais pas si je dois lui faire la bise aussi.

— D'accord. Merci pour tout.

— Il n'y a pas de quoi.

Dès que j'ai franchi le seuil, mon père entame son murmure rauque, mais Mme Tabor lui souffle « chut ! » avant de se mettre à son tour à chuchoter.

Parvenue au bout de l'allée avec mon vélo, je suis sur le point de m'en retourner à la maison. Je m'imagine entrer dans le solarium pour demander si je peux rester juste une nuit de plus. Mais aussitôt que je suis dans la rue, mes jambes commencent à appuyer fort sur les pédales et je ne jette même pas un regard à la façade, devant laquelle je file à toute allure.

Tandis que je dévale la longue côte qui rejoint la ville, je me sens légère et libre. J'enclenche la vitesse la plus dure et pédale pendant toute la descente, roulant plus vite que je ne l'avais jamais osé avec ma bicyclette, sans être attentive aux autos qui pourraient s'engager ou surgir des rues latérales et des allées. Des hippies qui se prélassent sur un banc du parc me crient quelque chose, mais je vais trop vite pour entendre. Je me lève de la selle pour traverser la voie ferrée. Le vélo rebondit et zigzague, mais je tiens bon. Je passe devant la station-service et la sandwicherie, devant les gosses assis sur les marches du Bruce Variety (et qui ne font pas de commentaires aujourd'hui), devant la boutique de cadeaux, la bibliothèque, l'église congrégationaliste et le restaurant de fruits de mer. C'est toujours ma ville. Je suis encore chez moi.

Je me souviens de Neal. J'ai oublié de demander de ses nouvelles à Patrick. Comment ai-je pu ? C'est comme si j'avais eu des parasites qui me grésillaient dans les oreilles, là-haut à Myrtle Street, et que j'aie été incapable de penser aux autres parties de ma vie. Il faudra que je lui téléphone une fois arrivée à l'appartement. Je me rappelle alors où il se trouve et je songe que c'est mon père qui risque de décrocher, ce qui me ferait vraiment bizarre.

Je tourne à gauche dans Water Street. Je dépasse notre immeuble pour découvrir où mène la rue. C'est un cul-de-sac qui s'achève au port. Il y a une mince bande de sable sale et un banc, sur lequel sont assis deux adolescents qui se roulent des pelles et se pelotent. Le *tic-tic-tic* du vélo lors de mon demi-tour ne semble pas les déranger.

L'appartement est plus agréable que dans mon souvenir. La moquette est propre et moelleuse, les plafonds sont hauts, et une baie vitrée qui donne sur le banc des pelles, ainsi que sur le port, laisse entrer deux immenses carrés de lumière. Ma mère, en peignoir de bain, est occupée à mettre des chaises en place autour d'une nouvelle table.

Elle me serre fort dans ses bras. Elle sent l'encaustique au citron. En cet instant particulier, cela me paraît être la meilleure odeur au monde. Il me revient à l'esprit que je dois lui poser plein de questions sur l'entretien de son jardin.

— Comment ça s'est passé ?

Elle se recule juste assez pour bien me voir. Elle écarte des mèches de cheveux de part et d'autre de ma figure. Elle a la peau luisante de lotion.

— Bien.

Je sens ses yeux me scruter le visage, comme si j'y avais habilement dissimulé quelque chose.

C'est le moment où je pourrais lui parler des murmures, des cocktails, du mot « gaule », mais le moment s'envole.

— Je suis si contente.

Elle détache son regard de moi et me montre la table entourée des chaises à haut dossier.

— Qu'en penses-tu ?

Je me tiens à côté de l'une des chaises, sur laquelle est cousu un coussin recouvert d'un tissu soyeux à rayures.

— C'est joli. Chic.

— Et... ajoute-t-elle en m'indiquant les murs.

Elle y a accroché des tableaux qui viennent de Myrtle Street. Elle a pris ceux de la mer, qui sont également mes préférés. Dans sa chambre, elle a mis le portrait de Garvey et moi tout petits, assis sur le rebord de la fontaine. Dans le tableau, je n'ai pas de taches de rousseur et mes yeux sont trop écartés, et puis on voit l'endroit où l'artiste a dû ajouter du décor au-dessus de la tête de Garvey, parce que ma mère lui avait rapporté sa peinture en se plaignant que sa chevelure était trop volumineuse.

Sa chambre est encore plus grande qu'il ne me semblait. En voyant le lit à baldaquin, je sais que je n'ai pas fini de lui en vouloir de l'avoir pour elle, en plus de la vaste et belle chambre, avec sa terrasse.

Ma mère s'est installée sur le matelas et, les jambes ballantes, elle regarde par la porte-fenêtre. Je me rends compte qu'il y a quelque chose de différent chez elle, une légèreté nouvelle. Elle est heureuse. Elle est assise sur une couette repliée qui a une face velours et une face satin.

— Nora a appelé, ma chérie. Elle a vraiment envie de te voir.

— Oh.

— Tu sais que ton père l'a laissée partir.

— Ouais, ça, je crois que je l'ai compris.

J'ai l'impression qu'elle va dire autre chose, mais elle s'interrompt. Puis elle suggère :

— Tu devrais lui téléphoner.

— Je le ferai.

Mais dans mon esprit, Nora est au même rang que mes peluches : je n'ai soudain plus de place pour elle. Je passe la main sur le velours de la couette.

— C'est nouveau ?

— Oui. Elle est divine, tu ne trouves pas ?

— Tu m'en as acheté une ?

— Il n'y en avait que pour des lits doubles.

— C'est bien que ce soit toi qui aies le lit, alors. Que tu aies eu ça aussi.

— Daley...

— Je ne sais pas d'où tu sors tout cet argent. Pendant tout l'été, tu n'as pas arrêté de te faire du souci pour l'argent et maintenant tu t'achètes plein de trucs. Je suppose que tu as vendu une partie des bijoux de mamie.

— Quoi ?

— Je sais que tu as vidé le coffre.

— Je n'ai pas... J'avais besoin d'un peu de... Bon Dieu ! Il t'a raconté ça ?

— Il m'a raconté que tu l'avais entièrement nettoyé. Je l'ai vu. Il n'y a plus rien.

— Je n'ai pas volé. J'avais juste besoin d'un peu de protection, Daley. Pour toi. Pour que je puisse prendre soin de toi. Mais nous sommes parvenus à un accord, maintenant.

— J'aimerais que tu me tiennes au courant, maman. J'aurais aimé savoir de quoi ils parlaient quand ils disaient des choses comme « Al Carr ». J'aurais aimé que tu me dises que tu n'allais pas voir Sylvie, mais retrouver un type pour qu'il te fourre sa gaule dedans.

Ma mère blêmit. Elle pointe le doigt vers la porte.

— Sors. Va dans ta chambre immédiatement. Va dans ta saleté de chambre de merde, Daley !

La colère est semblable à du vomi. Je ne peux l'empêcher de jaillir.

— Je ne suis là que cinq soirs par semaine et je ne couche avec personne, alors c'est tout à fait normal de me donner la chambre sombre et puante, avec les petits lits merdiques !

Je claque violemment le battant. Salope, me dis-je. Salope, salope, salope.

5

La rentrée arrive. Nous avons cinq nouveaux élèves dans notre classe. C'est toujours pareil, avec les nouveaux. Le premier jour, ils débarquent avec leurs fringues d'école publique, leurs immenses cols pointus, leurs mélanges polyester et coton, et toutes les pompes à fuir, mais dès le lundi suivant ils sont en chaussures bateau et mocassins Tod's, les garçons avec de petits cols terminés par de minuscules boutons et les filles en jupes portefeuille. Ensuite, une fois qu'ils sont habillés comme nous, ça change tout. Personne de la bande n'est dans la même salle que moi, avec Mlle Perth. Mallory, Patrick, Gina et Neal sont tous avec M. Harding. Je crois que Neal va m'expliquer dès le premier jour pourquoi il n'a pas répondu à mes lettres. Je me tiens derrière lui dans la queue de la cantine, mais il ne dit pas un mot. Le jeudi, j'apprends qu'il aime bien une nouvelle qui s'appelle Tillie Armstrong. Je décide de ne plus jamais lui adresser la parole.

Le vendredi, je pars à l'école avec une valise et, l'après-midi, j'attends en compagnie de Patrick et des autres que Mme Utley vienne nous chercher en voiture. Elle est en retard parce qu'elle avait des brownies dans le four. Elle les apporte et nous nous faisons passer le plat chaud de la banquette avant aux deux banquettes arrière, découpant de gros carrés. Elle a même apporté des serviettes. Les brownies sont riches, pas assez cuits et délicieux. Comme un grand nombre de mamans que j'ai vues depuis mon retour, elle est intriguée par mon « aventure » de l'été et insiste pour que je ne manque pas de transmettre le bonjour à ma mère de sa part. Je sens qu'elle me regarde plus que les autres dans le rétroviseur.

Pendant toute la semaine, Patrick a annoncé qu'il y aurait une surprise à Myrtle Street, mais a refusé de dire quoi. Je crois que c'est peut-être le chiot qui est revenu, mais lorsque Mme Utley nous dépose, je vois que la surprise en question concerne une construction quelconque. Dans l'allée, il y a un bulldozer et un énorme camion rempli d'un haut tas de terre et de broussailles. Des reflets bleu pâle luisent dans cet amas. Je saisis mon sac de livres et ma valise, braille un merci et pars en courant. Je m'arrête au mur en pierre. La roseraie a disparu. La terrasse du salon et son escalier sont toujours là, mais les haies en volutes et les parterres de fleurs, les roses, la fontaine, les volées de marches en pierre et la porte en fer forgé qui ne mène nulle part ont tous disparu.

— On construit un court de tennis !

Patrick a de grandes dents mouchetées de blanc qu'il m'exhibe jusqu'au moment où je lui donne un violent coup de poing dans le ventre qui lui coupe le souffle.

— Putain ! halète-t-il, plié en deux. Je croyais que tu aimais le tennis.

Le vendredi, mon père rentre plus tôt du travail. Il est installé dans le fauteuil de la cuisine, les chiens rassemblés à ses pieds.

— Alors, qu'est-ce que tu en dis ?

Il est fier de lui. Il veut que je montre ma stupeur. Il veut avoir cette satisfaction.

— Bonne idée, réponds-je mécaniquement.

Je ressors pour éviter qu'il me voie pleurer. Même si le bulldozer et le camion sont repartis, l'odeur flotte encore dans l'air. L'odeur de ma mère.

Il faut que je quitte la propriété. Je pars par l'entrée de devant et, une fois dans la rue, je sais où me diriger. Je traverse et m'engage dans une jolie allée étroite qui descend jusqu'à une petite maison. Des pots de géraniums flanquent la porte de part et d'autre. La sonnette est l'un de ces vieux modèles, sous la forme d'un bouton fixé au centre du battant que l'on tourne comme un ouvre-boîte. Malgré le vacarme qu'elle produit, nul aboiement de chien.

C'est la grande maigre qui m'ouvre.

— Bonjour, mademoiselle Vance. Je me demandais si je pouvais dire un petit bonjour à votre chien.

J'ai répété mon discours dans leur allée. Je sais que je dois dire « votre chien » pour qu'elles ne pensent pas que je suis venue le reprendre.

— J'ai été absente tout l'été.

— Oui, je sais, souffle-t-elle d'une voix basse. Entre donc.

Nous nous tenons dans le hall noir et blanc. Elle émet un drôle de bruit avec ses dents et sa langue, comme si elle cassait des noix, et le chiot sort d'une chambre en courant, puis dévale quelques marches avant de traverser le sol carrelé pour se précipiter jusqu'à moi. Il gémit et me fourre énergiquement son museau dans la main, mais lorsqu'il bondit, Mlle Vance lâche « Major ! » et il se hâte de reposer les pattes par terre. Quand je m'accroupis, il blottit son museau au creux de mon cou et sa queue bat si vite que je crains qu'il ne se blesse. Il a grandi et grossi, tandis que son poil est plus long et plus doux. Ses yeux sont d'un vert olive pâle. Il est beaucoup plus beau que le chiot dont j'avais conservé le souvenir.

— Eh bien, on dirait que quelqu'un lui a beaucoup manqué.

Au son de sa voix, j'ai l'impression que Mlle Vance est en colère, mais quand je lève les yeux, je constate que son visage étroit s'est retroussé en un sourire.

— Il aime bien prendre le thé au jardin à cette heure-ci. Veux-tu te joindre à nous ?

Je lui emboîte le pas jusqu'à une porte à l'arrière de la maison. Avant de l'ouvrir, elle appelle au pied d'une volée de fines marches en bois.

— C'est l'heure du thé, mère.

Je croyais qu'il n'y avait qu'une sœur. La mère doit avoir au moins cent ans. Comment pourra-t-elle descendre cet escalier ?

Dès que Mlle Vance a tourné le bouton de la porte, Major en franchit le seuil comme un éclair, mais il revient à toute allure pour me lécher la main. Puis, percevant un bruissement de feuilles provoqué par un écureuil, il repart aussitôt. Pendant tout le temps où je reste ici, il semble déchiré entre l'envie de poursuivre ses activités habituelles – flairer et poursuivre les animaux – et celle de s'assurer que je suis toujours là.

Mlle Vance et moi nous asseyons sur des chaises métalliques blanches à croisillons, qui impriment de minuscules cubes sur la peau nue de mes jambes. Une femme en robe et chaussures blanches sort avec un plateau, qu'elle laisse près de nous sur une table en verre. Le plateau contient une théière en argent, un petit pot d'eau chaude et un autre, plus petit encore, de crème, un demi-citron entouré d'un linge, trois tasses à thé bleues, quatre soucoupes et une assiette de fines tuiles dentelle.

— Merci, Heloise, dit Mlle Vance en se penchant vers le plateau.

Elle émet encore le craquement de noix cassées et Major accourt à son côté. Elle prend l'une des soucoupes, qu'elle remplit à ras bord de thé avant d'y déposer une tuile, puis installe délicatement le tout à ses pieds, sous le regard du chiot, assis dans l'herbe. Un nouveau craquement, et Major incline la tête pour manger et boire.

— Et voilà, conclut-elle sans se tourner vers la femme qui approche de nous.

C'est la petite ronde, celle qui porte toujours un manteau de laine bleu en hiver, celle que j'avais prise pour sa sœur.

— Il faut que tu t'apportes une chaise, mère.

Je me mets debout d'un bond.

— Asseyez-vous, je vous en prie. Ça ne me dérange pas d'être dans l'herbe.

La femme balaie ma suggestion d'un geste de la main et se dirige vers un autre amas de chaises. Ce n'est qu'en suivant des yeux la vieille dame que je remarque enfin le jardin. Il est plus sauvage, plus chaotique que celui de ma mère, avec son allée de pierre dévorée par la végétation, ses fleurs hautes et échevelées. Il y a des touffes de longues herbes de plage enchevêtrées, de fleurs des champs et même d'arbres miniatures plantés un peu au hasard. Elle se déplace lentement, les deux jambes enveloppées de bandages. Elle sort du chaos une chaise verte et, en la posant, heurte le plateau, marmonnant tout bas quelque chose qui, à mes oreilles, ressemble à : « Désolée, père. »

J'observe son visage. La chair de celui-ci est douce, d'une consistance poudreuse, mais ni plus ridée ni plus parcheminée que celle de l'autre Mlle Vance. Elles ne peuvent avoir plus de quelques années de différence. Elles se mettent toutes les deux à tatillonner sur le thé,

111

veulent savoir comment je l'aime – fort, léger, ou entre les deux ; lait, citron, sucre en morceaux ou en poudre – avant de débattre aimablement du dosage et de son effet sur la teinte du liquide.

— Il est trop pâle, à présent ! s'exclame la Mlle Vance maigre.

— Non, il est parfait, parfait pour moi, la rassure la Mlle Vance ronde.

J'ai l'impression d'être un personnage qui vient de basculer dans un autre monde, où les choses sont un peu inquiétantes, mais en même temps belles et apaisantes. Les hautes fleurs du jardin projettent leur ombre allongée sur l'herbe et tout ce qui n'est pas ombre est or, dans la lumière du soleil de fin d'après-midi. Si elles me demandaient de rester pour la nuit, j'accepterais.

Une fois qu'il a terminé une seconde soucoupe de thé et de tuile, Major pose sa tête sur les genoux de la grande Mlle Vance. Elle se penche au-dessus du chien et le caresse un long moment, puis celui-ci se redresse et me regarde.

— Si tu veux le reprendre, je le comprendrai.

Elle a commencé sa phrase d'une voix forte, mais l'achève dans un chevrotement.

— Oh, non ! Oh, non ! réponds-je en secouant furieusement la tête de gauche à droite. Je voulais juste passer chez vous pour m'assurer qu'il était bien là. Je n'étais pas très attachée à lui.

— Oh, lâche-t-elle d'un ton triste.

— Je ne l'avais que depuis quelques jours. Quand nous l'avons acheté, je savais déjà que j'allais partir, mais pas mon père.

— Cela me semble un bien grand secret à garder, pour une petite fille.

Je veille à ne pas opiner du chef. Je ne veux pas qu'elles pensent que je m'apitoie sur mon sort ou quoi que ce soit de ce genre, habitude sur laquelle me taquine toujours Garvey. *La p'tite mam'zelle Daywie s'apitoie encowe suw son sow ?* Je ressens une douleur dans la gorge. Aurais-je attrapé je ne sais quelle maladie ?

Une main chaude empoigne la mienne.

— Père, je pense qu'une partie de Parcheesi nous ferait à tous le plus grand bien.

Le samedi, mon père et Mme Tabor reçoivent des amis à déjeuner. Certains des invités sont de vieilles connaissances de mon père, des gens que j'ai vus des années durant dans notre salon, et d'autres sont des familiers de Mme Tabor, quelques couples mariés et beaucoup de divorcés comme elle. Les deux groupes ne se mélangent guère. Mme Tabor est plus jeune que mon père et on croirait que ses amis masculins appartiennent à la génération de Garvey, avec leurs cheveux mi-longs et leurs épaisses rouflaquettes, tandis que les femmes portent des vêtements plus amples et aux couleurs plus vives que les épouses des copains de mon père, avec leurs robes guindées aux tons pastel.

Patrick et moi préparons les bloody mary à une table installée sur la pelouse. Elyse, qui a eu cinq ans cette semaine, étrenne son tricycle rouge autour de la piscine. A trois heures, personne n'a mangé et les adultes, le visage rouge, crient les uns contre les autres. Du moins est-ce l'impression que j'ai.

— Comment ça, tu laisses tomber le padel[1] ? Gil, tu as entendu ça ?

— Entendu quoi ?

---

1. Sport proche du tennis, qui se joue sur un terrain de dimensions moindres, entouré de parois souvent transparentes, et avec de petites raquettes courtes. Aussi appelé « paddle-tennis » ou « platform-tennis ».

— Ta femme. Elle laisse tomber le padel cet hiver pour faire du bénévolat chez les dingues !

— Elle y sera parfaitement à sa place !

M. Porter court jusqu'au pool house et en ressort avec une ombrelle. Puis il saute du plongeoir tout habillé, l'ombrelle ouverte au-dessus de sa tête comme Mary Poppins.

Tout le monde hurle et pousse des huées. Un homme que je ne connais pas saute à son tour avec un jeu de clubs de golf. Nouveaux cris de joie. Les épouses essuient les clubs et les sacs de cuir avec des serviettes, puis mettent le tout à sécher sur l'herbe. Le soleil descend un peu plus et ils passent au gin tonic ou à la vodka martini. Mme Tabor m'envoie à la maison confectionner un plateau de fromage et de crackers, tandis que Patrick est chargé d'aller chercher de la glace en ville avec son vélo. En revenant dans le jardin, je vois Elyse foncer directement dans la piscine avec son tricycle. Je lâche le plateau et me précipite vers elle.

— Elyse est tombée dans la piscine ! dis-je, mais ma voix est engloutie dans le vacarme du bavardage des adultes.

Je plonge. Elle est au fond, toujours sur son tricycle, et penche vers le drain central. Je l'empoigne, m'attendant à la dégager aisément. Mais elle se cramponne au guidon et, bien que tout soit plus léger sous l'eau, il m'est impossible de soulever les deux à la fois. Je la tire fort, mais elle est si têtue, même immergée, même si elle ne sait pas nager, qu'elle refuse de laisser son nouveau vélo. Puis l'eau vibre d'un fracas étouffé et l'homme qui avait sauté avec les clubs de golf nous remonte, Elyse, moi et son tricycle, jusqu'à la surface.

Elyse n'a pas besoin d'être réanimée. Elle a les lèvres bleues, mais la figure écarlate et, à peine la tête hors de l'eau, elle braille que son vélo est tout mouillé et qu'il est fichu.

— Je vais t'emmener à ta maman, lui dit l'homme une fois que nous sommes tous sortis, dégoulinant sur le ciment.

Mme Tabor tourne le dos à la piscine, agitant le bras en l'air pendant qu'elle raconte une histoire d'une voix de stentor.

— Je ne veux pas ma maman ! Je veux sécher mon foutu vélo !

Je n'arrive pas à reprendre mon souffle, mais j'adresse à l'homme un regard reconnaissant et il me touche le sommet du crâne, avant de s'éloigner, ruisselant, pour retourner se mêler à l'assistance.

Le dimanche est plus calme. Vers midi, il commence à pleuvoir. Mallory vient nous voir et nous faisons des farces au téléphone à la cuisine. Patrick est vraiment doué pour les voix.

— Est-ce que John Mur est là ? demande-t-il à la façon de quelqu'un qui appelle pour raison professionnelle. Alors, est-ce que sa femme Susie est là ?

Il nous sourit, puis efface le sourire de son intonation au moment de poursuivre sa conversation.

— N'y a-t-il donc aucun Mur, chez vous ?

Il décolle le combiné de son oreille et nous entendons la dame expliquer que non. Patrick reprend à cet instant sa voix normale.

— Alors, qu'est-ce qui tient votre maison debout, madame ?

Nous gardons toujours le meilleur pour la fin. Patrick sort son chronomètre et nous choisissons chacun un numéro dans l'annuaire. Le chronométrage débute aussitôt que la personne décroche. Le but du jeu est de tenir votre correspondant le plus longtemps possible à l'appareil. Mon truc, c'est de sélectionner chaque fois les prénoms qui sonnent vieux : Lillian ou Evelyn ou Elijah. Les personnes âgées sont beaucoup moins méfiantes et ont du temps pour bavarder. Mon record est de vingt-cinq minutes. Personne n'a réussi à s'en approcher.

Aujourd'hui, c'est Mallory qui attaque. Elle se fait passer pour une petite fille qui s'est brûlée.

— Ça fait mal, dit-elle. Maman n'est pas là. Elle est partie. Avec le monsieur qui ramasse les poubelles.

Patrick et moi sommes morts de rire.

— Ils vivent à la décharge, maintenant. Je n'aime pas aller les voir là-bas, ajoute-t-elle avant de raccrocher brutalement. Il a dit qu'il allait appeler la police.

Le téléphone sonne alors qu'elle a encore la main dessus et nous sursautons, hilares, mais aucun de nous n'ose répondre. Il sonne cinq fois, six fois. Je finis par me rendre compte que ce pourrait être à propos de ma mère : accident de voiture, hôpital. Je décroche. Il y a une longue pause à l'autre bout du fil, puis une femme demande à parler à Mme Tabor.

— Je n'aurais pas téléphoné ici, ajoute-t-elle, mais c'est important.

Je reconnais la voix, mais suis incapable de la remettre.

— Qui est-ce ? s'enquièrent Patrick et Mallory lorsque je pose le combiné.

Je hausse les épaules.

— Où est ta maman ?

Il m'indique le petit salon. Mais le reste du rez-de-chaussée est désert. J'appelle dans l'escalier et il me semble percevoir du bruit. Je monte. La porte de la chambre de mon père est entrouverte et j'entends la télé. Je frappe, mais personne ne réagit. Je glisse la tête par l'entrebâillement.

116

— Madame Tabor ?

Ce que je vois m'est incompréhensible, en dehors de leurs visages, qui se tournent vers la porte, stupéfaits, puis furieux.

— Tire-toi de là ! me beugle mon père.

Et, comme je ne m'exécute pas tout de suite, Mme Tabor enfonce le clou :

— Casse-toi de cette chambre, Deï-*liii* !

Je suis descendue et de retour à la cuisine, sans même m'être aperçue que j'avais bougé, sans même avoir pris conscience du spectacle auquel j'avais assisté : mon père nu et à quatre pattes sur le lit, les épaules entre les jambes de Mme Tabor, en train de lécher son vagin rouge telle une bête penchée au-dessus de sa proie.

— Elle est occupée, m'entends-je débiter à l'appareil.

La femme pousse un soupir.

— Peux-tu lui dire de m'appeler au sujet des tranches d'orange pour le match de mercredi ?

— Bien sûr.

J'ai la voix tremblante. Patrick et Mallory me regardent avec insistance. Je ne veux pas raccrocher et avoir à leur expliquer.

— Daley, je suis navrée, pour tes parents. Ce doit être vraiment dur pour toi.

— Oui.

C'est plus un souffle qu'un mot.

— Tu peux venir me voir, si tu as envie de parler. Quand tu veux. Ma porte est ouverte.

Je n'ai toujours aucune idée de qui est cette personne.

Mon père, plié en deux, la tête baissée entre ses épaules : un animal, rien de plus. Je ne savais pas ça, voudrais-je répondre. Je n'ai jamais su ça.

Ce soir-là, mon père et moi entamons un rituel qui durera jusqu'à ce que j'obtienne mon permis de conduire. Après que Mme Tabor nous a donné à manger, je pose mon sac de livres et ma valise à côté de la porte de derrière. Mon père se prépare un cocktail. J'attends. Il s'en prépare un deuxième. D'un ton brusque, il demande à Patrick de baisser la radio. Il raconte à Frank une blague sur un couple de Noirs qui se rend à un bal masqué. La chute est un jeu de mots avec « bâtonnet chocolat ». Je l'ai déjà entendue. Il jette un coup d'œil à l'horloge. Je jette un coup d'œil à l'horloge. Assise par terre dans la cuisine, je fais une réussite. Elyse envoie voler toutes mes cartes d'un coup de pied et je lui ordonne de les remettre en place, mais Mme Tabor me dit de ne pas m'en prendre à plus petit que moi. M. Seeley appelle pour se plaindre que les chiens aboient si fort qu'il ne s'entend pas penser. Mon père est poli au téléphone, mais il raccroche violemment et tourne en rond en jurant comme un charretier. Un nouveau coup de pied envoie voler mes cartes. Il se prépare un autre cocktail. Il faut que je rentre à la maison pour me mettre à mes devoirs. Le coucou de la pendule gazouille huit fois.

— Je vais lancer les steaks, l'informe Mme Tabor, ce qui pour mon père est le signal.

Il repose son verre, puis traverse la pièce d'un pas lent pour se diriger vers le tiroir dans lequel est rangé son chéquier. C'est un carnet bleu dont il tourne les pages lentement. Il prend le stylo accroché à l'étui et remplit le chèque destiné à ma mère, puis le plie en deux avant de me le tendre. A son expression, on dirait que je suis en train de le saigner.

Il n'est guère bavard durant le court trajet jusqu'à Water Street. Nous nous arrêtons sur l'emplacement le plus éloigné de celui où est garée la voiture de ma mère. Il la lui a achetée pour son anniversaire l'an dernier. Ni il ne coupe le moteur ni il ne m'accompagne à la porte. Pas une seule fois en sept ans il ne descendra de son auto, comme si le sol autour de l'appartement de ma mère était radioactif. Il garde les mains crispées sur le volant pendant que je l'embrasse. Je récupère ma valise à l'arrière, lui dis un dernier au revoir et m'éloigne. Il est reparti avant que j'aie atteint l'entrée.

Le seuil est flanqué de deux grosses plantes en pot et une jardinière orne la fenêtre de ma chambre. Toutes les lampes sont éclairées, même dans celle-ci. L'appartement n'est pas fermé et, à l'intérieur, l'air se révèle à la fois chaud et humide. Ma mère est dans la cuisine, où elle plonge dans de l'eau bouillante un paquet de lamelles de bœuf séché à la crème. Elle est vêtue d'un nouveau peignoir de bain, les cheveux encore mouillés de sa douche. C'est un peignoir blanc, avec une large ceinture à rayures serrée par un gros nœud sur le côté. Elle a la taille très fine. Un cendrier sèche sur l'égouttoir, alors que ma mère ne fume pas. Elle m'étreint et je la trouve menue entre mes bras. Elle me dépose une bise grasse sur la joue.

— Comment ça s'est passé ?

La roseraie détruite, Elyse au fond de la piscine, papa qui mange entre les jambes de Mme Tabor – tout se mêle confusément en un sentiment que je suis incapable de nommer.

— Je suis fatiguée.

— Tu as mangé ?

— Oui.

— Tu as des devoirs ?

— Des tonnes.

— Il est presque huit heures et demie.

— Je sais.

— Daley, il va falloir que tu...

— Je ne peux pas faire mes devoirs là-bas.

— Alors rentre plus tôt.

— Je ne peux pas.

— Alors appelle-moi et je viendrai te chercher.

— Non !

Je suis horrifiée à l'idée de voir ma mère remonter dans sa voiture l'allée de la maison de mon père où elle a vécu pendant dix-neuf ans. Elle me défroisse le front.

— Ne fais pas cette grimace, sinon tu auras des rides plus tard.

Je lui remets le chèque et elle le déplie, puis le jette sur le plan de travail.

— C'est cinquante de moins que ce qui est prévu.

Elle pince les lèvres et sa bouche forme une ligne droite.

Elle va s'installer au bureau pour écrire un courrier qui commence par « Gardiner », rédigé de ses grosses lettres rondes. Une fois qu'elle a terminé, elle le relit et souligne plusieurs mots, dont « avocat ». Puis elle le glisse dans une enveloppe, sur laquelle elle colle un timbre avant de la mettre dans son sac à main, posé sur une chaise à côté de la porte. Je n'ai pas besoin d'en savoir le contenu maintenant : j'apprendrai tout le week-end prochain. Le week-end prochain, mon père agitera la lettre comme un drapeau.

— Viens me tenir compagnie pendant que je mange. Tu pourras faire tes devoirs après.

Nous nous installons à la table au plateau brillant de la salle à manger. Je déteste les lamelles de bœuf séché à la crème, que ce soit le goût ou l'odeur. On dirait de la nourriture pour chiens mélangée à de la morve. Des nuages de vapeur s'élèvent de son assiette, mais elle ne souffle pas dessus et n'a pas l'air de se brûler en mangeant. Depuis le chèque, l'humeur de ma mère a changé. Pas la mienne : une combinaison de passivité et de lassitude qui, je le sais, la contrarie. Mes réponses à ses questions sont brèves et sans imagination. Je n'ai pas envie de rester ici à la regarder enfourner ses lamelles de bœuf séché à la crème, mais je n'ai pas envie non plus de m'atteler à mes devoirs ni d'aller me coucher ni de m'asseoir devant la télé. Je n'ai envie de rien.

— Je suis allée voir *Chorus Line*, ce week-end. J'aimerais vraiment t'y emmener.

— Tu l'as déjà vu ? Avec qui ?

— Mon ami Martin et son fils.

Martin. C'était bien ça, exactement comme me l'avait dit mon frère.

— Tu avais promis de m'y emmener.

— J'en ai l'intention. C'est ce que je t'ai dit à l'instant.

— Non, tu as dit que tu venais de le voir.

— Et que j'aimerais t'y emmener.

— Mais tu l'as déjà vu. Et les spectacles, c'est cher. Tu m'as toujours expliqué ça.

— Daley...

— Je n'arrive pas à croire que tu y sois allée avec le gosse de quelqu'un d'autre.

Je me cale contre le dossier de ma chaise et croise les bras sur la poitrine. Ma mère rit.

— Là, tu te comportes un peu comme une gamine de deux ans.

En moins de temps qu'il n'en faut pour le dire, les lamelles de bœuf séché à la crème s'en vont tapisser le mur. Ma mère tient toujours son couteau et sa fourchette. Sa voix est très très posée.

— Sors immédiatement de cette pièce. Je ne veux pas te revoir avant demain matin. Tous les privilèges que tu pouvais avoir sont annulés.

Je me lève et m'engage dans le couloir.

— Je te jure, Daley Amory, que chaque fois que tu reviens de chez ton père, tu es comme une bête sauvage, lâche-t-elle avant que je lui claque la porte de ma chambre au nez.

6

Le mercredi soir qui précède Thanksgiving, Garvey rentre à la maison. Un ami l'a ramené de l'université en voiture. Je l'entends refermer une portière et crier quelque chose. Puis le voici qui entre pour la première fois dans notre appartement, son corps grand et maigre réduisant les dimensions de tout le reste : le buffet, le bureau, les murs. Il porte une barbe rouille clairsemée, rien de comparable avec son épaisse chevelure blond sale. Ses yeux sont de petits éclats de bleu dans de l'eau trouble. Il a la même odeur que les sacs de couchage rangés dans la remise de Myrtle Street. Je m'en emplis les poumons. Goulûment. Il m'a tellement manqué – beaucoup plus que je ne le croyais. Il doit me détacher de lui pour pouvoir se présenter à Pauline, ma baby-sitter. Il tient à lui serrer la main, alors qu'elle est à l'autre bout de la pièce et que cela la contraint à retirer la manique qu'elle venait de mettre pour sortir le gratin de macaronis du four.

— Alors, c'est toi qui prends soin du moustique ?
— Nous prenons soin l'une de l'autre.

Elle me sourit. En présence de Garvey, son accent – *l'une de l'aut'* – ressort plus distinctement. Elle passe chaque jour après l'école et demeure avec moi jusqu'au retour de ma mère, à sept heures, et nous rions beaucoup, toutes les deux. Au début, je ne comprenais pas pourquoi nous ne pouvions pas avoir Nora. Elle s'était installée chez sa sœur, à Lynn, et venait de temps à autre pour m'emmener manger une glace au Friendly's. Visiblement, elle ne travaillait pas, mais ma mère pensait qu'il était préférable que j'aie quelqu'un de plus jeune et de moins coûteux. Pauline est en seconde et elle a les nichons qui poussent si vite, qu'ils font sauter les boutons de son chemisier. Nous sommes tordues de rire, car nous trouvons sans arrêt des boutons. Je vois que rien de cela n'échappe à mon frère.

Nous mangeons le gratin de macaronis sur le canapé. Garvey bombarde Pauline de questions : où habite-t-elle ? à quoi ressemble ce quartier ? a-t-elle des frères et sœurs ? ses parents sont-ils d'ici ? a-t-elle beaucoup voyagé ? quelle serait sa destination préférée ? Peut-être qu'un jour nous partirons tous ensemble en voyage là-bas, en Californie, conclut-il.

Maman rentre à ce moment et Pauline s'en va.

— Waouh ! s'exclame mon frère en lissant l'arrière de sa toison. Va va voom !

— Elle a tout juste quinze ans, le sermonne ma mère.

— Elle n'arrivera plus à tenir debout sur ses pieds, si ses seins continuent à grossir.

— Elle se débrouillera très bien.

Ma mère accroche son manteau et étreint une nouvelle fois mon frère.

— Oh, que c'est bon de te voir ! dit-elle entre ses dents serrées.

Elle serre toujours les dents dans les moments d'émotion.

— C'est bon d'être là. Chouette appart, m'man, la félicite-t-il en balayant la pièce des yeux. Tu as méchamment dévalisé la grande baraque.

Ma mère finit mes macaronis debout. Nous sommes tous restés debout. Je ne sais pas trop pourquoi.

— Comment ça se passe, là-bas ? l'interroge-t-elle.

— Oh, pas trop mal.

— Ah ouais ?

Sous-entendu : elle voudrait en savoir un peu plus.

— Ça fait si longtemps que je suis à l'école.

— Garvey...

— C'est comme je te le dis. Je suis allé quatre ans en pension avant ça. Tous les autres sont excités comme des poux : on dirait qu'on vient de les faire sortir d'une cage, alors que moi, j'ai l'impression de me retrouver dans une autre cage. Une cage moins intéressante, en vérité.

— Encore trois ans et demi. C'est tout. Après ce sera définitivement terminé.

— Ouais.

Il s'écroule sur le sofa, lève les jambes et pose ses bottes sur la table basse. Maman ne lui demande pas de les enlever. Il sort un paquet de cigarettes neuf, dont il tasse deux ou trois fois chaque extrémité à grands coups contre sa paume, puis il retire la pellicule de cellophane, glisse une cigarette hors du paquet et l'allume.

— Et ensuite je sortirai de là et je n'aurai plus qu'à dénicher la carrière parfaite qui bouffera le reste de mon existence, ajoute-t-il en expirant un long filet de fumée. Tout ça pourrait bien demeurer purement abstrait. Cette semaine, je n'ai pas pu m'inscrire pour les cours du prochain semestre. Il s'avère que papa a un chouïa de retard sur les paiements.

Ma mère prend place à côté de lui sur le canapé.

— Tu plaisantes, là ?

— Je ne plaisante pas.

— Tu dois absolument lui en parler. Demain.

Garvey fait tomber sa cendre sur son jean et frotte pour qu'elle pénètre dans le tissu. Ma mère lui apporte un cendrier, mais il ne l'utilise pas.

— Je n'ai pas besoin de son argent.

— Garvey, il faut que tu aies ce diplôme.

— Je peux me le payer. Brian Foley se débrouille pour payer. Il travaille à la bibliothèque, je crois. Je suis allé le voir il y a quelques semaines.

— L'université du Massachusetts ne coûte que trois cents dollars par an : bien sûr qu'il peut se l'offrir en travaillant. Harvard, c'est plusieurs milliers.

— Alors j'irai à l'université du Massachusetts. A Harvard, ce n'est qu'une bande de crétins bouffis de suffisance. Le week-end, ils se baladent tous en smoking. Je t'assure. Samedi dernier, j'ai fait la connaissance d'un barman qui est en train de monter une boîte de déménagement, avec garde-meuble et tout ça, et il m'a demandé si je pouvais bosser un peu pour lui. Je louperai peut-être quelques cours, mais ça paie bien.

— S'il te plaît, parle à ton père.

— Non.

— Je me fais du souci, maintenant.

— Moi aussi, je me fais du souci.

Ma mère se lève et va à la cuisine pour rincer l'assiette. Elle prend son temps. Finalement, je perçois le grincement de la porte du lave-vaisselle et le bruit de l'assiette qu'elle range dedans. Je sais qu'elle n'a rien d'autre à faire dans la cuisine, mais elle reste là-bas, à réfléchir.

Je regarde Garvey fumer sa cigarette.

— Papa et Mme... je veux dire « Catherine » sont mariés, à présent, dis-je.

— Il paraît. Un petit pack promo à Nassau : divorce, mariage et joli bronzage doré pour les vacances.

— Frank a pris ta chambre.

Garvey émet un petit reniflement ironique.

— Il va falloir que je lui montre où sont planqués mes *Playboy*.

— Il a déjà trouvé.

— C'est vrai ? Le petit filou.

— Il est bizarre.

— Avec une mère comme la sienne...

— Comment va Heidi ?

— Qui ?

Je lui adresse un regard appuyé.

— Elle a un nouveau mec. Il est très fiable.

Il prononce le mot « fiable » en prenant l'attitude coincée d'une bonne sœur, la tête inclinée et les lèvres pincées. Mon éclat de rire l'encourage à poursuivre.

— Il se pointe exactement à l'heure convenue, il dit exactement ce qu'il faut dire et il a toujours une capote, toujours.

Frank a des capotes. Quand nous nous ennuyons beaucoup, Patrick et moi allons lui en voler dans sa chambre pour les remplir d'eau et les balancer sur Elyse. Elle les appelle des « ballons gras » et elle pousse des cris stridents chaque fois qu'elle en aperçoit une.

— Tu as une nouvelle copine ?

— Pas vraiment.

— Et Deena ?

— Qui ?

Cette fois, il ne voit réellement pas à qui je fais allusion.

— La fille, dans ton appartement de Somerville.

Une grimace aussi brève qu'une bourrasque de vent lui balaie le visage.

— Je n'ai jamais eu le moindre rapport avec elle.

Il ment mal, ce qu'il cherche à masquer en continuant de parler.

— C'est une jeune femme très tordue.

C'est ce qu'elle a dit de toi, ai-je envie de lui révéler, mais je m'en abstiens. Je ne veux pas l'enfoncer plus bas qu'il ne l'est déjà.

— Et toi, mon petit ermitoïde ? Que se passe-t-il dans ton univers de sixième ?

Sachant qu'il me poserait cette question et connaissant précisément le genre de choses qu'il aime entendre, j'avais préparé une histoire à cet effet.

— C'est drôle que tu me demandes ça, réponds-je en guise d'échauffement, lui arrachant un sourire. Il y a un nouveau qui s'appelle Kevin.

— Kevin comment ?

— Kevin Mackerel.

— Mackerel ? Comme le poisson, en anglais [1] ?

— Je n'en sais rien. Je suppose.

— Oh, Kevin Mackerel, commence-t-il à chantonner. Est-il un poisson ou bien un homme ? Personne ne le sait, tout comme ma pomme !

A cet instant, ma mère entre dans la pièce, gonflée à bloc, avec de nouveaux arguments pour justifier que Garvey doive continuer l'université, expliquant ensuite qu'elle allait dire à Al comment procéder, et je n'arrive pas à raconter comment Kevin Mackerel a été exclu temporairement parce qu'il pétait trop.

« Pas vrai ! aurait fait mon frère.

— Si, c'est vrai, aurais-je répliqué, je te jure. »

Il pétait tout le temps, vraiment fort et vraiment puant, et il n'arrêtait jamais. Il a eu des avertissements, des blâmes, un mot pour ses parents, mais rien n'y faisait. Alors maintenant il est exclu de l'école jusqu'au 1er décembre.

« Pas vrai ! » l'entends-je d'ici s'exclamer en se tirant les cheveux, la figure emplie d'un rire non feint.

---

1. *Mackerel* : maquereau.

Le lendemain matin, nous nous préparons pour aller chez papa et Catherine. Nous devons déjeuner avec eux et revenir dîner avec maman. Je porte une robe de velours noir, avec des poignets et un col en dentelle blanche.

— Hé, regardez-moi ça : tout droit débarquée du Mayflower ! se moque Garvey.

Il est vêtu du même jean que la veille et d'une chemise à carreaux décolorée, dont la poche déchirée bat contre sa poitrine. Ses cheveux sont emmêlés à l'arrière de son crâne. Je remarque ces détails parce que nous sommes invités chez papa. Ma mère les relève aussi.

— La douche est gratuite, ironise-t-elle.

— Oh, chouette, réplique-t-il en s'allumant une autre cigarette.

Nous nous y rendons avec la voiture de maman. Je sais que c'est une erreur. Nous aurions dû partir plus tôt et à pied.

Mon père sort sur la véranda de derrière. Il rit en secouant la tête.

— J'ai cru... commence-t-il.

Il feint de glousser et attend que nous soyons à portée de voix.

— J'ai cru que votre mère avait décidé de venir pour le dîner de Thanksgiving !

Papa et Garvey se serrent la main. Je ne les avais pas revus ensemble depuis le début de l'été. Je n'avais jamais relevé leur ressemblance auparavant, le dos rond, les yeux plissés.

— T'es arrivé quand ?

— Un pote m'a amené en bagnole hier soir.

— Ah ouais ?

— Tu as l'air en forme, p'pa.

— Je ne me plains pas trop. Et toi, ça gaze ?

— Ouais, ça gaze.

— Bien.

Ne pouvant supporter toute cette hypocrisie, je file retrouver Patrick.

Frank est dans la cuisine, en train de chercher dans un tiroir.

— Salut, dis-je.

Il me répond d'un grognement, puis, prenant conscience que je peux lui être utile, il me lance :

— Dis, le scotch, vous le rangez où, ici ?

Sans m'arrêter, je riposte :

— J'en sais rien. Et *vous*, vous le rangez où ?

Installés dans les fauteuils inclinables, Patrick et Elyse regardent la parade à la télévision. Patrick se pousse pour me laisser de la place. Il a le pouce rouge et brillant, marqué par l'empreinte de ses dents au-dessus de la jointure. Il l'a sucé, comme toujours lorsqu'il est absorbé par la télé et qu'il oublie qu'on peut le surprendre.

Un Snoopy de dix étages dérive le long d'une rue bondée.

Je déteste cette parade, alors je me lève.

J'entends claquer la porte à moustiquaire.

Des portes-fenêtres du salon, j'aperçois Garvey qui entre sur le court de tennis. C'est la première fois qu'il le découvre, qu'il découvre que le jardin n'est plus là. Je ne me souviens pas si je lui en ai parlé. La surface du court est immaculée, d'un vert sombre profond parcouru de lignes blanches. Il se tient face à moi, derrière la ligne de service du fond, mais il ne peut me voir. Il paraît petit. Alors que je passe devant l'escalier, j'entends papa qui chuchote fort dans le couloir du haut.

130

— C'est une honte ! Franchement. Il a un jean crasseux et une vieille chemise qui pue la pisse de chat. Et ses cheveux !

Je sais que mon père doit agiter la main autour de sa tête.

— Un vrai nid de frelons ! On ne peut l'emmener nulle part. « Mon pote m'a amené en bagnole hier soir. » Ça va à Harvard et ce n'est pas fichu de parler anglais comme il faut ! Ce n'est plus possible de l'emmener au club. Plus possible. Et elle s'en fout. Elle le laisse sortir habillé comme ça. Et en plus elle le laisse venir ici dans la voiture que je lui ai achetée ! Il a le culot de débarquer chez moi dans cette voiture !

Quelques instants plus tard, il est en bas, au bar, et plonge la main dans le seau à glaçons, puis déchire la languette de papier d'une nouvelle bouteille de vodka. Je vais me placer à côté de lui et observe le rituel. Il verse la vodka, puis ajoute quelques gouttes de vermouth. Il remet les bouchons des bouteilles de vodka et de vermouth, puis, avec une petite cuiller, il fait glisser quatre oignons grelots hors du bocal. Je tends la main et il en laisse tomber un dans ma paume. Il dépose le reste dans son verre et remue le tout avec son doigt. Il rajuste l'alignement des bouteilles, celui des verres, puis essuie la cuiller et le comptoir avec un papier absorbant. Ce n'est qu'une fois calé dans son fauteuil qu'il ferme les yeux pour prendre sa première gorgée. Au-dessus de lui, la pendule indique onze heures quinze. La dinde est sur la cuisinière, la chair hérissée et pâle. Catherine ne l'a pas encore enfournée.

Je m'assois par terre à côté de lui. Il faudra que je lui dise à un moment ou à un autre que je retourne chez ma mère jusqu'à samedi matin, jusqu'à ce que Garvey reparte.

131

— Ça s'est bien passé à l'école, cette semaine ?

— Oui, réponds-je.

Je n'étais pas préparée à cette question, qui me prend par surprise. Je m'aperçois alors que je peux raconter mon anecdote sur Kevin Mackerel. Cette fois, je vais laisser tomber le nom qui distrait l'attention et aller directement à l'essentiel.

— Un élève de ma classe a été exclu temporairement parce qu'il pétait.

Il est penché au-dessus de son verre. Il boit une gorgée et secoue la tête. J'ai l'impression qu'il n'a pas vraiment entendu. N'importe quel autre jour, il se redresserait brusquement, les yeux écarquillés, le regard réjoui, et dirait : « Non, tu me charries, hein ? » Puis il me vient à l'esprit que Patrick lui en aura déjà parlé.

— Alors, qui vient déjeuner ? demandé-je.

— Personne, Dieu merci.

Toute ma vie nous avons eu la vieille Mme Waverly – qui a subi une ablation du larynx et dont les mots grésillent par l'intermédiaire d'un petit gadget argenté ressemblant à un rasoir électrique qu'elle plaque sur sa gorge –, M. Harris, le propriétaire du magasin de jardinage, et le cousin Morgan, un cousin de Grindy qui a perdu une jambe ainsi que la plus grande partie d'un bras à la guerre. Ce sont tous des relations de maman et ils ne reviendront plus jamais dans cette maison.

Mon père porte son briquet à son cou et s'exprime sur le rythme robotisé de Mme Waverly. « Bon/jour/ Da/ley. Est/ce/que/tu/te/plais/à/l'é/cole/cette/an/née ? » Ma mère n'a jamais trouvé ses imitations drôles, même lorsqu'il parodiait le cousin Morgan qui, une année, avait insisté pour faire passer la lourde saucière avec son unique main et me l'avait renversée sur les cuisses. La désapprobation de ma mère nous imposait

132

toujours de nous retenir de rire, ce qui était difficile, mais, sans celle-ci, ce n'est plus aussi marrant. Même mon père ne s'amuse pas. Il commence à sortir son bras de sa manche pour attaquer le numéro de la saucière, mais s'interrompt et me regarde comme s'il se demandait où il était. Puis il sourit et balance la tête de gauche à droite.

— Nom de Dieu ! Bon débarras, tous autant qu'ils sont !

Tandis qu'il retourne au bar, je vais dans la salle à manger. La table est dressée avec le service en porcelaine vert et marron de Catherine. Je m'approche du buffet que ma mère n'a pas emporté et ouvre le tiroir du haut. Elles sont là, les cartes de table, avec leur fruit en bois peint collé dans un coin et tous les noms rédigés dans l'écriture de ma mère, aux lettres généreuses : Olivia (Mme Waverly), Donald (M. Harris), Cousin Morgan. Il y a aussi Gardiner, Meredith, Garvey et Daley. Et tout au fond, on trouve Papa (Grindy), Maman (Nonnie), Judy (la sœur de ma mère), ainsi qu'Ashley, Hannah et Lindsey (les filles de Judy). Je ramasse tous les cartons et les fourre dans mes poches. Puis je sors pour aller retrouver Garvey.

Il est toujours sur le court de tennis, mais en compagnie de Frank. Ils jouent pieds nus. Je ne suis pas certaine que Garvey et Frank se soient déjà rencontrés auparavant. Ils ne suivent pas les règles habituelles. Vous avez le droit d'utiliser les couloirs et vous gagnez deux points supplémentaires chaque fois que vous touchez l'adversaire avec la balle. Quatre points supplémentaires pour un ace. Et vous pouvez servir de n'importe quel endroit sur le court, même du filet, ce que fait précisément Garvey au moment où je descends l'ancien escalier de la roseraie pour venir me planter derrière le grillage vert qui

133

entoure l'ensemble. Il frappe la balle, qui heurte le tibia de Frank avant de filer plus loin.

— Touché et ace ! s'écrie Garvey. Six points.

Tous les deux éclatent de rire.

— Merde ! couine Frank.

Il est plié en deux, les mains sur les genoux, mort de rire. Je ne l'avais jamais vu rire avant ce jour.

Je contourne le terrain pour aller prendre place sur une chaise de jardin sur le côté du court. Garvey me tend sa raquette.

— Tu veux me remplacer ?

Je réponds non de la tête. Je veux que Frank et lui deviennent amis. S'ils sont amis, peut-être m'accompagnera-t-il plus souvent à Myrtle Street. J'aime bien quand il est ici.

C'est ensuite à Frank de servir et Garvey renvoie la balle par un lob, que Frank laisse rebondir, se préparant à smasher. Garvey s'exclame « Oh, putain ! », avant de détaler du court et de franchir le grillage pour se retrouver au milieu des feuilles mortes. Le smash de Frank gicle sur le sol juste avant la ligne de fond de court, puis s'envole au-dessus du grillage. Pour avoir la balle, Garvey part en courant parmi les feuilles et les broussailles, puis, avec un cri de jubilation, la retourne par un lob. Frank rit trop pour finir le point.

C'est la partie de tennis la plus joyeuse à laquelle j'aie jamais assisté.

Patrick et Elyse viennent s'installer sur les chaises à côté de moi. Le froid s'accentuant, nous fonçons chercher bonnets et moufles dans la maison, alors que Frank et Garvey ont la chemise déboutonnée.

Au bout d'un long moment, on nous appelle pour passer à table.

Par-dessus sa jupe courte, Catherine porte un chemisier lavande au tissu soyeux, serré à la taille par une chaîne dorée. Elle n'a pas fermé beaucoup de boutons de son corsage et j'aperçois la dentelle de son soutien-gorge, juste en dessous des quatre lourds colliers qui reposent sur sa poitrine constellée de taches de rousseur.

Sans un quelconque « Bonjour » ou « Joyeux Thanksgiving », elle me lance :

— Apporte-moi les assiettes.

Puis, à Garvey :

— Veux-tu bien ouvrir ces putains de bouteilles de vin ?

Elle tient un couteau à découper et a déjà les yeux clos pendant qu'elle parle.

Mais Garvey, qui a le chic pour tuer les accès de mauvaise humeur de ma mère par sa gentillesse, n'a pas l'intention de la laisser s'en sortir à si bon compte.

— Je n'ai pas le droit d'embrasser d'abord la mariée ? demande-t-il en écartant les bras.

Catherine pose le couteau sur le plan de travail d'un geste violent, mais elle se fend d'un faible sourire.

Même s'il n'y a qu'une personne de moins qu'en temps normal à Thanksgiving, j'ai l'impression d'une assemblée clairsemée. Ma mère disait toujours une prière, mais Catherine s'en dispense et commence à couper la viande. Assis à l'autre bout de la table, mon père la considère avec une sévérité feinte.

— Hum... N'oublions-nous pas quelque chose ?

— Oh, oui ! répond-elle avant de lever les yeux au plafond. Merci pour rien, Seigneur. La prochaine fois, c'est toi qui prépareras cette foutue dinde !

Mon père adore.

— Toi, t'es marrante, se réjouit-il.

Elle lui envoie un baiser bruyant.

Il tend les deux mains devant lui et serre, comme s'il lui palpait les nichons.

Face à moi, Garvey hausse un sourcil en me regardant et je suis contrainte de fixer des yeux mes genoux pour m'empêcher de rire.

— Alors, poursuit mon père en s'adressant à Garvey. Ça se passe bien, l'université ?

— Ouais.

— Tu as pris quoi, comme matières ?

La question semble moins motivée par la curiosité que par l'envie de voir Garvey prouver qu'il va bien à l'université.

— Calcul, moyen anglais, psycho, anatomie.

— Anatomie ? T'as déjà trouvé où était ta bite ?

— Bon Dieu, p'pa, il y a des gosses, ici.

Puis, se tournant vers Elyse qui fait des dessins sur la table avec son doigt plein de sauce :

— Quel âge as-tu ?

— C'est pas tes oignons, réplique-t-elle sans s'interrompre ni lui accorder un regard.

— Je te demande juste si t'avais trouvé où était ta bite.

— J'en ai une assez bonne idée.

Semblant avoir pris une décision, il s'intéresse alors à Catherine.

— C'était comment, Nassau ?

Elle non plus ne lui accorde pas un regard.

— Chaud.

— J'ai des copains qui y ont vécu quelques années. Ils m'ont raconté que sur la côte nord de l'île, il y avait une grotte où on voyait plein d'otaries, et puis qu'il y avait un bar cool où...

Elle balaie ses remarques d'un mouvement de la main.

— On n'a rien vu de tout ça. On est restés au village vacances.

— Il doit y avoir de chouettes courts de tennis, là-bas.

Catherine confirme d'un hochement de tête. Garvey se sert un autre verre de vin. Il est le seul à en boire.

— Tu mets quoi, pour jouer au tennis ? lui demande-t-il. Je veux dire, est-ce que les femmes passent au short ou est-ce qu'elles sont encore obligées de porter des jupes ?

— J'aime bien les jupes.

— Parce que ça t'offre plus de liberté de mouvement, c'est ça ? Peut-être que c'est pour ça que Billy Jean King a battu Bobby Riggs.

— C'était arrangé, affirme Catherine.

— Tu crois que c'était truqué ?

— Bien sûr, que c'était truqué ! soutient mon père. Il aurait pu la battre avec son orteil gauche, s'il avait voulu.

— Alors pourquoi ne l'a-t-il pas fait ?

— Parce qu'il s'est fait vachement plus de pognon en perdant.

— Il a accepté d'être la risée de tout le monde pour **deux** ou trois mille dollars ?

— Bien plus que ça.

— D'où est-ce que tu tiens tes informations, p'pa ? de Don Finch ?

Mon père rit malgré lui. Toute la tablée rit. Même Elyse sait que Don Finch est le plus mauvais joueur du club et le plus drôle à regarder. On raconte qu'un jour il a joué tout un set sans toucher une seule fois la balle.

— Tu sais qui j'ai vu au club, l'autre jour ? Gus Barlow.

— Gus Barlow ? répète Garvey. Merde, comment va-t-il ?

Gus était un copain de classe de Garvey au collège d'Ashing.

— Il va bien.

Je devine que mon père cherche à en venir quelque part, avec ça. Garvey aussi.

— C'est un bon gars, poursuit mon père en posant lentement sa fourchette et son couteau. Tu sais, si tu faisais un brin de toilette, on pourrait aller manger au club ce week-end.

— L'époque de mes buffets au club-house est définitivement révolue, plaisante Garvey en secouant la tête.

— Ah ouais ? Le club, c'est fini pour toi ? Le club n'est pas assez bien pour toi désormais, j'imagine... ironise-t-il en reprenant ses couverts, qu'il pointe sur Garvey. Que pense ta mère de ton allure ?

— Elle ne m'en a pas parlé.

— Eh bien, je peux te dire que lorsqu'elle vivait sous ce toit, jamais elle ne t'aurait laissé venir à la table de Thanksgiving avec une telle allure ! Jamais.

— Je suppose qu'elle a dû perdre la boule, c'est tout.

— Je le crois. Je le crois réellement, réplique mon père, le visage écarlate.

— Ma foi, grand bien lui fasse, marmonne Catherine.

Garvey lui sourit.

— Dit la nouvelle épouse non sans ambiguïté.

Catherine part d'un rire tonitruant.

— Garvey, il faut que je te montre un truc après le repas, intervient Frank.

— Quoi ? veut savoir Patrick.

— Ta gueule ! aboie Frank.

— C'est du jade ? interroge mon frère en effleurant les pierreries qui entourent le poignet de Catherine.

— Jade et nacre.

Mon père la fusille du regard. Elle retire son bras.

Garvey et moi faisons la vaisselle. Il n'y a même pas de discussion à ce sujet. Tous les autres apportent leur assiette à l'évier, puis s'en repartent.

— Cendrillon et son frère, les beaux-enfants laissés seuls dans l'arrière-cuisine, geint-il en portant mollement le plat de dinde jusqu'au plan de travail, comme s'il était affamé et épuisé. Hé, j'ai une idée de film !

Il a toujours des idées de film.

— Oh là là, ça va nous rapporter des millions ! Bon, c'est le soir de Thanksgiving et il y a ce vieux bonhomme qui vit tout seul dans sa maison. Ses enfants sont restés l'après-midi après le repas, mais à présent ils sont tous rentrés chez eux pour retrouver leur famille. Il a été marié trois ou quatre fois, mais toutes ses épouses l'ont quitté et il est tout seul le soir de Thanksgiving, bourré de tryptophane, mais trop déprimé pour dormir. Il entend alors un bruit dehors. Il sort dans son jardin et il y a une dinde énorme, aussi grosse qu'une maison, qui le regarde en gloussant. Mais cette dinde a un visage humain, un visage horrible, comme celui de Mlle Perth. Tu l'as, cette année, non ? Je fais encore des cauchemars sur elle. Et cette dinde a sous ses ailes toutes les femmes du bonhomme. Elles sont nues et chacune a des papiers à lui faire signer, parce qu'il les a toutes pigeonnées dans les grandes largeurs.

Papa, qui vient d'entrer pour se préparer un cocktail, est planté là à écouter.

— Ça suffit, Garvey, fait-il. Je ne veux pas que tu la pervertisses. C'est une petite fille innocente et elle n'a pas besoin qu'un glandeur comme toi lui bourre le crâne de conneries.

— C'est l'hôpital qui se fout de la charité...

— Je vais te dire un truc. Toutes les conneries que vous avez l'un ou l'autre dans la tête viennent de votre mère. Regarde-toi. Mais regarde-toi ! Tu vois,

139

j'ai de la peine pour toi que tu aies une mère pareille. Elle m'a laissé un putain de mot là, explique-t-il en montrant le comptoir, à défaut de la table qui a disparu. Juste là. Elle n'a même pas eu le courage de me dire en face qu'elle se barrait.

L'espace d'un instant, j'ai l'impression qu'il va se mettre à pleurer.

— Elle avait peur que tu la frappes.

— Elle n'avait pas tort. Je l'aurais frappée, cette garce dégonflée.

Garvey rit. Mon père l'imite. Mon cœur bat la chamade et je récure le plat de gratin de patates douces aussi fort que je le peux.

Une fois la cuisine propre, nous partons aussitôt. Je dis à papa que je reviendrai le samedi matin et il se contente de hausser les épaules, comme s'il s'en fichait éperdument, mais je préfère de beaucoup cela, plutôt que de m'entendre gronder.

Nous arrivons tard chez maman, très tard. Je vois qu'elle s'efforce de ne pas laisser transparaître sa contrariété, mais elle a cuisiné toute la journée, seule, et à présent les plats qu'elle a recouverts de papier d'aluminium sont froids. Elle s'assoit et prend sa fourchette sans dire le bénédicité elle non plus.

— Où sont Mme Waverly et le cousin Morgan ? demande Garvey.

— Oh, maman, dis-je en me souvenant des cartes de table que j'ai dans les poches de ma robe. Regarde ce que j'ai récupéré !

Je vide mes poches sur la table. Les fruits en bois s'entrechoquent. Elle considère les cartes en secouant la tête de gauche à droite, puis elle les ramasse et les jette toutes dans la poubelle de la cuisine.

— Excuse-moi, mais elles me rendent nerveuse.

Puis, répondant à Garvey :

— J'ai pensé que ce serait mieux qu'on ne fasse le repas qu'entre nous, cette année. Je n'ai pas l'habitude de ce four électrique et je ne savais pas à quelle heure leur dire de venir, parce que j'ignorais à quel moment Catherine servirait le déjeuner, là-bas, et de toute façon, ils ne respectent jamais les horaires, alors j'ai pensé que ce serait plus simple, mais maintenant je me sens tellement coupable. Va savoir où ils sont allés manger. Probablement au restaurant. Et en plus ils m'auraient tenu compagnie pendant que je vous attendais.

Elle paraît triste, plus triste que je ne l'avais jamais vue depuis que nous avons emménagé ici. Garvey ne semble pas le remarquer. Il place son doigt sur sa pomme d'Adam.

— Tu/ne/vou/lais/pas/en/ten/dre/Mme/Wa/ver/ly/se/plain/dre/de/son/an/gine/cette/année ?

— Arrête ! ordonne-t-elle. Arrête ça tout de suite !

Mais la sévérité de sa voix ne fait que déclencher l'hilarité de Garvey. J'aimerais pouvoir réagir comme lui.

— Oh là là, m'man, c'est le cirque, là-haut ! Catherine se balade avec les nibards qui débordent de sa robe et ils descendent tous les deux des vodka martini à la chaîne et ses gosses ont un peu l'air de traumatisés. Frank est complètement défoncé et la petite Machin-Chose est une espèce d'enfant sauvage. On se croirait dans *Miracle en Alabama*.

Garvey ferme les yeux, puis cherche à tâtons ma main et, quand il l'a trouvée, il griffonne dans ma paume avec son doigt. Maman ne peut s'empêcher de rire.

— Tu ne devrais pas laisser Daley passer trop de temps là-bas, conclut-il.

141

J'avance moi aussi à l'aveuglette en battant des bras, mais lorsque je rouvre les paupières, personne ne rit.

Ils commencent à parler de politique, de sièges au Congrès, de financement public. Ils sont capables en un rien de temps de basculer dans ce langage que je ne comprends pas. Puis Garvey se met à poser des questions à maman sur son patron et les choses deviennent alors plus intéressantes. Garvey a le chic pour flairer la vérité. Depuis trois mois, tout ce que je sais, c'est qu'il se nomme Paul Adler, qu'il est avocat et que chaque fois que je téléphone à son bureau je tombe sur une dame qui s'appelle Jean et qui n'est jamais contente de mon coup de fil. Je sais que M. Adler est également engagé en politique et que ma mère est souvent contrainte de rester en ville pour participer à des soirées de collecte de fonds. Mais en quelques minutes, Garvey a découvert qu'il a trente-six ans, qu'il est licencié de Harvard et a un doctorat de droit, qu'il est célibataire, bel homme, juif et qu'il a le béguin pour ma mère.

— Je crois que ce type te plaît. Je crois qu'il te plaît beaucoup plus que Martin.

— Oh, Martin...

Ma mère balaie l'air d'un geste de la main.

— Ton patron te plaît, psalmodie Garvey à la façon des enfants dans une cour de récréation.

— Il est beaucoup plus jeune que moi.

— De cinq ans. Et regarde-toi ! On dirait une étudiante.

C'est vrai. Garvey a plus de rides qu'elle autour des yeux.

— C'est grâce à toute cette graisse qu'elle se met sur la figure la nuit, dis-je.

— Comme un insecte dans l'ambre, renchérit mon frère.

142

— Il me laisse des petits mots énigmatiques sur le bureau.

— Je le vois d'ici. Alors que la vie d'un pauvre gamin en prison est en jeu, lui est occupé à pondre le mot d'esprit parfait à son bureau. Il a commencé à te faire du plat ?

— Non.

— Oh, allez ! Il ne t'a pas encore embrassée ?

— Non. Sur la joue.

— Tu mens.

— Je mens.

Elle part d'un grand éclat de rire. Elle est de nouveau heureuse et détendue, les mains pendant des bras du fauteuil, la tête inclinée sur le côté. Elle continue de rire, la bouche grande ouverte, les dents de devant légèrement rentrantes, mais toujours blanches, jolies et jeunes.

7

Il s'avère que c'est du sérieux, avec ce type, Paul. Un jeudi soir, maman le ramène à la maison pour qu'il fasse ma connaissance. Il m'évoque un lévrier, svelte et vif. Il porte des lunettes. Il remarque tout.

— Tu t'y plais, au collège d'Ashing, fondé en 1903 ? interroge-t-il après que ma mère nous a abandonnés pour aller disposer sur des assiettes la nourriture à emporter qu'elle avait achetée.

— Vous avez fait des recherches, dis-je.

Il indique le coin de la pièce d'un geste de la tête.

— J'ai vu ça sur ton sac de livres.

— Il me plaît bien. Je ne suis jamais allée ailleurs, alors je ne peux pas comparer.

Il y a un je-ne-sais-quoi chez lui qui vous pousse à vous asseoir bien droit, à dire les choses comme il faut. Il me regarde avec l'expression de celui qui comprend réellement ce que je viens de dire.

— C'est bizarre, hein, quand c'est comme ça ? Je n'ai travaillé que dans ce cabinet, alors moi non plus je ne saurais dire.

— Ça vous plaît ?

Je n'ai jamais demandé à un adulte si son travail lui plaisait. Je croyais juste que tous les adultes se plaignaient de leur travail en rentrant chez eux, comme mon père.

— Je m'éclate au boulot.

J'ai dû faire une drôle de tête sans m'en rendre compte, parce qu'il affirme qu'il parle sérieusement, qu'il adore son travail. Il tire sur le revers de son pantalon pour le rapprocher de sa chaussure. On dirait un grand gosse qui joue à l'adulte. Puis il veut savoir si je ne me sens pas coupée des enfants de la ville, vu que je suis dans une école privée, et je lui réponds qu'avant je n'avais pas cette impression, mais que depuis que j'habite ici, je me suis aperçue que je connaissais très peu de mômes du quartier.

— Pauline, ma baby-sitter, connaît tout le monde. C'est bizarre.

— Ce n'est pas bizarre. C'est normal.

« Au temps pour moi », concède ma prof de maths quand quelqu'un relève une erreur au tableau.

Ma mère sert le repas et nous appelle à table.

— Tu te mets là, annonce-t-elle à Paul en tapotant le haut de la chaise où elle s'assoit habituellement.

— Je ne peux pas être là ? suggère-t-il en montrant une place sur le côté, le long du mur.

— Non, non, tu es l'invité d'honneur, insiste-t-elle.

Paul s'installe, mais ne cesse de regarder en l'air et d'agiter la main au-dessus de son crâne.

— Qu'est-ce que tu fabriques ? s'étonne ma mère, qui lève les yeux au plafond en souriant.

— Je m'assure juste qu'il n'y a pas d'épée suspendue par un crin de cheval.

Ma mère éclate de rire, mais je ne vois pas du tout de quoi il parle.

— Tu n'as pas encore appris l'histoire de Damoclès ?

Je secoue la tête de gauche à droite.

— Au IVe siècle avant Jésus-Christ, commence-t-il, il y avait à Syracuse un tyran terrible nommé Denys. Il était brillant au combat et aussi cruel qu'un serpent avec tout son entourage. Il appréciait la compagnie d'intellectuels comme Platon, mais il aimait également se divertir avec eux.

Paul se renverse contre le dossier de sa chaise, ainsi que s'il me racontait une anecdote sur sa propre famille.

— Un jour, Denys lut quelques-uns de ses poèmes à Philoxène, le célèbre poète, et celui-ci ne semblant guère goûter son art, il le fit arrêter et exiler aux carrières. Deux ou trois jours plus tard, il donna l'ordre de ramener le poète pour que celui-ci puisse entendre d'autres poèmes. Une nouvelle fois, il demanda à Philoxène ce qu'il en pensait et l'autre gémit : « Ramenez-moi aux carrières. »

Nous rions et Paul se sert dans le plat que lui tend ma mère.

— Mais pourquoi est-ce que vous regardiez s'il y avait une épée ?

— Il y avait beaucoup de gens à la cour de Denys et le plus obséquieux de tous ses courtisans était ce Damoclès : il riait quand le tyran riait et buvait chacune de ses paroles – un peu comme moi avec ta mère.

— Oh... dit-elle.

— Denys finit par se lasser, poursuit Paul, et il proposa à Damoclès de porter sa couronne et de s'asseoir sur son trône pour être roi l'espace d'un repas. Damoclès était aux anges. Mais la couronne était très lourde et il dut attendre un long moment avant de manger, le temps que tous les goûteurs aient essayé chaque plat afin de s'assurer que la nourriture du souverain n'était pas empoisonnée, et ensuite, au milieu des agapes, alors qu'il se calait dans son siège, il aperçut une épée à double tranchant juste au-dessus de lui, pointée directement sur le milieu de son crâne et suspendue par un long crin de cheval. Il supplia

146

qu'on lui permette de changer de place, mais le tyran refusa, expliquant qu'il voulait que Damoclès se familiarise avec la peur extrême qui accompagne un grand roi à chaque instant lorsqu'il est entouré de ses soi-disant amis.

Paul conclut :

— Je ne suis pas venu avec mes goûteurs, ce soir, mais mangeons quand même.

Ma mère a rempli mon assiette de nouilles parsemées de sortes de miettes et de riz nappé d'une espèce de sirop épais.

— Qu'est-ce que c'est ?

— C'est thaï. Tu vas aimer.

Ça a une odeur très épicée. Je n'aime pas les épices, en dehors de l'origan et du basilic dans la sauce des spaghettis, mais ce n'est pas mauvais. Les miettes des nouilles sont des cacahuètes écrasées ; quant à la sauce, elle est douce et crémeuse.

— Bon, ce n'est pas que je veuille gâcher ton histoire... commence ma mère.

— Oh oh, ça y est... me glisse Paul.

— ... mais je crois bien que tu fusionnes les deux Denys de Syracuse. C'est Denys Iᵉʳ qui a envoyé le poète en exil et Denys II qui a suspendu l'épée.

— Elle croit que je « fusionne », me chuchote-t-il avant de s'adresser à ma mère. Il n'y en avait qu'un. Tu penses à Hiéron Iᵉʳ et à Hiéron II.

Ma mère se tamponne les lèvres avec sa serviette d'une manière guindée et Paul en rit. Il avait raison : il rit effectivement de tout ce qu'elle fait. Puis elle se lève, va jusqu'à la bibliothèque et en sort une énorme encyclopédie. Ils la feuillettent, gloussant chaque fois qu'ils déchirent légèrement une page dans leur précipitation.

— Denys, dit Paul d'une voix forte pour ensuite se tourner vers moi. Iᵉʳ et II...

Il me rappelle Grindy, mais en plus jeune et plus espiègle.

— Comment diable savais-tu cela ? demande-t-il à ma mère.

— Ma professeur de lettres classiques à l'école de jeunes filles de Mlle Pratt avait écrit un livre sur l'histoire grecque, alors chaque nom et chaque date ont été marqués au fer rouge sur notre peau.

Ma mère range l'encyclopédie, puis demande des nouvelles du garçon Delaurio, mais Paul lève les mains et déclare :

— Nous n'allons pas infliger notre boulot à Daley !

Nous continuons le repas, puis il se tourne de nouveau vers moi.

— Alors, qui sont tes amis et tes ennemis, Daley ?

Même ma mère paraît surprise de cette question. Je lui lance un regard et elle répond par un haussement d'épaules.

— « Vous jugez un homme autant à ses ennemis qu'à ses amis », nous explique-t-il.

— C'est de qui ? interroge ma mère.

— Tu promets de ne pas me reprendre ?

— Non.

— De Joseph Conrad, je crois.

— C'est plausible.

Il incline brièvement la tête vers elle avant de revenir à moi.

— Alors, dis-moi.

— Je n'en sais rien. Ma meilleure copine est Mallory. Je la connais depuis la maternelle.

— Qu'est-ce que tu aimes, chez elle ?

Il y a dans sa voix quelque chose qui m'arrache plus de mots que je ne veux en donner.

— Elle est un peu imprévisible. Je vais la voir pour faire des cookies aux pépites de chocolat et on finit avec des perruques sur la tête à faire comme si on

148

avait notre émission de télé sur la cuisine. Et après on fait pipi dans notre culotte, tellement on rigole. C'est qui, votre meilleur ami ?

Il sourit. Il ne s'attendait pas à ce que je lui retourne la question.

— Pas facile de répondre. Il y a Eddie, qui était mon Mallory à moi quand j'étais plus petit, mais il vit à Chicago, alors je ne le vois pas souvent. Ici, j'ai de bons potes que j'ai connus à la fac de droit, et puis cette nouvelle amie qui a débarqué dans mon bureau l'automne dernier, mais je ne vais sans doute pas t'apprendre grand-chose sur elle que tu ne saches déjà.

Ils se regardent en souriant. C'est bizarre. Cette situation est étrange, mais pas pénible. Il n'a presque pas touché au verre de vin que ma mère lui a servi.

— Tu as d'autres amis que tu n'as pas cités ?

— Pas vraiment. Il y a Gina et Darcie, mais je ne leur téléphone que quand Mallory n'est pas libre.

— Et aussi Patrick, ajoute ma mère.

C'est curieux d'entendre le nom de Patrick dans sa bouche. Cela me rappelle le jour, au printemps dernier, où elle nous avait emmenés au Mug pour manger des beignets et où Patrick lui avait demandé s'il pouvait boire les capsules de crème qu'elle avait laissées à côté de sa tasse de café. Le liquide avait déposé un minuscule croissant blanc au-dessus de sa lèvre et ma mère l'avait essuyé avec une serviette. Cet après-midi-là, il m'avait confié qu'il trouvait que ma mère était la plus belle de toutes les mères. Il avait affirmé qu'elle ressemblait à Jackie Onassis en plus jolie. A présent, il n'ose même plus prononcer son nom.

— Et Patrick.

Mais là encore, c'est bizarre, à présent.

— Et tes ennemis ? poursuit Paul.

149

La seule personne qui me vienne à l'esprit est Catherine Tabor. Mais ma mère n'aimerait pas que je réponde cela.

— Avec la famille que j'ai, je n'ai pas besoin d'ennemis !

Paul part d'un rire fort, qui ressemble à un hoquet.

— Qu'a-t-elle dit ? interroge ma mère.

Cela me fait chaud à l'intérieur, de provoquer ainsi son hilarité. C'est presque aussi bon que lorsque j'y arrive avec mon père. Mais ça devient de plus en plus difficile.

Ma mère sert le dessert au salon. Paul s'installe d'un côté du canapé et ma mère de l'autre, les jambes repliées sous elle, alors je m'assois sur le coussin du milieu. Je les surprends qui échangent un sourire.

— Qu'est-ce qu'il y a ?

Mais ils gardent le secret pour eux.

— Tu n'as pas de devoirs à faire, ce soir ? demande ma mère.

— Je les ai faits en salle d'étude.

La glace est au café et je la remue jusqu'à ce qu'elle ait la consistance de la soupe. Paul porte de grands souliers à lacets en cuir marron foncé et de fines chaussettes qui révèlent ses chevilles osseuses. Un léger mouvement nerveux lui agite la jambe, comme Garvey. Nous semblons tous n'avoir plus rien à dire.

Lorsqu'il se lève pour prendre congé, Paul me serre la main.

— Tu es exactement telle que ta mère t'a décrite, mais en mieux.

— Vous aussi.

J'ignore ce qu'il trouve de si comique à cette repartie, mais c'est agréable.

— Adieu, milady, annonce-t-il à ma mère en ôtant un chapeau imaginaire.

Ma mère affiche un large sourire.

— Pas si vite, l'arrête-t-elle. Je vais te raccompagner.

Ils mettent leurs manteaux et referment derrière eux. Je me précipite dans ma chambre. Avec la lumière éteinte, je vois parfaitement le parking, où ils s'immobilisent à côté de la voiture de Paul.

Je sais qu'ils parlent de moi. Il montre du doigt la porte et elle rit. J'espère avoir fait bonne impression. Ils bavardent un long moment, adossés à la portière de l'auto, baissant les yeux, les relevant, se regardant. Il lui prend une main, puis l'autre, lui souffle des mots auxquels elle réagit par un hochement de tête avant de lui dire quelque chose qui les fait rire en même temps. Il se penche et tous deux s'embrassent sur la bouche, pas longtemps, pas plus longtemps que la dernière fois où j'ai embrassé Neal. Ils terminent par une longue étreinte. Elle s'écarte de lui, plante ses yeux dans les siens et s'adresse à lui, alors je me demande si elle lui avoue qu'elle a l'impression d'être dans un roman. Moi c'est le sentiment que j'ai, en les observant.

8

— Oh, Seigneur, ce n'est pas possible ! s'exclame Catherine. Gardiner, regarde ça ! Elle en a encore un autre !

Mon père, qui est occupé à étaler une grande serviette sur un bain de soleil, lève les yeux.

— Oh, bon Dieu ! C'est quoi, cette fois ? *Urgence W-C*, de Sam Pranduncou ? *La Surpopulation en Chine*, de Hong Nik Kom Deïlapin ?

J'ai entendu ces blagues si souvent.

— *Ce n'est pas la fin du monde*, de Judy Blume.

— Blume, répète-t-il en secouant la tête. Toujours à lire des Juifs. Exactement comme ta mère.

Il n'est pas encore au courant pour Paul, semble-t-il.

— Ça parle de quoi ? veut savoir Catherine.

— Une fille dont les parents divorcent.

Elle lâche un petit ricanement méprisant.

— Pour quelle raison peux-tu bien avoir envie de lire *sur ce sujet* ?

Elle n'aime pas me voir lire autant. Mon père non plus. Ils disent que c'est impoli. Ils se moquent des titres et des couvertures, ainsi que de ma manie de me mâchonner la lèvre inférieure lorsque je suis plongée dans un livre.

Mais je n'ai rien d'autre à faire. Nous sommes à Saint-Thomas pour les vacances de printemps et Patrick s'est lié d'amitié avec le prof de golf, de sorte qu'à présent il conduit sa voiturette, avec laquelle il passe chercher les joueurs âgés à leur villa pour les emmener sur le parcours de dix-huit trous. Pour cela, il est payé en tickets au snack-bar, alors chaque après-midi, après son travail, nous allons prendre cacahuètes et jus de papaye au bord de la piscine. Elyse s'est jointe à une autre famille pour les dix jours, un couple de Salt Lake City qui a un fils d'un an. Elyse adore les bébés. La maman de Salt Lake City a tout de suite deviné qu'elle lui serait utile et maintenant Elyse passe ses journées à la plage sous leur paillote. Personne ne sait où va Frank. Il part après le petit déjeuner, et revient avant le dîner avec un drôle de sourire satisfait et mystérieux, mais aussi des yeux mi-clos qui me font peur.

Presque tout me fait peur ces temps-ci. J'ai déjà pris des avions avant cela, mais cette fois j'ai été terrifiée : la distance par rapport à la terre, la taille ridicule de l'appareil et la minceur de ses parois de métal. Lorsque enfin nous avons atterri, mon soulagement a été de courte durée. Il y a des lézards sur le sol, des méduses rouges sur la côte et des ailerons de requin au loin. Je n'ai pas envie de faire du ski nautique, de la planche à voile ou de la plongée avec un masque et un tuba. Et ce n'est pas seulement le monde extérieur qui m'effraie. J'ai également peur de ce qui est en moi. Le deuxième jour, je suis rentrée en courant à notre villa pour aller aux toilettes et, alors que j'étais debout sur le carrelage à retirer mon maillot de bain, un sentiment m'a oppressé la poitrine, tel un boa constrictor qui se serait enroulé autour de moi. La sensation « étoiles mortes », sortie de nulle part. J'avais du mal à respirer. Je savais que j'étais seule dans la maison et pourtant j'avais l'impression que les toilettes étaient bondées. Mon cœur a commencé à cogner, ce qui m'a tellement affolée qu'il s'est alors mis à cogner de plus en plus fort, jusqu'à ce que je finisse par penser que mon corps allait être incapable de résister à la force de ses battements. « Je vais juste aux toilettes », ne cessais-je de me répéter, mais mon corps, lui, éprouvait quelque chose de totalement différent, comme s'il vivait une expérience invisible. A mon retour sur la plage, je me suis sentie faible, frissonnante, et je me suis enveloppée dans une serviette. Il m'est arrivé après cela de me retrouver seule dans la villa, mais la nuit la sensation s'insinue en moi et j'ai de grandes difficultés à m'endormir. Seule la lecture parvient à me calmer.

Plus tard, après que nous nous sommes douchés en revenant de la plage, mon père me glisse, pendant que nous attendons pour aller dîner :

— Tu as tes Juifs, moi j'ai mes magazines.

Il prend le *Penthouse* qu'il avait chargé Frank de lui acheter à l'aéroport.

— Lis-nous une autre lettre, Gardiner, insiste Patrick.

— D'accord, dit mon père en feuilletant la revue. *« Cher courrier des lecteurs de* Penthouse, *je n'ai jamais cru que ces lettres étaient écrites par de vrais gens, mais depuis jeudi dernier, je suis prête à croire n'importe quoi. »*

— Ça commence toujours de la même manière. Ça sonne tellement faux, me plains-je.

— Chut ! ordonne Patrick.

— Oui, Daley, chut. C'est de la littérature sérieuse.

Mon père me regarde avec un large sourire. Il est de bonne humeur, son verre posé à côté de son coude et son magazine entre les mains. Il nous raconte l'histoire d'une fille qui décrit tout ce qui constitue sa vie comme ennuyeux : son boulot, son petit copain, son chien. Mon père trouve cela hilarant.

— Même son putain de clebs est chiant !

Elle travaille dans un immeuble de bureaux à Chicago.

— Est-ce qu'elle va arrêter de tourner autour du pot ? demande Elyse, déclenchant un éclat de rire général.

On se sent bien, dans notre petite villa en bord de plage, tous installés sur les sièges en osier garnis de gros coussins confortables. Mon père reprend sa lecture.

Un soir, elle est contrainte de rester plus tard pour se mettre à jour dans son travail. Elle n'est pas très tranquille après le départ du dernier employé, mais elle balaie ses craintes d'un revers de main, consciente qu'elle fait l'enfant. Environ une heure plus tard, elle entend monter l'ascenseur et son inquiétude revient. Elle éteint toutes les lampes. L'ascenseur s'immobilise à son étage et les portes s'ouvrent. Elle cesse de respirer. Elle se dit que si elle demeure parfaitement silencieuse et immobile – elle est dans l'angle de la pièce, face au mur – l'intrus ne la verra pas. Elle n'ose pas se retourner. Il lui semble percevoir du bruit, mais elle n'en est pas sûre, tant son cœur bat fort, et alors elle sent des mains sur son cou, des mains chaudes. *« Je ne sais pas pourquoi, mais à cet instant je me détends. Je sais que tout va bien se passer. Il a de si grandes mains. Elles glissent le long de mes épaules, puis viennent se placer sur mes seins. Je mouille immédiatement. J'entends sa respiration et remarque dans son souffle l'odeur de cigarette, puis je sens contre ma joue sa barbe de quelques jours, mais il m'est toujours invisible. Il m'enlève tous mes vêtements, puis me fait jouir de toutes les façons imaginables et, enfin, il fourre en moi sa longue queue dure comme une barre... »*

— Gardiner, franchement, ça va trop loin ! proteste Catherine. Elyse va sortir ça en classe quand elle retournera à l'école.

— « Elyse Tabor ! Ça, par exemple ! » s'écrie Patrick en imitant la grimace constipée de la maîtresse de CP.

Nous nous esclaffons tous.

— Encore deux phrases, reprend mon père. « *... et je le sens exploser. Et ensuite il quitte l'immeuble. Pas une seule fois je n'ai vu son visage. Je ne saurai jamais qui il est.* »

Le premier matin à Saint-Thomas, j'ai accompagné mon père qui allait récupérer nos passeports à l'accueil du bâtiment principal. Les autres dormaient encore. Chez nous, il y avait un mètre de neige, mais ici j'étais pieds nus et en short. Notre villa était l'une des plus éloignées de l'entrée, juste au bord de l'eau. Nous avons marché sur le large passage dallé qui relie les différentes parties du village vacances et, comme il était tombé une petite averse avant l'aube, les pierres étaient mouillées, mais chaudes. Nous avons observé un lézard qui en poursuivait un autre le long du tronc d'un palmier avant de disparaître.

« Ta mère et moi avons séjourné dans un endroit comme celui-ci, à la Barbade », m'apprit-il.

A l'entendre, on aurait presque cru un souvenir cher. Jamais il ne parlait de ma mère devant Catherine, sinon pour l'insulter. C'était tellement mieux quand nous étions seuls tous les deux, mais nous ne l'étions presque jamais. Pendant tout le trajet jusqu'au bâtiment, puis le retour, je me suis amusée à imaginer que nous étions venus tous les deux à Saint-Thomas.

J'en pince pour un garçon blond que je vois à la piscine les après-midi. Il est petit, mince et porte un long short de bain vert décoré de poissons orange. Il sait que je l'aime bien. Je m'en aperçois à sa façon de toujours vérifier que je le regarde. Il feint de s'intéresser à quelque chose derrière moi, en me conservant sur le côté de son champ de vision. Lorsque nous sommes arrivés ici, il traînait avec deux filles qui avaient l'air beaucoup plus âgées que nous, mais elles sont reparties au bout de quelques jours et à présent il n'a personne.

— Arrête de l'observer. C'est un vrai crétin, m'avertit Patrick. Tu sais ce qu'il a fait dans le magasin, hier ? Il a...

— Tais-toi ! Je m'en fiche.

Lui et moi sommes en train de finir nos jus de papaye. Nous sommes tellement rougis par le soleil que nous devons nous asseoir sur le bord de nos chaises, en prenant soin que notre peau soit le moins possible en contact avec celles-ci. Nous n'avons pas de lotion solaire. Nous appliquons juste un produit qui s'appelle Hawaiian Tropic, une huile pour bébés qui sent la noix de coco et qui nous assure d'accentuer les effets des rayons du soleil. Notre obsession est d'avoir un bronzage du brun le plus profond qui soit. C'est Elyse qui a fait la plus mauvaise réaction au soleil. Des bulles se sont formées sur la peau de ses bras et de son dos, alors les gens de Salt Lake City ont dû l'emmener à la clinique, en ville, où on lui a entouré les avant-bras de gaze, parce qu'ils s'étaient infectés. Ils lui ont acheté un tee-shirt à manches longues et de l'écran total, laissant entendre que nous devrions suivre cet exemple. Mais nous n'avons pas de cloques, uniquement une brûlure bordeaux qui se transformera en un hâle marron foncé lorsque nous reprendrons l'école.

Mon père et Catherine apparaissent en tenue de tennis derrière le garçon blond.

— Allons-y, dit mon père.

Nous prenons nos raquettes et contournons la piscine.

— Mets-leur la pâtée, me murmure le garçon blond.

Je souris, soulagée que mes coups de soleil dissimulent mon rougissement.

Les courts sont en terre battue. Un Noir en tenue de tennis est en train de balayer le nôtre. Il emploie les mêmes instruments que nous avons au club, chez nous : un balai de la largeur d'un couloir étroit que l'on tire derrière soi comme un chariot et une petite brosse ronde sur roulettes. Assis sur le banc vert, nous le regardons passer le grand balai en larges et amples courbes de chaque côté du terrain, puis nettoyer les lignes avec la brosse, qui roule devant nous en émettant une sorte de *scritch-scratch*. Il dessine des lignes impeccables et parfaites, ce qui n'est pas facile. Je suis incapable de lui donner un âge, de dire s'il a dans les quinze, vingt ou trente ans. Il a des cheveux coupés ras, des cuisses pas plus épaisses que ses mollets, des jambes et des bras immenses, dont le noir intense tranche sur la blancheur de ses vêtements. J'aimerais continuer à l'observer pendant qu'il s'occupe des autre courts, mais le nôtre est prêt et mon père fait rebondir une balle sur sa raquette tandis qu'il le traverse de sa démarche en canard, en éraflant aussitôt sa surface.

Je pense que, chaque fois que nous entrons sur le terrain ensemble, mon père espère que je me suis transformée en Chrissie Evert depuis notre dernier match. Je crois qu'il est réellement persuadé, malgré des années à avoir été témoin de la cruelle vérité, que je possède ce talent particulier et que je m'entête à le lui cacher, le faisant délibérément souffrir. Il persiste à m'amener sur le court, alors que le résultat le désole.

C'était Garvey, qui était doué pour le tennis. Sa chambre, avant que Frank s'y installe, était remplie de trophées représentant des petits bonshommes dorés qui s'apprêtent à servir et au pied desquels le nom de Garvey était inscrit sur une plaque. Il a joué dans l'équipe du lycée Saint-Paul durant ses années de seconde et de première avant d'arrêter. Mon père décrit souvent cet épisode comme la plus grande déception de sa vie.

Il ne reste donc plus que moi qui, dans n'importe quel sport, n'ai jamais gagné d'autres récompenses que des prix d'encouragement.

— Daley et moi, on va vous mettre une raclée, annonce mon père.

Je suis soulagée : il est plus facile de jouer avec lui que contre lui. Nous tenons un conciliabule derrière la ligne de fond de court. Mon père affiche une expression confiante.

— Catherine a encore mal au poignet. Joue sur son revers. Elle n'a presque pas de force sur ce coup-là. Et Patrick... ben, Patrick, tu peux le battre.

Patrick joue très bien au tennis. J'ai dû gagner quatre jeux seulement dans toutes les parties que nous avons faites ensemble, mais mon père semble l'avoir oublié.

— Allez, on va les bouffer ! lance-t-il en me tapant sur l'épaule avant de me donner trois balles.

Mes services d'échauffement sont bons.

— Regarde-moi ça ! crie mon père. Regarde-moi ça !

Dans le jeu, ils sont catastrophiques. Le premier s'écrase au bas du filet. Le second s'en va dans la clôture. Mon père s'approche de moi.

159

— Tiens-toi là. Un peu plus loin. Bien. Maintenant, commence-t-il en se plaçant derrière moi pendant qu'il lève sa raquette à l'arrière pour servir, essaie de donner un petit coup de poignet quant tu parviens en haut.

Il me prend le bras, le monte lentement au-dessus de ma tête et donne une impulsion à mon poignet juste au bon moment. Il sent le citron vert et les cigarettes, son odeur des Caraïbes.

Je fais encore deux doubles fautes.

Mon père revient vers la ligne de fond.

— Laisse-la un peu tranquille et elle se débrouillera, Gardiner, dit Catherine. Elle a juste besoin de s'échauffer un peu.

Après cela, je réussis un service. Patrick, surpris de voir la balle dans le court, la manque complètement. Mon père me tape dans les mains. Je remporte également le point suivant en jouant dans le couloir du côté du revers de Catherine.

Quelle que soit mon humeur du jour, j'éprouve toujours le même sentiment quand je suis sur un terrain de tennis : une impression d'enfermement, en dépit de l'espace, de l'air frais et du vent dans les arbres, combinée avec un ennui qui frise le désespoir. Incapable de détacher mes yeux des fines bandes, je ne cesse de penser à l'homme noir en short blanc. Il a posé sur notre banc des verres d'eau glacée et une assiette de tranches de melon. Pendant trois sets par jour, je suis prisonnière de cette cage, avec la lumière éblouissante des lignes blanches dans la chaleur, le ciel trop brûlant pour être bleu et le soleil qui finit de cuire nos peaux déjà grillées.

Mon père n'abandonne jamais. Je crois que sur un court de tennis, il se sent totalement euphorique et débordant de vie. Il n'arrive pas à comprendre mon état d'esprit, l'espèce de stupeur dans laquelle me

160

plonge l'ambition qu'il nourrit pour moi. Même au dernier jeu du troisième set (0-6, 1-6, 0-5), il continue à me prodiguer des tuyaux, me montrant comment me déplacer pour pouvoir renvoyer un lob. J'observe la diagonale qu'il parcourt en reculant, le ciseau que décrivent ses jolies jambes tel un pas de danse que je ne parviendrai jamais à apprendre. Je frappe mon meilleur coup sur le dernier point, un passing-shot croisé et bas qui tombe hélas juste au-delà de la ligne.

— Out ! jubile Patrick, non pas d'avoir gagné, mais que le match soit terminé.

— Conneries ! hurle mon père. C'était un coup parfait !

— Foutaises, Gardiner, répond Catherine.

Trop dégoûté pour parler, il la menace du doigt tandis qu'il contourne le filet pour rejoindre leur côté. Mon père a un respect absolu des règles du tennis et, les rares fois où il est battu, il se montre toujours bon perdant. Mais son désir de voir mon seul beau coup être bon fausse largement ses capacités de perception.

Cependant, le court étant en terre battue, Patrick lui indique la marque fraîchement laissée par la balle juste derrière la ligne.

— C'est des conneries, redit mon père, mais sans conviction.

— Je suis désolée, papa.

Il sort du terrain en secouant la tête.

— Il suffit que tu joues plus souvent. C'est par l'entraînement qu'on se perfectionne.

Mais après une semaine à pratiquer tous les jours, je suis seulement devenue plus mauvaise encore.

Ce soir-là, je me tiens à côté du garçon blond devant le buffet de crudités.

161

— Tu joues comment ? demande-t-il, les yeux baissés sur le plat de fromage blanc.

— Je suis nulle.

Il sourit, mais sans tourner la tête vers moi.

— On va à la plage, après ?

— OK.

— N'amène pas ton petit copain.

Il lance un regard en direction de Patrick, qui se trouve trois personnes devant nous.

— C'est mon frère.

— Demi, corrige-t-il. Grosse différence, Daley.

Il a découvert mon prénom et la configuration de ma famille. Je suis transportée par son pouvoir. Je ne touche presque pas à mon assiette. A notre table, la situation est tendue. Frank n'a pas pointé le bout de son nez.

— Quand on joue avec le feu, on risque de se brûler, ne cesse de répéter mon père.

Même ici, il a sa sauce A-1 pour ses steaks. Des gouttes de sueur ont déjà commencé à perler sur son nez. Catherine ne mange pas grand-chose elle non plus. Elle lève la tête d'un mouvement brusque chaque fois que quelqu'un passe la voûte en chaume qui marque l'entrée du restaurant. Elle boit. Ce qui plaît à mon père.

— Tu suis bien mon rythme, ce soir, se félicite-t-il.

Il essaie de lui pincer le sein, mais elle se dérobe.

— Oh, fait chier... marmonne-t-il tout bas.

Tous les soirs, il y a de l'omelette norvégienne. Lorsque le personnel de la cuisine l'apporte sur sa table roulante, tout le monde est censé arrêter de manger et de bavarder pour la regarder flamber.

— Oh, bon Dieu ! n'applaudissez pas ces singes ! grommelle mon père.

Après le dîner, les gens dansent au son d'un steel band. D'habitude, mon père et Catherine restent

162

pour danser pendant que nous rejoignons la villa pour regarder la télé, mais ce soir elle n'a pas envie.

— Pas de problème, mon petit chat, lui roucoule mon père.

Mais elle garde les yeux rivés sur l'entrée du restaurant.

— Je sais ce qu'il te faut, poursuit mon père, qui lui fait quelque chose sous la table.

— Ne me touche pas avec tes sales pattes ! aboie-t-elle d'une voix forte.

Les regards se tournent vers nous, même ceux d'Elyse et de sa nouvelle famille, à l'autre bout de la salle. Même celui du garçon blond qui ne s'était pas intéressé à moi depuis notre rencontre au buffet.

J'indique la plage d'un signe de tête. Il répond par un hochement. Je me lève, laissant Patrick, laissant Catherine, laissant mon père, avec sa figure empourprée et en sueur, ses mains tremblantes, pour suivre le garçon blond jusque sur le sable.

Le crépuscule tombe tôt, sur l'équateur. Le ciel est bleu foncé, sans plus le moindre soupçon du coucher de soleil, juste une ligne pâle et froide à l'horizon. Le sable est demeuré plus chaud que l'air. Nous marchons sur la plage, nous éloignant du restaurant et de nos villas. Chacun de nous dit où il habite. Il est du Connecticut. Une fois que nous sommes suffisamment loin de la dernière vieille dame qui ramasse des coquillages, il m'allonge sur le sable et m'embrasse. Ses baisers sont durs et mouillés, résolus, comme s'il tentait d'extraire quelque chose de ma bouche avec sa langue. Je sens sa salive partout, qui me refroidit la peau. Je songe à lui demander d'arrêter, puis me rappelle alors où je me trouve, à Saint-Thomas, dans une villa où je ne veux pas retourner tant que les disputes ne sont pas terminées. Donc je me reconcentre, m'efforçant de me souvenir des baisers de

Neal Caffrey et de l'impression aérienne que j'avais éprouvée après coup, m'efforçant de ne penser ni à la lettre de *Penthouse* ni à la sensation « étoiles mortes », mais comme rien de tout cela ne marche, je songe de nouveau à lui demander d'arrêter pour ensuite rentrer chez moi, mais alors je me rappelle encore une fois où je me trouve.

Sa main remonte le long de mon dos.

— Pas de soutif, murmure-t-il, ses premiers mots depuis un long moment.

Pas de seins, ai-je envie de répliquer, mais c'est un détail qu'il est sur le point de découvrir. Sa main commence à glisser vers ma poitrine. Lorsqu'elle arrive juste au-dessous des aisselles, je la retire. Je me mets debout, le souffle de la brise paraissant froid sur mon visage trempé de bave.

— Oh, qu'elle est prude ! lance-t-il tandis que je repars en direction de la lumière des villas. Prude et bêcheuse !

Seule une pièce est allumée dans notre maison. Les chambres sont plongées dans le noir et la deuxième lampe du salon est cassée, brisée en mille morceaux sur le sol. Patrick et Elyse sont en train de pleurer, assis chacun à un bout du canapé.

— Ils vont divorcer ! pleurniche Elyse en me voyant.

— Mais non.

— Je pense que si, affirme Patrick, la peau autour de ses yeux plus rouge encore que ses coups de soleil.

— Ils se sont juste disputés.

— Tu n'étais pas là. Ce n'était pas une dispute comme les autres. Elle a essayé de l'étrangler.

— Ils étaient soûls. Ils ne s'en souviendront même plus demain.

Je prends conscience qu'ils ne saisissent pas ce qui se passe avec l'alcool. Ils ne font pas la différence entre leur comportement ivre et leur comportement à jeun. Ils ne comprennent pas du tout le problème.

— Ce sont des alcooliques, leur apprends-je.

— C'est quoi ? interroge Elyse.

— C'est quand tu ne peux pas t'arrêter de boire de l'alcool, comme la vodka ou le gin ou tous ces trucs. C'est l'alcool qui les amène à se conduire comme ça. Ils ne peuvent pas s'en empêcher. Alors quand ils parlent, ce n'est pas vraiment eux.

— Ce ne sont pas des alcooliques ! proteste Patrick.

— Mais *si*, Patrick.

C'est ma mère qui m'a expliqué l'alcoolisme de mon père cet hiver. Elle s'en était aperçue lors de leur lune de miel et ça n'a été qu'en empirant. Elle a voulu le quitter deux fois, mais il lui a promis de changer, ce qu'il a réussi pendant quelque temps, avant de sombrer de nouveau. Elle a ajouté que c'était comme une maladie, sauf que les personnes qui en sont atteintes ne se croient pas malades.

— Gardiner a un travail et une maison, et il est le président de l'association de tennis du club. Ce n'est pas un *alcoolique* !

— Est-ce que tu l'as déjà vu terminer une soirée sans être soûl ?

— Des tas de fois !

Il ment. L'idée que mon père ait une faille lui est insupportable. Mais il est en larmes.

— Murphy, le mec qui est assis à l'angle de la sandwicherie, *lui*, c'est un alcoolique, Daley !

— Je dis juste qu'ils boivent beaucoup et qu'ils ne pensent pas la moitié de ce qu'ils se balancent. Demain matin, ils auront tout oublié.

Elyse grimpe sur mes genoux et je lui caresse les bras, puis les bandages autour de ses avant-bras. Patrick suce son pouce avec avidité. Je les regarde s'endormir et, au bout de quelques instants, je porte Elyse dans notre chambre. Je l'entends se rendormir aussitôt. Je mets beaucoup de temps à trouver le sommeil. J'ai le cœur qui palpite et je me surprends à redouter que Patrick et Elyse n'aient raison, à craindre qu'ils ne divorcent. Aussi énervante que soit Catherine, je ne veux pas être seule avec mon père à la maison. Je ne veux pas être la seule contre qui il crie.

A mon réveil, Elyse n'est pas à côté de moi dans le lit. Des rires me parviennent de la kitchenette, accompagnant le gargouillis de la cafetière. Pas de divorce. J'enfile mon maillot de bain et un short. Frank est sur le canapé, en train d'émerger, et, quand il m'aperçoit, il secoue la tête en faisant des *tss-tss* avec le doigt. Pourquoi est-ce moi qui aurais des ennuis et pas lui ? Le bavardage a cessé dans le coin cuisine. Ils sont tous là : mon père, Catherine et Patrick, coincés dans l'espace exigu qui sépare le frigo du comptoir, puis Elyse, assise sur un tabouret pour manger ses céréales enrobées de sucre. Catherine chuchote à l'oreille de ses enfants, qui quittent alors la pièce. Même Frank s'esquive par la baie vitrée coulissante.

Mon père et Catherine échangent un regard en buvant leur café à petites gorgées. Il flotte dans l'air une charge que je n'arrive pas à définir. Peut-être vont-ils divorcer, finalement. Et ils ont choisi de m'en informer en premier pour que j'annonce ensuite la nouvelle à Patrick et à Elyse. Je décide de ne trahir aucune émotion. Je dirai que c'est ce qu'il y a de mieux à faire.

— Daley, commence Catherine.

Le V de son peignoir de bain s'est agrandi, dévoilant les longs mamelons de ses seins.

— Assieds-toi, enchaîne mon père d'une voix brusque et gutturale.

Je me dirige vers l'un des tabourets du comptoir.

— Assieds-toi, je t'ai dit !

— Je suis assise.

Ma voix se brise. Raté, pour ce qui est de ne trahir aucune émotion.

— Daley, ton père et moi...

Mon père l'interrompt.

— Je ne sais pas pour qui tu te prends, mais je ne tolérerai pas que tu débarques ici avec tous les mensonges que t'a serinés ta mère ! Je regrette...

Il n'y a pas une once de regret dans son attitude ni dans les tendons crispés qui lui dessinent sur le cou des lignes violacées.

— ... Je regrette que tu aies à vivre avec elle, à la voir, à l'écouter, à voir ses nullards de copains. Mais si tu commences à croire ce qu'elle te raconte, alors tu es encore plus idiote que je ne le pensais !

— Crois-tu vraiment que nous soyons des alcooliques, Daley ?

Je suis incapable de retrouver ma voix. J'ai l'impression que le tabouret sur lequel je suis est tout petit.

— Crois-tu vraiment que ceci corresponde au mode de vie des alcooliques ? demande Catherine en montrant la mer à travers la baie vitrée. Est-ce que nous tombons ivres morts tous les soirs ? Est-ce que nous cachons des bouteilles dans les placards ? Est-ce que nous mendions de l'argent dans les rues ?

Je réponds non à chacune de ses questions.

— Alors c'est quoi un alcoolique, selon toi ?

— Quelqu'un qui est toujours soûl.

— Est-ce que nous sommes toujours soûls ? Est-ce que nous sommes soûls en ce moment ?

— Je n'en sais rien.

167

— Il est huit heures du matin et nous buvons du café. Est-ce que nous sommes soûls en ce moment ?

— Non.

— Peut-être que c'est *toi* qui es soûle en ce moment, intervient mon père. Peut-être que tu étais soûle hier soir quand tu as eu ta petite discussion avec Patrick et Elyse.

Catherine lui tapote la jambe pour l'inciter à se taire.

— Peut-être que toi et ta putain de mère étiez soûles quand vous êtes parties de ma maison en emportant tous les foutus bijoux de ma mère ! Si je suis un alcoolique, alors elle est une saloperie de criminelle !

Il fait mine de me frapper et j'ai presque envie qu'il passe à l'acte, pour avoir une marque que ma mère pourrait voir à mon retour. Mais il se contente de sortir de la villa en grommelant quelques « Putain de garce » tout en battant l'air de ses poings serrés, avant de dévaler le passage et de disparaître.

Remarquant enfin que ses nichons débordent de son peignoir, Catherine le referme.

— Nous repartons demain, Daley. Essaie de fermer ton clapet jusqu'à ce qu'on te dépose à Water Street, OK ?

Le garçon blond est assis au bord de la piscine, les jambes plongées dans le grand bain tandis qu'il bavarde avec trois sœurs du Wisconsin arrivées la veille. Tous les quatre me regardent pendant que je descends l'escalier du petit bassin, puis il dit quelque chose et ils éclatent de rire. Je me hâte de plonger sous l'eau. Ils rient encore lorsque je ressors. La plus jeune des trois nage jusqu'à moi.

— Est-ce que tu t'appelles Prudence ? demande-t-elle, déclenchant de nouveau l'hilarité des autres.

— Va te faire foutre !

Je me rends alors compte qu'elle est très jeune, guère plus âgée qu'Elyse. Ses yeux s'écarquillent et s'emplissent de larmes. Elle ne comprenait pas ce qu'elle me demandait et j'ai honte de moi.

Je saute le déjeuner et passe l'après-midi seule dans la villa. Si mon cœur se met à battre fort, je m'en fiche : cela ne me fait plus peur, maintenant. Je contemple le téléphone, songeant à appeler ma mère au travail, mais il me faudra alors franchir l'obstacle de cette Jean au ton désapprobateur et, de toute façon, je serai incapable de parler. Je pleurerai en entendant la voix de ma mère et elle craindra que quelque chose n'aille sérieusement de travers. Ou alors je crierai contre elle en lui reprochant de m'avoir appris que mon père était alcoolique.

Frank s'appuie contre l'encadrement de la porte de ma chambre.

— T'as appelé les choses par leur nom.

— Quoi ?

— Appelé un chat un chat.

Il est fracassé. Je l'ai déjà vu parti, mais jamais à ce point.

— Collé la bonne étiquette. La grosse étiquette rouge et blanc des boîtes de soupe Campbell. Clac ! Sur la gueule des parents. T'aurais dû les voir frétiller comme s'ils avaient été cloués sur une planche. Des putains d'anguilles. Un jour, on leur coupera la tête et la queue pour voir si ça repousse.

Il déboutonne son jean, puis commence à baisser la fermeture éclair de sa braguette et je m'apprête à lui claquer la porte au nez quand il se laisse glisser contre le montant pour se diriger ensuite vers les toilettes.

Dans le taxi, nous regardons la lumière du soleil envahir doucement la surface de l'eau. Les routes sont encore plongées dans l'obscurité, mais la mer et le ciel qui la surplombe commencent à rougeoyer. Mon père est installé à l'avant et il discute avec le chauffeur, un Noir de son âge, à peu près. Mon père est tourné vers lui, totalement réveillé.

— Bigre ! il n'y a rien de mieux que ça ! s'exclame-t-il, faisant rire l'homme.

Mon père porte un pantalon en coton rouge vif, une chemise en oxford blanche et un blazer bleu. Son odeur de crème à raser, de déodorant et d'after-shave emplit l'habitacle. C'est son odeur du matin, celle qui efface l'odeur de A-1, de cigarette et de vodka de la nuit précédente. Il est rasé de près, propre comme un sou neuf. Nous l'admirons tous. C'est plus fort que nous.

L'aéroport n'a pas de murs, ce n'est qu'un long toit rouge bordé de palmiers de tous côtés. Le chauffeur décharge nos sacs sur un grand chariot. Mon père lui tend une épaisse liasse de billets et l'homme lui sourit avant de lui donner une tape sur le bras. Mon père lui rend son geste en lui disant de bien prendre soin de lui et de sa famille. Le chauffeur semble incapable de détacher ses yeux de mon père et il reste planté à côté de sa voiture longtemps après que mon père s'est éloigné.

Sous le toit, c'est le chaos : il n'y a qu'un seul comptoir d'enregistrement ouvert pour la cinquantaine de familles qui veut quitter l'île. Nous demeurons au même endroit pendant un long moment. Nous avons faim et il commence à faire chaud. Nous sentons la douleur lancinante de nos coups de soleil sous le tissu raide de nos vêtements de Nouvelle-Angleterre, que nous n'avons pas mis pendant treize jours.

Patrick va s'asseoir sur le sac marin de Frank, qui le frappe sèchement.

— Assieds-toi donc sur ta putain de valise ! aboie-t-il.

La tête de Catherine pivote d'un mouvement brusque et elle fusille Frank de son regard le plus méchant.

— Pschhh ! siffle-t-elle, vaporisant mon bras de bave.

Dans la queue, il y a plusieurs garçons de mon âge, mais je ne m'intéresse pas à eux. Je crains que le garçon blond ne soit là ou bien sur le point d'arriver. Je baisse les yeux sur ma valise. C'est la vieille bleue de ma mère. Je me souviens qu'elle l'emportait quand elle partait en voyage avec mon père et ensuite, à leur retour, la valise renfermait des cadeaux pour moi : une bague en émail de Venise, une poupée de chiffon d'Acapulco. Je la recouvre de ma parka, comme à l'aller, espérant que mon père ne la reconnaîtra pas.

Un deuxième guichet ouvre, puis un troisième et nous réglons les formalités – nos sacs étiquetés et jetés sur un tapis roulant –, après quoi sommes envoyés au contrôle de sécurité. Ce n'est pas comme le contrôle de sécurité américain habituel, avec un type qui vous prend votre billet et vous demande ensuite de passer sous le détecteur de métaux. Ici, il y a beaucoup d'hommes en uniforme qui arborent de gros insignes dorés sur la veste et il y a des chiens au bout de laisses entortillées, des chiens qui ne halètent pas malgré la chaleur, mais qui nous observent d'un air grave.

L'un des animaux se contracte nerveusement et les deux autres se hérissent en réaction. Leurs oreilles se dressent tandis que leurs truffes noires et humides se dilatent en tremblant. Puis tous se mettent à japper en même temps, montrant leurs longues dents jaunes et tirant d'un coup sec sur leur laisse, avant d'entraîner jusqu'à l'autre côté du sol en brique les hommes qui les tiennent, pour finalement fondre sur Frank. Les chiens le cernent. Nous, nous observons la scène de derrière le détecteur de métaux. Frank est aussitôt extrait de la queue et emmené, avec son sac marin. Les chiens suivent, leurs aboiements noyant tous les autres sons, à l'exception d'un bref et puissant « M'man ! », puis Frank est poussé derrière un angle et disparaît à notre vue.

Catherine est figée, la main sur la bouche. Le haut-parleur annonce notre vol pour Miami.

— Quoi qu'il se passe, je monte dans ce putain d'avion, tu m'entends ?

Catherine répond d'un hochement de tête lent.

— Ce n'est pas ma faute. Je ne suis pour rien là-dedans. Rien.

Mon père jette un regard dans le couloir et part de son rire dégoûté.

— Bon Dieu de merde ! Quel genre d'imbécile irait...

— Ta gueule !

Sa voix prend une inflexion râpeuse et cassante, comme si elle avait appris cela au contact de mon père.

— Bon voyage de retour, dit-il d'un ton posé.

Il trie quatre billets dans le tas qu'il tient entre ses doigts tremblants et les lui donne.

— Viens, Daley. Je me tire d'ici.

Nous emboîtons le pas du flot de gens qui traversent la piste, puis grimpons l'escalier de métal et nous engouffrons dans le petit avion. Mon père s'arrête à mi-chemin de l'allée centrale et indique deux places sur notre droite.

— Voilà.

— Tu peux prendre le hublot, lui dis-je.

— Prends-le, toi.

172

Il essaie de se montrer gentil, mais j'ai l'impression qu'il a plutôt envie de me soulever pour me coller de force sur le siège.

Je me glisse à ma place et boucle ma ceinture.

Mon père appuie sur le bouton d'appel de l'hôtesse situé au-dessus de nous, à côté de l'éclairage, mais celle-ci étant occupée à faire circuler les gens à l'avant de l'appareil, elle ne répond pas. Il abaisse la tablette, ce qui est normalement interdit à ce moment. Il pose les mains dessus et en essuie la surface avec ses paumes en décrivant de larges cercles. Le dos de ses mains est large et hâlé, parcouru de veines saillantes qui s'entrecroisent autour des os fins qui le relient à ses doigts. Je me rappelle la sensation que j'éprouvais à lui tenir la main, ce que je faisais toujours avant – en traversant la rue, dans les magasins, dans la voiture –, mais plus maintenant. Et alors, à mon étonnement, il tend le bras et emprisonne ma main droite dans la sienne, qui est aussi chaude et large que dans mon souvenir.

— Ça va aller, me rassure-t-il en pressant de nouveau le bouton.

Presque une heure plus tard, après qu'on nous a annoncé un problème technique, après que l'hôtesse a apporté un Coca pour moi et trois petites bouteilles pour mon père – deux de vodka et une de vermouth –, Elyse arrive en courant dans l'allée centrale.

— Gardie ! s'exclame-t-elle.

Elle grimpe avec précaution sur les genoux de mon père, sans heurter la tablette sur laquelle sont disposés les flacons. Je ne l'avais jamais entendue l'appeler ainsi auparavant – je n'avais jamais entendu quiconque l'appeler ainsi.

173

— Coucou, microbe, dit-il en lui remettant en place des cheveux échappés de son bandeau.

Catherine et Patrick apparaissent à l'avant de l'avion et scrutent nerveusement l'allée centrale jusqu'à ce qu'ils nous aperçoivent. Le visage de Patrick se détend aussitôt et il pousse sa mère dans notre direction. Malgré tout le soleil qu'elle a reçu, la peau de Catherine est devenue cireuse, d'un gris foncé sous les yeux. Elle prend la place voisine de celle de mon père, de l'autre côté de l'allée, mais ne le regarde pas. Elyse descend des genoux de mon père et va s'asseoir contre le hublot, près de sa mère, laquelle prend beaucoup plus de temps que nécessaire pour boucler leurs ceintures de sécurité. Patrick s'installe devant moi et je vois son œil qui me lorgne par l'espace séparant les dossiers. J'y glisse mon doigt et lui touche la joue.

— Aïe ! plaisante-t-il, et nous rions.

Puis Frank s'écroule à côté de lui, faisant trembler tout ce qui se trouve sur la tablette de mon père. Celui-ci tend la main pour maintenir les bouteilles, puis il lève le gobelet en plastique, encore à moitié plein, et le donne à Catherine.

— Je parie que tu en as encore plus besoin que moi.

Catherine lâche un court ricanement ironique et saisit le verre. Puis elle prend la main de mon père.

— Gros matou, dit-elle.

— Petite minette, répond-il.

— Que s'est-il passé ? chuchoté-je à l'oreille de Patrick une fois que nous avons décollé.

— Ils n'ont rien trouvé. Ils l'ont fait se déshabiller deux fois, ils ont passé ses vêtements dans une espèce de machine, les chiens devenaient fous, mais ils n'ont rien trouvé.

Je jette un regard à Frank par l'ouverture entre les sièges. Une touffe de cheveux sales et dépeignés lui recouvre un œil. L'autre est clos. La peau de sa figure est grêlée par les boutons et les cicatrices d'acné. Ses lèvres minces sont fermement serrées. Même dans le sommeil, il paraît comploter.

J'ai gardé le plus gros de mon dernier livre pour les deux vols de retour. C'est un roman d'Edith Wharton, que Paul m'a offert pour Noël en expliquant que c'était seulement le début de l'édification de Daley. J'ai dû m'esquiver pour chercher la définition du mot « édification » dans le dictionnaire. Lorsque je serai revenue de Saint-Thomas, ma mère m'annoncera que Paul l'a demandée en mariage.

Je sors l'ouvrage. Catherine s'en aperçoit et donne un coup de coude à mon père en me montrant du doigt.

— Jésus, Marie, Joseph ! Encore un foutu bouquin, grommelle mon père.

Mais je m'en moque. Archer vient d'envoyer les roses jaunes à la comtesse Olenska, et le monde de mon père et de Catherine est déjà en train de s'éloigner doucement.

DEUXIÈME PARTIE

9

Je ne voulais pas d'une petite fête, mais Jonathan a insisté.

— N'empêche pas les gens d'être heureux pour toi, a-t-il objecté.

Et voilà qu'il a concocté le genre de soirée que je préfère : nos amis les plus proches, sa sauce spaghetti maison à trois dollars et une partie de Oh Hell[1] avant le dîner. C'est le mois de juin dans le Michigan. Toutes les fenêtres de l'appartement sont ouvertes. Les insectes viennent se cogner contre les moustiquaires avec un bruit sec. Il y a du vin, mais pas assez pour se soûler.

A la fin du repas, nous nous demandons combien d'entre nous ont perdu un père ou une mère. Sur les sept que nous sommes, nous comptons cinq parents déjà décédés. La petite copine de Dan, une étudiante en licence à la mine sérieuse, qui porte un short et une casquette de baseball, veut savoir comment ma mère est morte. D'habitude, je me contente de raconter qu'elle a été renversée par une voiture, mais ce soir – peut-être parce que je vais m'en aller, peut-être parce qu'elle me paraît si jeune, avec ses yeux de biche –, je lui décris les journées horribles qui ont

----

1. Jeu de cartes populaire aux Etats-Unis.

suivi l'accident, expliquant que mon père n'a même pas assisté aux obsèques. Je ne parle plus guère de mon père et je le vois au mieux une fois par an, mais je sens une sorte de frémissement me parcourir, comme de l'électricité.

— Il ne nous a jamais appelés, mon frère ou moi, pour dire qu'il était désolé que ma mère soit morte, poursuis-je. Il n'est pas venu. N'a pas envoyé un mot. Nous sommes restés chez elle – à moins de deux kilomètres de sa maison – pendant une semaine et il ne s'est pas manifesté. A ce jour, il ne m'a même jamais ne serait-ce qu'*évoqué* sa mort.

— Peut-être que c'est trop douloureux pour lui.

Elle s'appelle Janine, je crois. Etudiante en psychiatrie.

— Ils se sont séparés quand j'avais onze ans. Ils se détestaient.

— Quand même. Les relations dans lesquelles les problèmes n'ont pas été résolus sont parfois celles qui causent le plus de chagrin.

Je la dévisage, parce qu'elle devrait connaître cette vérité, si elle doit être psy un jour.

— Il y a des gens qui sont des trouducs, tout simplement.

Elle semble sur le point de réfuter mon argument, mais quelque chose dans mon dos attire son regard et elle se force à sourire. C'est Julie, qui entre dans la pièce avec un gâteau. Jonathan, qui la suit avec trois cartons de glace, entonne un *Happy* Berkeley *to You* que tous reprennent et j'agite la main pour essayer de les arrêter, mais ils se mettent alors à chanter plus fort encore. Je ne suis pas certaine d'en avoir terminé avec mes doléances sur mon père.

Julie place devant moi un gâteau à la banane, mon dessert favori, et de loin. Elle l'a décoré avec des palmiers en plastique. Je l'étreins et elle me murmure :

— Je n'arrive pas à croire que tu m'abandonnes dans ce trou à rats.

Je ris, parce que ce n'est pas le cas. Elle a décroché un boulot à l'université du Nouveau-Mexique et va s'installer à Albuquerque dans deux semaines.

Jonathan m'enlace par-derrière et me dépose un baiser sur la nuque pendant que je découpe le gâteau.

— Tu ne peux pas leur dire de tous s'en aller maintenant ? me souffle-t-il à l'oreille. Nous n'avons plus que quelques heures ensemble.

— C'était ton idée, Magoo.

Il mesure presque trente centimètres de plus que moi et je le sens qui se presse contre le bas de ma colonne vertébrale.

— Un peu de tenue, plaisanté-je.

Nous n'allons pas être séparés très longtemps. Il me rejoindra en Californie dès qu'il aura fini d'enseigner pour la première session d'été, la semaine suivante. J'ai encore du mal à prendre pleinement conscience qu'il part avec moi. A la dernière minute, Jonathan Fleury, qui, ainsi qu'aime à railler Dan, planifie ses déplacements à la selle trois mois à l'avance, a accepté l'emploi proposé par l'université de San Francisco et refusé celui qu'offrait celle de Temple, à Philadelphie. Désormais, il n'y a que moi qui pourrais tout foutre en l'air.

— Tu ne vas rien en faire, m'a assuré Julie quelques jours plus tôt.

— Comment peux-tu en être si sûre ?

— Parce que c'est Jonathan. Il t'en empêchera. Il marchera huit pas devant toi.

— Tu as raison. C'est ce qu'il fera.

A vrai dire, il y avait un côté étouffant dans la manière dont elle avait formulé cela.

Une fois que tout le monde s'est servi du gâteau, Dan lève son verre dans ma direction.

— A la santé de Daley qui, il y a cinq longues années de cela, a eu la sagesse de m'éconduire en plein milieu de notre premier rancard.

— Second, corrigé-je.

Dan abaisse son bras.

— C'était quoi, le premier ?

— Le café.

— Oh, c'est vrai !

Il lève de nouveau son verre et reprend son speech d'une voix de stentor.

— Et tout cela parce que ma voiture refusait de démarrer !

— Pas parce que ta voiture refusait de démarrer. Parce que tu t'es mis à cogner sur le volant en hurlant « Putain ! Putain ! Putain ! » au moins cinquante fois.

— J'essayais de t'impressionner par ma virilité animale.

— Bestiale. Animale, ça m'aurait peut-être impressionnée. Pourquoi donc les écrivains font-ils preuve d'un tel manque de précision quant au choix des mots ?

— Au fait, tu ne peux pas la fermer un peu ? C'était en réalité un petit prologue qui allait m'amener à dire quelque chose de gentil sur toi, alors arrête de m'interrompre à tout bout de champ !

— C'est vraiment dur : tu me rappelles trop mon frère.

— Tu me l'as déjà dit. Maintes fois. Tout à fait ce qu'un soupirant éconduit a envie d'entendre. Enfin, en dépit de tes élans étranges et inexplicables...

Il lance un regard à Jonathan, qui me sourit. C'est Dan qui nous a présentés – par accident, insiste-t-il toujours.

182

— ... tu as été à la fois une amie et une camarade dans les bons comme dans les mauvais moments et tu vas me manquer plus que je ne l'admettrai jamais.

Dan se penche par-dessus la table pour m'étreindre. Sa transpiration sent toujours aussi fort et l'odeur d'herbe de ses cheveux me remémore notre première sortie ensemble, quand il m'avait embrassée au beau milieu d'une discussion sur Saul Bellow, après quoi j'avais eu le ventre chamboulé des jours durant au souvenir de ce baiser – ce jusqu'à notre second rancard, où je n'avais pu faire autrement que descendre de sa vieille guimbarde pour m'en aller.

Julie s'éclaircit la voix théâtralement. Depuis Mallory, elle est ce que j'ai connu de plus approchant d'une sœur. Nous avons été colocataires pendant quatre ans. Tout m'est familier, chez elle, jusqu'à sa façon de tenir son verre ainsi qu'elle le fait actuellement, de travers, comme si elle se fichait qu'un peu de liquide se renverse.

— Je pense que nous savons tous que le nom de Daley figurera bientôt dans les livres scolaires, alors c'est peut-être notre dernière soirée avec elle en tant qu'humble mortelle. Les professeurs d'anthropologie de Berkeley se noient rarement dans l'oubli.

— Mais il leur arrive de se noyer dans l'océan... glisse Dan.

L'an dernier, l'un d'eux avait sauté du Golden Gate Bridge.

— Jonathan la retiendra, réplique Julie, qui baisse les yeux sur son verre en prélude à la partie sentimentale de son discours. Je veux juste dire combien je suis incroyablement fière de toi, Daley. Depuis que je te connais, tu as travaillé en vue de ce moment. Et ce moment est arrivé.

Son immense sourire réaménage toute la physionomie de son visage. Même ses cheveux bougent. Elle a la capacité stupéfiante de dévoiler ses émotions sans la moindre gêne. Elle a pleuré lorsque j'avais reçu l'appel de Berkeley pour mon poste. Je n'avais jamais vu quelqu'un réellement pleurer de joie avant ce jour-là. Et Julie était là, qui pleurait de joie pour moi.

— Je te souhaite, comme me le disait chaque soir mon père, le soleil, la lune et les étoiles, poursuit-elle d'une voix soudain fléchissante, à l'image de son sourire. Tu mérites tout cela.

Je jette alors un bref coup d'œil vers Jonathan. Je ne peux pas m'en empêcher. Lui et moi plaisantons entre nous sur le nombre de fois où Julie parle de son père. Mais il refuse de croiser mon regard. Il pense sans doute qu'en cet instant nous ne devrions pas rire aux dépens de Julie d'une blague pour initiés.

Nico déclare que cela va lui manquer, de venir écouter en douce mes conférences.

— Vous ne pouvez pas imaginer toutes les choses que lui racontent ses étudiants. C'est comme de partager le cabinet de Sigmund Freud.

S'exprimer devant un groupe le met mal à l'aise, même un petit groupe comme celui qui est réuni autour de la table de Jonathan. Je me demande comment il parvient à donner ses cours.

— Mais ce qui témoigne le plus de ta nature, Daley, c'est que c'est toi qui as décroché le meilleur boulot de nous tous et qu'aucun d'entre nous n'en conçoit une quelconque amertume, conclut-il.

— Moi, si ! s'exclament en même temps Dan et Jonathan.

Kira me souhaite bonne chance, mais elle ne veut pas porter un toast, à cause des racines patriarcales de ce rituel. Ce concept, explique-t-elle, est dérivé de la coutume qui consistait à parfumer les boissons avec un toast épicé et, quand il n'y en avait plus, d'invoquer alors le nom d'une femme pour en relever le goût.

— Encore un exemple de la façon dont les hommes consomment les femmes, dit-elle.

Dan feint de se trancher les veines avec le couteau du gâteau, le genre de choses auxquelles il s'amuse souvent en présence de Kira.

Quand arrive le tour de Jonathan, le silence se fait. Les gens ont tendance à l'écouter un peu plus attentivement. Le jour où je l'avais accusé de produire cet effet sur son auditoire, il m'avait répondu que dans le milieu universitaire, les Blancs doivent toujours affecter d'écouter les Noirs. Il sort de sa poche arrière un morceau de papier sur lequel il jette un coup d'œil sans un mot avant de l'y remettre. Il se tourne vers moi et parle doucement.

— J'avais écrit des trucs. J'avais même inclus une citation de Bronislaw Malinowski exprès pour toi, rit-il. Mais ce que je veux vraiment dire, c'est que je suis tellement content que... hésite-t-il en frottant la nappe du bout de ses doigts, que tu aies débarqué dans ma vie. Je ne m'y attendais pas. Tu le sais, ajoute-t-il en souriant et en inclinant son verre pour trinquer. A ta santé, à nous deux et à notre avenir imprévu.

Je suis surprise par l'émotion qui perce dans sa voix. D'habitude, il est tellement maître de lui, en public. Je lui passe le bras autour du cou et il m'attire tout contre lui. Je sens combien son cœur bat vite et songe brièvement, en un fugace frémissement d'inquiétude, que je ne suis pas digne de ce cœur-là.

C'est vrai que Dan nous avait présentés par accident. L'automne dernier, Nadine Gordimer était venue faire une lecture au campus, après laquelle une réception était donnée chez le président de l'université. La maison était bondée et tout le monde espérait voir de plus près l'écrivaine, qui était cachée dans quelque alcôve du fond. Alors que Dan et moi étions au buffet, il aperçut à l'autre bout de la pièce une femme qui l'intéressait.

— Il faut absolument qu'on s'approche, déclara-t-il.

Il m'envoya valser d'un coup sec contre Jonathan. Quelques cubes de fromage sautèrent de mon assiette pour aller rebondir sur sa chemise.

— Oh, merde, elle se barre ! se désola Dan.

Et comme il connaissait Jonathan, avec qui il participait aux ateliers d'écriture, il fit les présentations.

Je l'avais déjà remarqué – le corps mince, les dreads courtes, les lunettes rondes, le visage anguleux.

— Tu écris toujours ? lui demanda Dan.

— Seulement ma thèse.

— Sur quoi ? m'enquis-je.

— Elle est censée être sur Hegel et Gramsci.

— Ça n'avance pas comme tu veux ?

— Je préférerais écrire des histoires.

— Tu devrais, renchérit Dan. Tu étais bon. Ton texte sur les deux garçons et leur oncle mourant. J'ai encore en mémoire des phrases entières.

Nous grignotâmes. Il faisait chaud dans la pièce. J'avouai à Jonathan que je l'avais pris pour un de ces étudiants de licence précoces qui prenaient des cours de troisième cycle. Il m'apprit en riant qu'il avait trente ans. Je ne le crus pas.

— Montre-moi ton permis de conduire, dis-je.

— Je n'en ai pas.

— Comment ça ? s'étonna Dan. On te l'a retiré ?

— Non, mec, répondit-il d'un ton irrité. J'ai grandi en ville. Je n'en ai jamais eu besoin.

— Merde, alors. C'est vrai ?

186

— C'est vrai. Et ma cousine vient de larguer devant chez moi ce pick-up dont elle n'a pas besoin, et moi je ne peux même pas m'en servir.

— Il faut que tu apprennes à conduire, conclut Dan.

— Je sais.

La foule se pressait toujours pour entrer. Un de mes ex se tenait à l'autre bout de la table, hésitant à s'approcher. Il fallait que je sorte de cet endroit.

— Je vais t'apprendre, annonçai-je en lui tendant les clés de ma Datsun.

C'était la fin de l'après-midi, en cette troisième semaine de septembre. La journée avait été chaude, mais à présent le soleil était bas et un peu de fraîcheur dégringolait des arbres de la rue. Dans la voiture, je l'aidai à régler son siège. Il avait besoin de le pousser entièrement vers l'arrière.

— Je suis **nerveux**, souffla-t-il avant de mettre le contact.

Il était incroyablement beau.

— Je ne voudrais surtout pas bousiller ta bagnole.

Mais il savait ce qu'il faisait. Il se contenta de rouler très lentement. Une file de véhicules se forma derrière nous. Je l'entraînai hors de la ville jusqu'à une petite route de campagne, mais nous étions toujours talonnés par des voitures. Il ne semblait pas s'en apercevoir. Chaque fois qu'une auto arrivait en sens inverse, il mordait sur le bas-côté gravillonné et je fermais les yeux. Il ramenait doucement la voiture sur la route après que la file de véhicules nous avait dépassés en klaxonnant. Il conduisait tout droit. Il n'était visiblement pas encore prêt pour les virages. Je lui donnais quelques tuyaux dont je me souvenais de mes leçons de conduite, mais, en dehors de cela, nous demeurions pour l'essentiel silencieux. Puis, une

187

vingtaine de kilomètres plus loin, il me demanda si j'aimais chanter.

Le jeudi était le seul jour où nous avions tous les deux l'après-midi libre. Nous nous retrouvions à ma voiture et nous roulions en chantant. La première chanson, ce jour-là, fut *Maxwell's Silver Hammer*. Il nous fallut les trois jeudis suivants pour épuiser notre répertoire des Beatles. Chanter facilitait la conduite. Il roulait un peu plus vite. Nous avions moins de véhicules derrière nous. Il commençait à discuter certaines de mes suggestions. Ainsi, en arrivant à un stop, alors que je m'attendais à le voir ralentir, il n'en fit rien et je lui criai de s'arrêter, mais il le grilla malgré tout allègrement. Après cela, je le surnommai Mister Magoo. Il se vengea en me disant que je lui évoquais Titi.

— Ouais ? eh bien, on m'a déjà donné des noms de personnages de dessin animé bien pires que celui-là.

— Comme quoi ?

— Mon frère m'appelle Hermey.

Je ne pensais pas qu'il saisirait la référence, mais quelques secondes après, il me regarda et lâcha :

— Le dentiste ? Je vois ça... Je vois tout à fait ça, conclut-il en riant, les yeux toujours fixés sur moi.

Après que nous en eûmes fini avec les Beatles, il proposa Elton John.

— A ton avis, quelle chanson d'Elton a eu du succès dans la communauté noire ? m'interrogea-t-il.

C'était la première fois qu'il mentionnait sa couleur de peau. Trouvant ce détail étrangement intime, je ne voulus pas me tromper dans ma réponse.

— *Benny and the Jets*, dis-je.

— Exactement, confirma-t-il avec un petit sourire. Nous n'avions aucune idée de ce que ça racontait, mais bon Dieu ! on adorait cette chanson.

Il se mit alors à cogner le volant en rythme.

— Regarde la route, Magoo.

— Regarde la route toi-même. Moi, je joue de la batterie.

Il reproduisit les bruits de l'introduction et nous entonnâmes l'air, pile sur le même temps. *« Hey kids. »* Puis il chanta *« walking in the ghetto »*, tandis que moi je reprenais *« talk about the weather »* et nous échangeâmes un regard avant d'éclater de rire. Le sourire de Jonathan était aussi chaud sur ma peau nue qu'un grand soleil.

Après Elton, il se lança dans *Thunder Road*. Et puis nous enchaînâmes par toutes les chansons de Springsteen qui nous venaient à l'esprit, les gaies comme *Rosalita* ou *Cadillac Ranch*, et les mélancoliques comme *Independence Day* ou *Nebraska*. Nous vînmes à bout de notre stock de Bruce alors que nous traversions une petite ville entourée de champs ouverts et je commençai à fredonner machinalement *Little ditty 'bout Jack and Diane*. Il hurla « Non ! » et immobilisa l'auto au milieu de la chaussée.

— Pourquoi ?

— Cette putain de chanson est trop blanche.

— Toutes les chansons que nous avons chantées jusqu'à présent sont blanches.

— Je sais, mais...

— Il n'y a aucun problème avec les Beatles et Springsteen, mais John Mellencamp, c'est niet ?

Je me sentis rougir d'avoir commis une telle bourde. Je craignais qu'elle ne lui ait tout révélé de moi : mon père, Myrtle Street, Ashing – toutes ces choses dont j'avais pris si grand soin de me purifier. Il sourit.

— Je mange à tous les râteliers, hein ? Merde ! on parle de double conscience, mais j'ai une triple, une quadruple conscience – j'ai une conscience en origami ! Mais je ne peux pas chanter cette chanson. Des gens se font lyncher dans de telles villes.

Je ne pus pas tricher lorsqu'il voulut chanter des morceaux de groupes comme Cameo ou les Whispers. Je n'en connaissais même pas les refrains.

— C'est dramatique. D'où est-ce que tu sors ? de la planète Mars ?

— Presque.

Nous nous accordâmes sur Marvin Gaye.

Il m'apprit qu'il avait grandi à Philadelphie avec ses quatre frères, que sa mère était infirmière et qu'elle était originaire de Géorgie, que son père était venu de Trinidad à Philly quand il était petit et qu'il avait succombé à une crise cardiaque quand Jonathan avait quinze ans, que sa mère ne s'était jamais remariée, qu'il avait une copine d'université prénommée Stella qui faisait des sketchs improvisés dans les cafés-théâtres. J'imaginais le tableau : la scène en bois, la voix assurée, la salle qui éclate de rire. Je savais que j'étais incapable de rivaliser.

Je lui parlai de mon enquête de terrain au Mexique, douze mois dans un village de la sierra Juárez, au nord-ouest d'Oaxaca, au début desquels les enfants que j'étais venue étudier pour ma thèse me fuyaient. Après que je me fus suffisamment approchée pour pouvoir observer leurs jeux, je découvris que dans un grand nombre d'histoires qu'ils inventaient, le méchant – une personne qu'ils appelaient le Démon transparent – n'était autre que moi.

Une fois, nous arrivâmes sur le site d'un accident : une voiture sur le flanc dans un ravin, trois véhicules de police et un camion de pompiers garés sur l'accotement. Jonathan ralentit au passage.

— Ma mère a été renversée par une auto, dis-je.

J'avais la sensation que c'était une chose qu'il lui fallait savoir.

— Quand ?

— Il y a neuf ans. Elle est morte.

— Sur le coup ?

— Ouaip.

Je vis sa main tressaillir sur le volant, puis se soulever avant de revenir s'y plaquer, le tout en moins d'une seconde. Même s'il l'avait aussitôt réprimé, ce bref mouvement impulsif pour me toucher m'emplit d'espoir.

Parfois, Jonathan apercevait du coin de l'œil un animal et il s'arrêtait. Un renard coupant à travers champs, un porc-épic au pied d'un arbre. Un jour, nous contemplâmes un long et large V de bernaches du Canada qui plongeaient toutes ensemble dans un petit étang près d'une ferme, provoquant l'éruption d'un énorme éventail blanc d'eau. Nous baissâmes les vitres pour entendre leurs cris et leurs claquements d'ailes. C'était le crépuscule. Jonathan avait pris l'habitude de laisser des jumelles dans ma boîte à gants et nous nous relayâmes pour observer leur immense cou noir et leur jugulaire blanche très collet monté, riant de les voir si bruyantes et si chahuteuses au commencement de leur long périple. Lorsque nous reprîmes la route, nous dépassâmes un panneau qui annonçait : STRATHAM 3 KM.

— J'ai lu des articles sur cet endroit, déclara-t-il. C'est le QG des Knights.

— Les Knights ?

Il me regarda pour voir si j'étais sérieuse. Je l'étais.

— Le Klan, expliqua-t-il. Pas le genre de coin où tu as envie de te faire arrêter en train de conduire la voiture d'une Blanche sans permis... conclut-il en effectuant un large demi-tour sur la route déserte.

A quelques kilomètres seulement d'Ann Arbor, c'était un autre monde pour Jonathan.

Nous ne faisions jamais quoi que ce soit ensemble après les leçons de conduite. Nous nous disions au revoir dans la rue. Sur la route, tandis que lui regardait la chaussée, moi je l'observais : son profil grave, sa lourde arcade sourcilière, les muscles contractés de sa mâchoire et puis, lorsqu'il se tournait inopinément vers moi en riant de l'une de mes railleries nerveuses, ce sourire, qui lui modelait soudain des joues de gamin. Me retrouver assise à ses côtés dans ma voiture devenait une forme de torture.

— Il faut que ce soit toi qui prennes les devants, Daley, me conseilla Julie. Ça crève les yeux qu'il est fou de toi.

Mais elle ne savait pas ce qu'elle disait. Nous étions tombées une fois sur lui au campus, avions gauchement échangé quelques banalités, et c'en était resté là.

Je ne pouvais pas faire le premier pas. Je ne l'avais jamais fait et ne le ferais jamais. Elle me jugeait vieux jeu. Elle se vanta d'avoir elle-même fait le premier pas dans chaque relation sérieuse qu'elle avait eue. En amour, les hommes sont des tortues, affirmait-elle fréquemment. Mais mon intérêt et mon attirance étaient trop forts. Dans l'auto, je devais tout maîtriser : mes mains, mes questions, ma fascination. J'avais parfois l'impression qu'il y avait en lui une part de moi que je brûlais d'atteindre.

Nous passions devant une épicerie générale sur notre trajet, l'unique magasin d'un bled que nous traversions souvent. Un jour de début décembre, invoquant la soif, il se gara sur le parking. Nous n'étions jamais descendus de voiture au cours de nos leçons de conduite avant cela, pas même pour observer les animaux. Un couple âgé était assis sur des tabourets derrière le comptoir et des hommes parcouraient les allées, l'un attrapant un pack de bière dans l'armoire réfrigérée, un autre debout devant le présentoir de journaux. Tout le monde semblait parler en même temps, mais tous s'interrompirent en nous apercevant. Cela me rappelait lorsque j'entrais dans la cuisine quand mon père et Catherine ne s'y attendaient pas. Les mêmes regards furieux et soupçonneux. Sans réfléchir une seule seconde, je saisis la main de Jonathan. C'était la première fois que nous nous touchions, alors que cela faisait des semaines que je mourais d'envie de poser ma paume sur sa cuisse pendant qu'il conduisait, d'embrasser le côté de son long cou, et que je m'étais déjà imaginée, je dois l'avouer, monter à califourchon sur lui, le dos contre le volant. Quel soulagement, que d'y arriver enfin, que de sentir sa main serrer la mienne ! Nous prîmes cookies et sodas, puis je le lâchai à contrecœur au moment de payer.

— Tu n'étais pas obligée de faire ça, siffla-t-il tandis que nous rejoignions l'auto. Je n'avais pas besoin de ta protection, ajouta-t-il en claquant la portière.

Sa colère me stupéfia. Je pensais que nous remonterions dans la voiture en riant. Je pensais qu'éventuellement il m'embrasserait. Mon corps tout entier tendait encore vers le sien. Au contact de sa main dans la mienne, j'avais la sensation qu'il m'avait déjà caressée partout.

Il démarra et recula sans un mot. Je ne lui expliquai pas comment tourner en reculant, mais ce fut inutile. Avant d'entrer dans la boutique, nous chantions « O-o-h, petite, tout va s'arranger », mais nous retournâmes à Ann Arbor en silence. Moi, j'avais besoin de *ta* protection, songeai-je en moi-même. J'avais trouvé l'homme au pack de bière effrayant. Mais je n'en dis rien. Je ne savais pas quelle était la vérité. Pour la première fois de ma vie, j'avais fait le premier pas. Ma main avait cherché la sienne et il l'avait prise, mais à présent il était fâché contre moi. J'avais l'impression d'être une enfant. Je voulais qu'il descende de ma voiture pour que je puisse pleurer, pleurer, pleurer. Je me concentrai sur les panneaux de signalisation. ANN ARBOR 20 KM ; ANN ARBOR 15 KM. Et alors il s'engagea sur une route que nous n'avions jamais empruntée auparavant. Je n'avais vu aucune indication et j'ignorais comment il la connaissait. L'auto bringuebala pendant près de deux kilomètres sur un sentier de terre lacéré d'énormes ornières, au milieu desquelles se dressait une bande d'herbe qui frottait contre le plancher de mon véhicule. Je crus qu'il envisageait peut-être de m'abandonner là pour me punir et me laisser me débrouiller seule pour rentrer. En cet instant, son profil était particulièrement sévère, avec sa mâchoire parcourue de mouvements incessants. Le chemin s'achevait à un lac. Le soleil s'était caché derrière les grands arbres et la surface paisible de l'eau réfléchissait le crépuscule pourpre en un riche chatoiement, comme du tissu. Nous restâmes dans l'auto, sans nous regarder.

— Tu ne vas sans doute pas me croire, mais jusqu'à présent je n'ai jamais franchi la barrière de la couleur, dit-il enfin, les yeux fixés devant lui. Je ne sais pas pourquoi, mais c'est juste que ça ne m'a jamais semblé en valoir la peine. Je n'ai pas été élevé dans la croyance que nous étions tous égaux au fond de nous. Ma grand-mère nous répétait toujours, à mes frères et moi : « Ne vous approchez pas des Blanches. Evitez-les. » Elle venait de Vidalia, en Géorgie, et elle avait gardé en tête des millions d'histoires de son enfance. Toutes se terminaient de la même manière. Le Noir finissait soit mort, soit en prison. Pendant ma propre enfance, à Philadelphie, il n'y avait pas de Blancs. Pas dans mon quartier. Pas dans les rues, pas à l'école, pas dans les magasins. Je savais qu'ils existaient – je les voyais à la télé ou quand on allait quelque part avec la voiture de mon oncle –, mais je pensais qu'ils n'étaient pas très nombreux. Je ne comprenais pas toutes ces histoires autour des Blancs. Et puis un jour, mon oncle est venu pour m'emmener voir un film avec mon cousin. Nous avions six ans, je crois. Il avait des réductions dans un cinéma de l'autre côté de la ville. Lorsque nous sommes arrivés là-bas, il y avait une queue immense qui s'étendait jusqu'à l'angle du pâté de maisons et encore sur tout l'autre pâté de maisons. Que des Blancs. Je me demandais d'où ils pouvaient sortir. Je me rappelle encore la sensation que j'ai éprouvée dans ma poitrine : j'étais terrifié, totalement terrifié, mais il y avait aussi autre chose, un petit frisson d'excitation ou de je ne sais quoi, parce que le monde était différent de ce que j'avais imaginé jusqu'alors.

Il avait toujours le regard rivé sur le lac, les doigts repliés autour du volant. J'avais de nouveau envie de le toucher.

— Quand je t'ai tenu la main, là-bas, j'ai ressenti la même chose, conclut-il.

Nous nous élançâmes en même temps. Nos mains, puis nos bouches, puis nos corps venant se plaquer les uns contre les autres. Impossible de retenir mes pleurs, tant j'étais soulagée de le sentir me caresser, de constater qu'il n'était plus en colère. J'espérais qu'il ne remarquerait rien, mais ce ne fut pas le cas : découvrant mes larmes, il les lécha en s'excusant d'avoir crié. Je n'étais pas habituée aux excuses. Elles firent jaillir de nouvelles larmes.

J'avais toujours veillé à ce que les événements ne s'emballent pas, avec les hommes, à offrir mon corps petit à petit, à résister à la tentation d'explorer le leur tant que je n'étais pas certaine que le lien sentimental allait de pair avec le lien physique. Ma mère m'avait recommandé de ne pas faire l'amour sans amour, mais j'avais fini par devenir telle une aiguilleuse du ciel obsessionnelle, déterminée à ce que les deux – les sentiments et le sexe – atterrissent exactement au même moment. Cela fonctionnait rarement. Le simple fait d'orchestrer les choses provoquait leur échec. Avec Jonathan, je perdais mon souci du contrôle, ma capacité à contrôler. Et cette première étreinte dans la voiture, au bord du lac, demeura toujours avec nous chaque fois que nous fîmes l'amour par la suite, et jamais je ne l'ai regrettée.

Je suis incapable d'offrir de vrais adieux en fin de soirée. Lorsque les gens me prennent dans leurs bras, je répète avec insistance qu'on se reverra bientôt, qu'on se reverra un de ces quatre. Julie me serre fort. C'est le terme de notre vie ensemble. Ce matin, j'ai vidé son appartement de toutes mes affaires, que j'ai entassées dans mon auto. Demain, je n'aurai qu'un petit espace dans lequel me glisser pour partir en Californie.

— Ça me rend malade, dit-elle. Ça me rend malade de savoir que je ne vais pas trouver ta vaisselle sale dans mon évier demain soir.

— S'il te plaît, ne me fais pas pleurer. Si je commence, je ne pourrai plus m'arrêter.

Mais je me sens comme engourdie, très loin des larmes.

Elle me dépose deux grosses bises humides sur les joues. Elle promet de venir me rendre visite à l'automne. Mon avenir, tout ce pour quoi j'ai travaillé si dur, ne me paraît pas réel. Mais j'ai toujours eu du mal avec l'avenir. Je n'ai jamais réussi à compter dessus. J'ai appris à ne pas trop attendre les événements avec impatience. Et je suis fatiguée. Complètement crevée. Une partie de moi ne désire qu'une chose : se pelotonner sur le canapé et s'endormir.

Dan est le dernier à partir. De sa voiture, il demande, en vue d'une histoire :

— Est-ce que je peux utiliser l'anecdote de ton père qui refuse d'assister à l'enterrement ? Je t'en prie. J'ai déjà tiré tout ce que je pouvais de ma propre enfance.

— Pas de problème, réponds-je.

Et il disparaît, n'est plus qu'une main passée par la vitre baissée de l'auto, laquelle s'évanouit à son tour. Il avait été le tout premier ami que j'avais rencontré ici.

Jonathan et moi entassons la vaisselle dans la cuisine, puis allons nous étendre sur son lit tout habillés. Nous avons toujours procédé ainsi, comme des adolescents, comme si chaque nuit que nous passions ensemble était la première. David, mon ancien petit ami, avait coutume de se laver les dents, puis de mettre un tee-shirt et des sous-vêtements propres avant de venir se coucher, et il aimait me voir faire de même. Je ne pouvais pas supporter l'aspect aseptisé et matrimonial de cette manie. Je veille à ne jamais dormir du même côté du lit lorsque je reste chez Jonathan pour la nuit. Je refuse que s'installe un rituel ou une routine dans une relation. Ça, jamais.

Jonathan laisse courir son doigt le long de ma tempe, puis du contour de mon oreille. Lorsqu'il retire ses lunettes, on remarque que ses yeux marron foncé sont striés de fines raies mordorées.

— Tu étais trop marrante au moment des toasts. On avait l'impression que tu subissais un lavement.

— Je déteste le spectacle des gens obligés de débiter des gentillesses, dis-je en posant un baiser sur le dessous doux et rose de son doigt. Merci pour la soirée.

— C'était un plaisir, délicieuse Daley.

Nous nous embrassons fougueusement, nos mains avides de chair. Il sort un sein de mon soutien-gorge pour l'engloutir dans sa bouche et je commence à avoir mal à l'aine. Je me demande combien de temps va durer notre désir. Nous avons signé un bail d'un an en Californie. Nous toucherons-nous avec autant de voracité après une année de vie commune ?

Il m'attire sur lui. Je le sens durcir dans son jean. Je me frotte doucement contre lui, puis plus fort, déclenchant la montée, la turgescence, l'envie.

— Tout devrait être aussi simple que ça, sur terre, soufflé-je.

Je prends le lobe de son oreille entre mes dents et l'entends gémir.

— Redis-moi comment c'est, chuchoté-je, continuant à me tortiller contre lui, éprouvant sa forme exacte à travers nos vêtements.

Il lui faut une seconde pour trouver sa voix.

— Tu sais que tu es arrivée à Paloma Street quand tu aperçois la grande barrière couverte de fleurs rouge vif. Et ensuite, cinq maisons plus bas, tu vois un arbre devant la nôtre. Enorme. Un eucalyptus, peut-être. Déshabille-toi, s'il te plaît.

— Décris-moi la porte d'entrée.

— Jaune. Elle est jaune.

— Et la petite fenêtre du battant ?

— Vert pâle, comme les morceaux de verre que rejette la mer. S'il te plaît.

J'enlève mon jean, maladroitement. Quand je suis excitée, on dirait que je suis soûle, totalement dépourvue de facultés motrices. Jonathan se laisse descendre sur le matelas et m'écarte les jambes. Il me regarde avec un large sourire, puis glisse un doigt en moi. Comme je suis humide et gonflée, il entre sans difficulté. Il l'enfonce, le ressort et l'enfonce de nouveau. Trop impatiente, je me plaque contre sa bouche, sentant la chaleur de sa langue sur mon clito, tandis que le doigt poursuit son va-et-vient. Je devine à présent l'orgasme qui se forme au loin, puis qui se rapproche rapidement, qui s'épanouit, qui m'épanouit, qui arrive, de plus en plus près, qui vient m'ouvrir en deux.

Mais une sonnerie soudaine me fait sursauter.

— Ce n'est que le téléphone, Titi, dit-il sans lever la tête.

Au bout de trois sonneries et demie, le répondeur prend l'appel. L'orgasme s'éloigne. Mon frère parle. « Bon Dieu, Daley ! Mais tu es où, bordel ? » Je décèle dans sa voix une panique que je n'y avais jamais perçue auparavant.

— Non, me conjure Jonathan alors que je m'écarte de lui. Non, je t'en prie.

Mais j'ai déjà traversé la pièce pour décrocher.

— Garvey, qu'est-ce qu'il y a ?

— Oh, putain ! Tu es là.

— Qu'est-ce qui se passe ?

— Oh, mon Dieu. Papa. Papa, voilà ce qui se passe.

— Est-ce qu'il va bien ?

Je sens ce vide blanc et froid qui précède l'annonce du décès de quelqu'un. Garvey se met à rire ou à pleurer, je ne sais pas trop.

— Non, il ne va pas bien, sinon je ne t'aurais pas laissé tous ces putains de messages !

Je regarde le répondeur. Un 5 rouge clignote.

— Calme-toi, s'il te plaît, et raconte-moi...

— Tu n'étais pas là. Tu n'as pas idée de ce dont j'ai pu être témoin...

— Garvey, tu me fous les jetons. Que se passe-t-il ?

— Catherine l'a quitté.

Il est vivant. C'est tout ce qui compte.

— Quand ça ?

— Je n'en sais rien. Il y a une semaine, peut-être. J'attends la suite.

— Il est totalement *déboussolé*.

Je lâche un reniflement ironique.

— Rien de nouveau sous le soleil.

— Non, Daley. Il a complètement perdu la boule. Il menace de tuer tous ses clebs. Et Hugh l'a viré. C'est sa femme qui m'a appelé. Il est bourré du matin au soir. Il est méconnaissable.

— C'est s'il était à jeun, qu'il serait méconnaissable. Qu'il soit bourré n'a absolument rien d'exceptionnel pour moi.

Toutes ces années pendant lesquelles j'ai dû monter à Myrtle Street chaque week-end, chaque jour de congé, alors que Garvey ne se pointait que pour Thanksgiving et pour Noël.

— Daley... poursuit-il, la voix soudain brisée, comme je ne l'avais plus entendue depuis la mort de maman. Il faut que tu viennes ici pour m'aider.

— Quoi ? Non, Garvey. Je pars demain pour la Californie.

Il est tout à fait au courant pour Berkeley. Il nous surnomme « Barbie la futée de Malibu » et « Ken le marxiste noir ».

— Il a parlé de se trucider.

— Oh, arrête ! Il détruirait tout ce qui vit sur cette planète avant de se suicider.

— Non, Daley, tu dois me croire. Je pense qu'il serait capable de se faire du mal. J'ai besoin de soutien, ici.

— Je ne viendrai pas. Pas tout de suite. Je suis sur le point d'attaquer un boulot en Californie.

— Arrête de dire *Californie* comme si c'était si important ! Je suis dans le *Massachusetts* et j'ai besoin que tu m'aides pour ton *père*. Deux ou trois jours, c'est tout ce que je te demande. Juste pour le calmer un peu. Tu sais t'y prendre, avec lui.

— Ouais, c'est vrai.

— Je t'assure.

— Je ne pourrai même pas être là-bas demain. Il faut que j'envoie un article que je viens de terminer, puis que je déjeune avec mon conseiller et que...

— Je sais. Tu es très occupée. Viens dès que ce sera possible. Rien que pour un jour ou deux.

— Merde, Garvey !

— Merci. Bon sang, Daley, merci.

Jonathan est assis sur le bord du lit, la tête entre les mains. Je m'installe à côté de lui. Je suis nue.

— Il faut que j'y aille, Jon. Il le faut. Garvey est vraiment flippé.

— Il est toujours flippé.

— Pas à ce point. Ma belle-mère est partie et mon père est anéanti.

— En deux jours, que peux-tu faire pour résoudre ça ? Rien.

— Je ne veux pas avoir de sang sur les mains. Je ne veux pas apprendre que mon père s'est flingué pendant que je roulais vers la Californie.

— C'est juste Garvey qui dramatise.

— Il a besoin de mon aide.

— Je ne crois pas que tu aies parlé une seule fois à ton père depuis que je te connais.

— Sans doute pas.

— Mais en quelques secondes, tu as décidé de partir dans la mauvaise direction pour aller auprès d'un homme qui ne fait même pas partie de ta vie.

— Garvey a besoin d'aide.

— Vas-tu annoncer à ton père que tu t'installes avec un Noir ?

— Pas s'il y a des couteaux qui traînent dans la pièce.

201

Cela ne lui arrache pas un sourire.

— Ne fais pas ça. Ne retourne pas là-bas.

Il essaie encore de me persuader de partir vers l'ouest tandis que je m'installe à bord de ma voiture l'après-midi suivant.

Nous sommes fatigués. Nous avons tourné en rond toute la nuit à en discuter. Et maintenant je passe à l'acte : je m'apprête à partir dans la mauvaise direction.

Il s'accroupit à côté de la portière ouverte et me tient les mains. Chaque fois que nos mains se touchent, je retrouve la même sensation que dans l'épicerie générale.

— Daley. Sois prudente, je t'en prie.

Lui aussi a un rapport délicat avec l'avenir. Ce point commun fait que nous nous comprenons.

— Ne t'inquiète pas.

— Ton père a beaucoup de pouvoir.

— Tu me confonds avec Julie. Mon père n'a aucun pouvoir sur moi. Il n'a même pas été un père.

Je me rends compte qu'il a peur pour moi, beaucoup plus peur que moi-même. De toute évidence, je lui en ai trop dit.

— Il a toujours le pouvoir de te blesser.

— Non, aucun risque. C'est cicatrisé, maintenant.

— Je t'attendrai à la porte jaune lundi en huit, conclut-il avec un dernier baiser.

— Je te verrai derrière la fenêtre en verre de mer.

Puis je démarre la Datsun et roule en direction de l'est.

10

En sortant de l'autoroute, impossible d'aller à la maison de mon père sans passer par la résidence de Water Street. Je n'avais pas eu l'intention de m'arrêter d'abord ici. Je voulais me rendre directement chez papa, mais me voici en train de regarder par la fenêtre de mon ancienne chambre. C'est un bureau, à présent, avec deux ordinateurs, un fax et un fauteuil pivotant en cuir. Les posters de Robert Redford, de Billy Jack et du Fonz ont disparu. Paul a dû les décrocher quand il a déménagé l'été qui a suivi le décès de ma mère. Je suis certaine qu'il les a soigneusement rangés dans des tubes après les avoir roulés ; il a tout entreposé quelque part pour Garvey et moi.

Ma mère est morte sur le coup. C'est ce qu'avançaient les gens pour essayer de nous réconforter. Mais pour qui était-ce d'un quelconque réconfort ? Pour moi ? J'aurais voulu la voir une dernière fois, même si son corps était broyé ; j'aurais voulu lui dire au revoir, même si elle ne pouvait m'entendre. Etait-ce un réconfort pour elle ? Qui choisirait de mourir sur le coup sans avoir eu le temps de préparer la transition ? Mais il est vrai que je n'aime pas être déconcertée. Je n'aime pas être surprise. Paul et elle avaient dîné à Boston ; pendant qu'il allait à la voiture, elle avait décidé de traverser Tremont Street afin qu'il puisse la prendre plus facilement et une auto l'avait alors renversée. Le conducteur avait bu quelques verres ; ma mère a tendance à rêvasser. Difficile de savoir ce qui s'est réellement passé. Il n'y avait pas eu de témoin.

Je fais le tour de l'immeuble jusqu'aux fenêtres du salon. Les locataires actuels ont un canapé là où se trouvait le nôtre, une grande table de salle à manger là où se trouvait notre petite table. J'étais dans ma chambre de résidence universitaire quand Paul a appelé. J'étais en deuxième année. Ma camarade de chambre sortait avec un hockeyeur qui revenait juste d'un match. Ses épaulettes étaient posées contre le mur, à côté de l'appareil. Paul pleurait. L'intérieur des épaulettes était zébré de crasse. *Mais je l'ai eue hier soir au téléphone.* Je crois que je n'avais cessé de répéter cette phrase à Paul. C'était peut-être la seule chose que je lui avais dite. J'étais incapable de penser à quoi que ce soit d'autre. C'était la seule chose qui avait du sens. Garvey était passé me chercher quelques heures plus tard.

J'essaie souvent de me souvenir des obsèques de ma mère. Elles avaient eu lieu dans la petite église épiscopalienne où elle avait coutume de m'emmener avant qu'elle quitte mon père. Je me rappelle ces dimanches : mon manteau de velours bleu, les gants blancs et les longues prières de ma mère, agenouillée sur des coussins en tapisserie. Je crois qu'elle n'est pas retournée à l'église après l'avoir quitté. Je crois qu'elle n'en avait pas besoin. Je n'arrive pas à me remémorer la cérémonie. Je ne sais pas ce qui s'était dit. Tout ce qui me reste de ce jour-là, de cette semaine-là, c'est l'absence de mon père.

Garvey trouvait mes attentes ridicules. « Tu vas te rendre malade toute ton existence, si tu espères le voir un jour se comporter comme un père avec toi, m'avait-il dit alors que nous étions allongés sur les lits jumeaux de ma chambre après l'enterrement. En gros, nous sommes des orphelins, à présent. Il faut t'y habituer. » Mais j'en étais incapable.

Je me figurais, je crois, que, ma mère décédée, la barrière entre mon père et moi s'écroulerait comme par magie. J'ai perdu toute la seconde partie de mon année universitaire à attendre son coup de fil. Cet été-là, j'ai travaillé dans un restaurant de Rhode Island et je lui ai envoyé une carte postale avec mon nouveau numéro de téléphone, mais il n'a jamais appelé. Je ne suis pas allée le voir avant la rentrée scolaire. J'ai passé Noël dans la famille d'une amie. Et puis, lors des vacances de printemps de ma troisième année, j'ai pris le bus pour Boston, puis le train pour Ashing et j'ai débarqué devant la porte de la cuisine, où il était en train de nourrir les chiens. « Tiens, tiens, a-t-il lâché. T'es enceinte ? ou fauchée ? ou les deux ? » Je suis restée pour la nuit. Nous n'étions que tous les trois. Catherine a préparé un rôti. Au fur et à mesure qu'ils buvaient, devenaient de plus en plus soûls, je guettais leur faux pas, le moment où ils lanceraient une pique contre ma mère, comme ils n'y manquaient jamais. Je m'apprêtais à les coincer. J'allais faire un scandale. Une scène, un énorme crêpage de chignon. *Mais nom de Dieu, elle est morte ! Vous ne pouvez donc pas lui ficher la paix, maintenant ?* Mais ils n'ont pas prononcé une seule fois son nom. Le lendemain, il m'a serrée dans ses bras sur le quai de la gare. « C'est gentil à toi d'être venue nous rendre visite », a-t-il dit. J'ai passé le reste des vacances à sangloter seule dans l'appartement déserté d'un copain, à l'extérieur du campus. Je m'étais préservée du chagrin en nourrissant ma colère contre mon père, mais à présent la douleur s'abattait sur moi par surprise, m'imposait soudain le terrifiant vide béant de l'absence de ma mère. Elle était mon ballast, le contrepoids qui m'empêchait d'être entraînée vers le fond par l'attraction de Myrtle Street, et elle n'était plus là.

Je regarde une dernière fois l'appartement. Quand ma mère marchait pieds nus, on entendait claquer ses orteils sur le sol. Dans la salle de bains, elle parlait à voix haute et riait toute seule. J'étais malheureuse, à l'époque où nous y vivions toutes les deux. J'ai navigué entre cet appartement et la maison de mon père pendant sept ans, jusqu'à mon entrée à l'université. Je n'ai jamais réussi à contenter l'un ou l'autre des deux toits. Chez mon père, j'étais trop rat de bibliothèque, trop de gauche, trop semblable à ma mère ; chez ma mère, j'étais morose, lunatique et moyenne à l'école. Je regrette qu'elle ne puisse me voir maintenant. *Ma fille est professeur titulaire à Berkeley*, aurait-elle pu déclarer. Cela lui aurait plu. Jonathan lui aurait plu.

Je reprends mon chemin pour gagner Myrtle Street. La BMW garée sur le parking de la banque est peut-être celle de Catherine. Elle reviendra auprès de lui. J'en suis sûre. Il lui faut juste quelques jours pour se calmer. Je franchis la voie ferrée et gravis la côte. De ce côté-ci de la ville, les maisons sont plus grandes : grosses demeures de style XVIIe ou XVIIIe, aux façades en bardeaux autour desquelles courent des vérandas et aux larges marches d'escaliers agrémentées de pots de marguerites. Les verdoyants jardins tout en longueur sont pourvus de hamacs, de balançoires et de cages de crosse. Derrière ces résidences scintillent les eaux du port. Je sens l'odeur du sel dans l'air lourd et humide. J'ai besoin de sommeil. Garvey va devoir me laisser dormir un peu lorsque j'arriverai.

Je me range à côté de sa fourgonnette. C'est l'un de ces petits modèles. Il a sa propre société de déménagement, maintenant, avec un parc de six véhicules entièrement décorés de réfrigérateurs ailés. Les chiens se déchaînent à la vue de ma voiture, les trois – un fauve, un noir et un brun clair – la poursuivant avant de venir se positionner devant la portière, les pattes et le poitrail immobiles, telles des statues, la gueule et la gorge exprimant leur fureur face à cette intrusion. Ils font un vacarme de tous les diables. Plus je vieillis, plus les chiens de mon père m'épuisent.

— Du calme ! leur dis-je d'un ton glacial alors qu'ils m'escortent tous les trois le long du chemin.

Ce sont de gros chiens, des sortes de retrievers. Quelque chose remue sur la véranda. Une petite créature blanc et marron. Un lapin ? Puis la créature bondit dans l'escalier, ou plutôt tente de bondir, mais finit par descendre de côté, ses pattes arrière plus fortes et plus vaillantes que celles de devant. Elle court droit sur moi sans aboyer, puis gratte mon jean de toutes ses courtes pattes, comme si elle essayait de me grimper dessus. Les autres chiens cessent de japper pour l'observer.

— Tu es une petite boule de poils.

Je ris en voyant sa gueule enfoncée, sa truffe noire et humide. Je la ramasse et elle me souffle une fine brume par le museau. La plaque de son collier porte l'inscription MAYBELLE.

— Bonjour, petite Maybelle.

Elle fourre sa drôle de bouille dans mon cou. Je laisse mon sac sur la pelouse et emporte l'animal dans mes bras.

Je les aperçois à travers la porte à moustiquaire. Tous les deux sont sur le sol, au milieu du vaste espace jadis occupé par la table de la cuisine. Mon père est allongé, du sang lui coulant de je ne sais où sur la figure. Garvey est assis, mais il est penché au-dessus de lui et se balance d'avant en arrière.

207

— Il est mort ? m'entends-je crier. Il est mort ?

Je ne sais pas ce que je fais avec Maybelle. Je me retrouve par terre, entre eux, à essuyer le sang avec ma manche. Celui-ci provient d'un point situé juste au-dessous de l'arcade sourcilière de mon père, mais le flot n'est pas rapide. La peau de son visage est d'un gris verdâtre.

— Je crois qu'il est mort !

— Non, il n'est pas mort, réplique Garvey d'une voix posée.

C'est vrai. Je perçois le souffle qui sort de ses narines.

— Je regrette de t'avoir appelée.

Il se met lentement debout. Il lui est douloureux de se redresser.

— Il ne le mérite pas, reprend-il. Remonte dans ta voiture et va-t'en.

Je ne bouge pas.

— Je suis sérieux, Daley. Va-t'en. Pars en Californie. Je ne plaisante pas.

— Il a perdu connaissance et il saigne.

— Il va bien. Il est bourré et il s'est égratigné. Allez, Daley. Lève-toi et viens avec moi.

— C'est toi qui as fait ça. Tu l'as frappé.

— Je n'ai fait que me défendre. Allez ! On s'arrêtera au Brigham's et je te paierai un sorbet framboise-citron vert.

Pour la première fois, mon frère me paraît vieux. Vieux et triste. Il commence à prendre des bajoues.

— Tu viens de me faire rouler seize heures dans la mauvaise direction et maintenant tu veux que je m'en aille en l'abandonnant inconscient sur le sol ?

— Je t'ai dit que je regrettais. Je me suis trompé, OK ? Viens avec moi. Tout de suite. Cette fois tu peux me faire confiance, Daley.

— Je ne peux pas le laisser.

— Merde, dans ce cas, fais ce que tu veux.

Il reprend son vieux blouson de cuir accroché au bouton de porte. Le battant à moustiquaire claque derrière lui.

— Appelle-moi quand il sera mort, lance-t-il avant de s'engager dans l'escalier.

— Garvey !

J'ai envie de lui courir après, mais j'ai peur de laisser mon père. Je me lève et, m'adressant à son dos qui s'éloigne, je hurle à travers le grillage :

— Enfoiré ! Putain d'enfoiré ! Je suis censée faire quoi, avec lui ?

— Tire-toi, répond-il sans se retourner.

Je reviens auprès de mon père qui gît par terre. La fourgonnette démarre, les chiens aboient et Garvey leur crie après tandis qu'ils le poursuivent le long de l'allée, lui et ses foutus réfrigérateurs ailés.

Maybelle s'est couchée dans son panier à motif léopard, dans le coin, mais elle ressort d'un bond lorsqu'elle me voit prendre un chiffon dans le tiroir. Elle me suit jusqu'à l'évier, puis jusqu'à mon père.

Dès que je pose l'étoffe mouillée sur son front, il reprend connaissance, mais peut-être a-t-il été conscient pendant tout ce temps.

— Salut, lutin.

— Papa, je vais t'emmener à l'hôpital.

— Très bien, dit-il.

Sa voix semble emplie de reconnaissance, comme s'il avait longtemps attendu que quelqu'un prononce ces mots.

Je connais le chemin de l'hôpital d'Allencaster. Mallory et moi nous y avons fait du bénévolat, un été. Nous prenons la voiture de mon père, qui est équipée de vitres automatiques et de sièges réglables. Le volant est habillé d'une épaisse gaine de cuir. Il s'endort avant que nous arrivions à l'autoroute. Je le touche du doigt à intervalles réguliers.

— Pourquoi est-ce que tu n'arrêtes pas de faire ça ? s'étonne-t-il.

— Pour m'assurer que tout va bien, c'est tout.

— Ne t'en assure plus.

Contrairement à mon frère, il ne semble pas du tout avoir vieilli. Il est fidèle à l'image que j'ai toujours conservée de lui : bronzé, le corps ferme et osseux. Sous son pantalon de coutil, ses genoux forment les mêmes bosses saillantes que j'ai vues toute ma vie. Je me surprends à avoir envie de le dévisager.

Il sent l'alcool, ce qui me réjouit : les médecins ne pourront que le remarquer. Peut-être suggéreront-ils un centre de soins. Peut-être a-t-il touché le fond, comme on dit.

C'est un petit hôpital avec un petit parking. Nous trouvons une place près de l'entrée. Je l'aide à descendre et il marche lentement, plus courbé qu'à l'accoutumée, abritant d'une main son œil blessé. Je le soutiens et suis soulagée d'apercevoir un fauteuil roulant devant la porte. Je l'y entraîne, mais il balaie l'idée de sa main libre et d'un « Tapette ! », préférant continuer à marcher.

Une fois mon père installé dans sa chambre, je retourne à l'accueil pour demander à voir le docteur Perry Barns, qui était son interniste et partenaire de double occasionnel quand j'étais gosse. Il ne tarde pas à venir, ses membres courts sanglés dans sa blouse blanche, une touffe solitaire de cheveux gris ornant encore le sommet de son crâne. Je le connais à peine, il n'est qu'un nom que j'ai entendu toute ma vie à Myrtle Street.

— Mais regardez donc un peu ! s'exclame-t-il du seuil de son cabinet.

Dans la salle d'attente, les patients lèvent les yeux, surpris par cet éclat de voix inutile. Il secoue la tête, puis place sa main, paume vers le bas, à la hauteur de ses genoux.

— Tu étais haute comme ça.

Je me mets debout et il m'étreint, déposant un baiser moite un peu trop près de ma bouche.

— Je suis désolée de vous ennuyer, docteur Barns, mais je serais rassurée si vous vouliez bien l'examiner.

— Examiner qui ?

— Mon père. Excusez-moi. Je croyais qu'on vous avait expliqué...

Je jette un coup d'œil dans la salle d'accueil. La chaise est vide.

— Que se passe-t-il ?

Comme ça, en un claquement de doigts, il passe d'ami du country-club à médecin. Mon corps se détend.

Je lui expose ce que je sais, après quoi il disparaît derrière les portes battantes. D'un œil distrait, je regarde par intermittence *Le Juste Prix*.

Il revient quelques minutes plus tard, toujours souriant. Il s'assoit à côté de moi sur une chaise en plastique et met la main sur ma jambe.

— Toi... commence-t-il en serrant plusieurs fois la peau de ma cuisse. Tu es devenue adulte.

Passe encore si je n'avais été adulte que depuis peu, mais j'ai vingt-neuf ans.

— Pourriez-vous me dire ce que vous en pensez, pour mon père ?

Il retire sa main.

— Ça va aller. « Boum-boumer », comme disait ma fille.

Je n'avais jamais soupçonné à quel point ce type était un crétin.

— D'ici quelques jours, il va de nouveau frapper ses fameuses volées croisées, conclut-il.

— C'est son problème d'alcool, qui m'inquiète.

— Son problème d'alcool ?

— Depuis que Catherine l'a quitté, c'est un peu la beuverie.

— Ton père n'a jamais été un pochetron compulsif.

Je ris.

— Vous avez raison. Plutôt un alcoolique régulier.

Il fronce les sourcils.

— Oh non, « alcoolique » est un terme trop fort. Il aime bien ses vodka martini, je te l'accorde, mais ça n'a jamais constitué un *problème*.

Une sensation insaisissable tourbillonne dans mon ventre. J'ai l'impression de me retrouver sur le tabouret à Saint-Thomas.

— Vous avez raison. J'exagère. S'il vous plaît, ne lui dites pas que je vous ai raconté ça.

Inutile que je sois l'objet de la fureur de mon père pendant les quarante-huit heures que je vais passer à Ashing. Il sourit.

— Je ne le répéterai pas, jure-t-il en reposant la main sur ma jambe pour la serrer encore quelques fois. Je te le promets.

Mon père est enveloppé de nombreux bandages et en beaucoup plus d'endroits que je ne l'aurais pensé : les deux poignets, une cheville, tout le front, ainsi que la poitrine. Ceux qui entourent les poignets semblent avoir été enroulés à la hâte, tant ils sont irréguliers, et je me demande si ce ne serait pas lui qui les aurait faits après que l'infirmière a quitté le box. Avec tous ces pansements, il paraît encore plus frêle et rejoint la voiture d'un pas plus lent que pour entrer dans l'hôpital.

Une fois à la maison, je l'emmène directement à l'étage pour le coucher, espérant pouvoir voler moi aussi quelques moments de sommeil par la même occasion. Mais alors que je sors de la chambre, il s'enquiert d'une petite voix :

— Il y a de quoi manger, en bas ?

Au moins, je sais ce que je peux lui préparer : trois saucisses de Francfort et une tomate tranchée noyée sous la mayonnaise. Je l'ai vu déjeuner ainsi toute ma vie. Les tomates et les saucisses de Francfort sont les seules choses comestibles que contienne le frigo. Les légumes ont noirci, le lait a tourné. Une explosion de vaisselle sale éclabousse l'évier et ses alentours. A ce que je peux en juger, Garvey et mon père tartinaient tout ce qu'ils mangeaient de ketchup, lequel forme à présent sur chaque assiette une couche de gomme-laque durcie et écarlate. Impossible de cuisiner ou même de pocher des saucisses dans une pièce aussi dégoûtante.

Lorsque je remonte avec le plateau, il jette un coup d'œil au réveil, mais s'abstient de tout commentaire sur le temps que j'ai mis. Il s'assoit dans le lit et met le plateau sur ses cuisses.

— Super ! se réjouit-il.

Il saisit l'un des tubes rose-gris d'intestin de porc, le plonge dans le monticule de ketchup et le porte à sa bouche ouverte. La saucisse produit un petit bruit sec en se fendant entre ses dents.

— Tu as déjà mangé les tiennes ?

Je me rends compte que je suis plantée là, hésitante.

— Non, je...

— Tu en veux ? demande-t-il en poussant l'assiette vers moi.

— Non, je ne...

... *mange pas de viande,* ai-je envie de conclure, mais je ne devine que trop bien la raillerie qui suivra.

— Merci, en tout cas, reprends-je.

Il me trouble : il me répugne et me fascine en même temps. Je ne veux pas rester à le regarder engloutir trois saucisses (j'ai dû employer plusieurs ustensiles différents pour les extraire de l'emballage, puis les immerger dans l'eau bouillante et les en ressortir sans avoir à les toucher), et pourtant le spectacle de ses doigts – la pointe d'un crayon enchâssée depuis la maternelle au-dessus de la jointure de l'index, le long pouce à la peau jaunie – me pousse à demeurer dans la chambre.

— Assieds-toi. Tu me rends nerveux.

Il prononce ce mot avec un mauvais accent new-yorkais. N*eee*rveux. Il m'indique la chaise, que je tire du coin jusqu'au lit.

Il essuie l'assiette, puis la pose sur la table de chevet et s'adosse aux oreillers.

— Papa, veux-tu me raconter ce qui s'est passé ?

Il clôt les paupières et secoue la tête de gauche à droite.

— Tu ne peux pas imaginer ce que j'ai vécu.

J'attends. Il rouvre les yeux d'un coup.

— Tu sais ce que ton ingrat de frangin m'a dit, l'enfoiré ?

— Non, mais commençons par le commencement. Que s'est-il passé avec Catherine ?

L'espace d'un instant, il me considère avec un regard vide, comme s'il n'y avait la place dans son esprit que pour un ennemi à la fois. Puis il sourit et hoche de nouveau la tête, encore plus lentement, ce coup-ci.

— Alors celle-là, c'est quelque chose. Ce qu'on peut appeler une vraie petite salope.

214

— Vous avez eu une grosse dispute ?

— Non, nous n'avons pas eu une grosse dispute.

La narration, ce n'est pas son truc, à moins qu'il ait une bonne chute.

— Elle s'est tout simplement tirée et j'ai dit « Bon débarras ».

— Tu étais à la maison ?

Catherine était-elle partie comme ma mère, en douce, en laissant juste un mot sur la table de la cuisine ? C'était la seule façon, semblait-il.

— Oui. J'étais dans le pool house. Je l'ai vue passer devant moi en voiture.

— C'était à quel moment de la journée ?

— A neuf heures du matin, environ.

Je pensais qu'elle était partie à minuit, furieuse sous l'effet de l'alcool, pas un samedi matin ensoleillé.

— Et elle est revenue en rampant le lendemain. Mais j'avais un flingue et je lui ai dit de dégager de ma propriété.

— Un flingue ?

— Un peu, mon neveu !

— Une carabine à air comprimé ?

Je m'efforce de réprimer un sourire.

— Si tu vises au bon endroit, ça peut faire des dégâts.

— Papa, Catherine et toi avez vécu longtemps ensemble.

— Les pires années de ma vie.

— Vraiment ?

— Enfin, quelques-unes des pires.

— Je vais aller parler à Catherine. Je sais que tu peux...

— Si tu fais ça... menace-t-il en se redressant avec difficulté, un doigt pointé sur moi. Si tu fais ça, si tu t'approches un tant soit peu d'elle, j'appellerai la police ! Tu peux quitter cette maison sur-le-champ si

215

c'est là ton idée. Je ne veux plus jamais entendre parler de cette femme ; *jamais*, tu me comprends ?

Ses yeux sont deux fines fentes jaunes.

— Oui, réponds-je d'une voix fluette.

Les parois de mon estomac commencent à se recroqueviller. Machinalement, je me lève, remets la chaise à sa place, prends son plateau et sors rapidement de la pièce pour redescendre dans la cuisine. D'un ton aussi doux que possible, je lui conseille par-dessus mon épaule de faire un petit somme.

Voilà des années que je n'avais pas déclenché le courroux de mon père. Il y a bien longtemps que j'ai appris à l'éviter. Je n'évoque ni la politique, ni l'histoire, ni la littérature, ni les avocats – surtout les avocats juifs –, ni tout autre sujet qui puisse être lié de près ou de loin à ma mère. Je ne le chambre pas et je reçois ses taquineries avec un sourire ; je réduis mes pensées et mes opinions au strict minimum. Je pose des questions. Je me rends utile. Je ne parle pas de mes centres d'intérêt, de mes relations ni de mes ambitions. Catherine et lui me trouvent ennuyeuse et ne manquent jamais de me mettre en boîte à ce propos, mais c'est un bien modeste prix à payer pour que règne la paix.

Pas un instant je n'avais envisagé qu'il refuserait le retour de Catherine. Il avait désiré celui de ma mère, ou du moins le supposais-je. Je n'ai pas de plan B.

Je décroche le téléphone, le vieil appareil que j'ai toujours vu là, avec son long cordon et son cadran rotatif. Jonathan répond avant la seconde sonnerie.

— Ce n'est que moi.

— Salut, que toi.

Sa voix tremblote ; il s'est affalé sur le lit et a écrasé un oreiller sous sa tête. Il s'installe pour une longue conversation. Soudain, je ne m'en sens pas la force.

— Alors, comment va-t-il ?

— Ça va.

Trop de choses à expliquer : Garvey, l'hôpital, l'échec du plan A.

— Tu me manques, poursuis-je. J'ai envie d'être à Paloma Street avec toi.

— Plus que neuf jours et demi. Tiens, je pensais justement à toi. Ecoute ça. J'étais en train de relire *La Conversion*...

Puis, après un bruit de froissement étouffé :

— OK, voilà.

C'est une longue citation et je m'efforce de me concentrer, mais les mots me glissent dessus.

— Ça me plaît, prétends-je une fois qu'il a fini, mais je n'ai pas d'autre commentaire à ajouter. Il y a des assiettes, ici. Je me souviens qu'en revenant de chez mes grands-parents cet été-là, je les avais vues dans la cuisine : c'est la belle vaisselle en porcelaine de Catherine. Les gosses mangeaient dans des assiettes en plastique, mais papa et Catherine se servaient toujours de celles-ci. Elle ne les a pas emportées. Elle n'a apparemment pas emporté grand-chose. C'est sans doute bon signe, ne crois-tu pas ?

— Tu veux qu'elle revienne ?

— Pour mon père, c'est le seul espoir, je pense. Il est incapable de se débrouiller seul.

— Et s'il prenait un genre de gouvernante ?

— Il n'aime pas les gens qu'il ne connaît pas.

— Es-tu vraiment issue du bas-ventre de cet homme ?

— Ne dis pas ça, s'il te plaît. Ça s'est bien passé les cours, aujourd'hui ?

— Plus que deux.

— Tes étudiants doivent rendre leurs copies la semaine prochaine ?

Aussitôt qu'il les aura eues et qu'il les aura notées, il pourra partir.

— Mercredi matin. Tu sais, ce bouquin de Baldwin m'a probablement plus marqué que tout ce que j'ai pu lire en cours de philosophie. Le récit est la meilleure façon de transmettre les idées. Pour la plupart des gens, la philosophie est indigeste tant qu'elle n'est pas enveloppée dans une bonne histoire.

C'est étrange d'entendre sa voix ainsi que les mots « Baldwin », « philosophie » et « récit » sur la même ligne que nous utilisions pour faire nos farces au téléphone. *Est-ce que John Mur est là ? N'y a-t-il donc aucun Mur, chez vous ? Alors, qu'est-ce qui tient votre maison debout ?*

— Je n'en sais rien.

— Ça va, Dales ?

— Je crois que je devrais aller voir où il en est.

— Tu crois ?

Je regrette d'avoir téléphoné si tôt. Ce n'est jamais une bonne idée que de chercher à mélanger l'univers de mon père à tout autre univers. C'est une chose que j'avais fini par apprendre, à force.

— Je t'appellerai quand je reprendrai la route.

— Je t'aime.

J'ai l'impression qu'il se sent obligé de dire cela, mais je sais que c'est le décalage dû au fait de me trouver dans cette maison.

Dès qu'il a raccroché, je brûle de le rappeler.

— C'était qui ?

Je sursaute. Il a la faculté de s'approcher quand il veut à pas de loup et de vous surprendre.

— Une copine. Elle s'installe en Californie elle aussi.

Le mensonge vient instinctivement, comme chez les chats du désert qui se hâtent d'enterrer leur proie dans le sable.

218

Il s'est changé et a mis un pantalon rouge vif. Ses cheveux sont humides et soigneusement coiffés en sillons.

— Quand dois-tu repartir ?

— Après-demain. J'ai une chaire à Berkeley qui démarre dans dix jours.

J'ignore si Garvey le lui a expliqué. Passant devant moi, il se dirige vers la porte, où les chiens grattent pour montrer qu'ils veulent sortir. Un ruisseau de fourrure s'écoule par l'ouverture. Mon père regarde au-dehors par le battant à moustiquaire. La petite chienne reste à ses côtés. Il la pousse du bout de sa chaussure bateau.

— Ma foi, on n'a pas de chaire, nous, Maybelle, hein ?

Puis il s'approche soudain du bar d'un pas décidé. Il n'est même pas deux heures. Je n'ai jamais essayé de réguler la consommation d'alcool de mon père, de suggérer qu'il ne prenne pas le verre dont il avait envie. Ce serait comme de tenter de séparer un serpent d'une souris.

Tous ses mouvements sont d'une telle précision : les glaçons dans le verre orné de son monogramme, la rupture du sceau en papier de la nouvelle bouteille de Smirnoff, la giclée de vermouth, le coup de poignet méticuleux pour libérer quelques petits oignons. Puis la pause et ensuite la première gorgée, les paupières closes de plaisir. Je n'avais jamais eu conscience de l'amour mis dans tout ce rituel.

L'alcool ne m'a jamais rien apporté. J'ai pris ma première cuite avec Mallory, en quatrième. Profitant de ce que ma mère et Paul étaient sortis, nous avions mélangé du Grand Marnier avec du jus de fruits exotiques. Mallory s'était mise à glousser bêtement et moi j'avais vomi. Lorsque ma mère était rentrée, j'étais encore penchée au-dessus des toilettes. Elle

219

avait semblé plus soulagée que fâchée. « Je crois que tu es comme moi, ma chérie, a-t-elle dit en me frottant le dos. Tu ne tiendras jamais l'alcool. » Elle avait raison.

Nous avons l'après-midi, la soirée et la nuit devant nous. Dehors, le ciel est une immensité bleue, le soleil cogne sur l'herbe, sur le pelage des chiens couchés sur la véranda de derrière. A l'intérieur il fait sombre et frais.

— Une partie de backgammon ? proposé-je un peu en désespoir de cause.

— OK.

Nous passons au petit salon et ouvrons le meuble où sont rangés les jeux. Une odeur chaude de bois de cèdre s'en échappe. La boîte de backgammon est sur le rayon du bas et le similicuir qui l'enveloppe a adhéré au bois. Je dois tirer fort pour l'en décoller. Il s'installe sur le sofa et pose son verre sur le bout de canapé, un geste fluide que je l'ai vu exécuter un million de fois. J'approche un fauteuil pour me placer face à lui, le jeu entre nous deux, sur la table basse. Les pions sont lourds et ont l'aspect du marbre. Les dés résonnent d'un bruit sourd dans les gobelets garnis de feutre. Je n'ai pas joué avec lui à un jeu de société depuis que j'étais toute petite.

Nous commençons. Aucun de nous deux n'a de doute sur le jan intérieur : moi à gauche, lui à droite. Il ne dit pas « Je vais te mettre la pâtée, ma petite » pour faire monter la pression, comme s'y emploie Jonathan chaque fois que nous jouons. Mais à l'entendre respirer et à le voir arranger avec soin ses rangées de pions, je me rends compte qu'il songe à la victoire. Moi, je ne l'envisage jamais en débutant une partie. Au départ, ma seule pensée est que je suis vraiment heureuse de jouer, que c'est un plaisir particulier et ancien, que c'est un merveilleux dérivatif à la vie quotidienne, aux conversations quotidiennes. Le désir de gagner ne survient qu'après, lorsque je m'aperçois que ma joie ne m'a pas permis d'être en tête. Alors l'anxiété se manifeste et je me concentre. Si je perds, j'ai l'impression que ce n'est pas seulement à un jeu, que je perds, et si je l'emporte, l'euphorie est temporaire – l'abattement de mon adversaire m'interdit de me réjouir.

Mon premier lancer donne 6-5, le saut des amoureux. Il tente de bloquer ma dernière dame, mais n'en a pas la possibilité. Je le frappe plusieurs fois en sortant. J'ai bientôt piégé quatre de ses dames dans mon jan intérieur.

Il accueille ma victoire par un gémissement de fausset, mais sans colère. Il a à peine touché à son verre. Nous disposons de nouveau les pions sur le tablier.

Les dés sont encore avec moi. Je le double après mon troisième jet et il accepte.

— Ah, tu fais la péteuse, hein ? plaisante-t-il. Toi et ta chaire. Mais je ne suis pas aussi bête que j'en ai l'air, tu sais.

Il obtient des doubles 5 et dégage deux de mes dames.

— J'étais assez bon à l'école, à une époque, reprend-il.

— Ah bon ?

— Ne sois pas si surprise.

— Je ne le suis pas. Je sais que tu es intelligent. Peut-être pas vraiment au backgammon.

Je m'en sors avec un 4-3 et liquide deux de ses dames.

— Tu sais ce que j'aimais, à l'école ?

— Quoi ?

— Shakespeare.

— Shakespeare ?

— Une fois, nous avons dû apprendre un passage de *Jules César*.

— Un monologue ?

— Je crois.

C'est son tour, mais il ne lance pas les dés.

— *Ô conspiration, as-tu honte de montrer dans la nuit ton front sinistre, quand le mal est le plus libre ?*

Tandis qu'il déclame le texte, son cou s'allonge et rougit, cependant que sa pomme d'Adam, toujours aussi proéminente, y dessine un chemin plus pâle.

— *O, alors dans le jour, où trouveras-tu une caverne assez noire pour masquer ta face monstrueuse ?*

— Waouh, papa ! Quelle mémoire !

Il me considère avec le regard dont il gratifiait parfois Catherine, son regard « Va te faire foutre ». Puis il boit une longue gorgée de sa vodka martini, qui efface la couleur de son visage.

A la partie suivante, il me bat. Il se lève pour aller se préparer un autre cocktail. Il l'emporte de nouveau. Il boit plus vite quand il gagne.

— Je jouais à ça avec ma mère, explique-t-il.

J'attends la suite. Il est rare qu'il évoque son enfance.

— Elle m'envoyait à la cuisine pour aller chercher la bonne et elle en profitait pour changer les pions de place. C'était une épouvantable tricheuse.

C'était une épouvantable buveuse, m'avait raconté ma mère.

— Je lui disais : « Tu n'as qu'à sonner, pour la bonne. » Il y avait un bouton sous le tapis, à côté de sa chaise, et il lui suffisait d'appuyer dessus pour que ça sonne à la cuisine. Mais elle répondait : « La bonne devient sourde. » Il n'était pas question de contredire ma mère. C'était une chose que j'avais apprise très tôt.

— Comment ? Qu'est-ce qu'elle te faisait ?

— Elle me mettait des pinces à linge sur les oreilles.

— Papa, arrête !

— Et ça faisait diablement mal, en plus.

— Oh, mon Dieu ! C'est vraiment tordu.

Il rit à ce mot.

— Elle était tordue, ça c'est sûr.

— As-tu déjà vécu seul auparavant ?

— Voyons voir... J'avais une chambre pour moi tout seul pendant mon année de licence.

— Et tu mangeais au réfectoire ?

— Je mangeais à mon club.

— Et on te lavait ton linge ?

— Tous les lundis matin.

— Avant que je reparte, je te montrerai comment laver tes vêtements et te préparer quelques plats.

— Je sais comment on fait les steaks et les saucisses. C'est tout ce que j'ai besoin de savoir.

— Il n'y a pas une recette que tu aurais envie de connaître ?

Il réfléchit un instant.

— La sauce hollandaise. Celle de Catherine était atroce.

Il veut la recette de ma mère. Il dit qu'il regrette la sauce hollandaise de ma mère. Encore maintenant, j'éprouve un frisson de joie lorsque je vois un rai de lumière filtrer par une fissure dans la grande muraille qui les sépare.

Quand il revient dans la pièce avec un autre verre, il déclare :

— C'est sympa.

— Quoi ?

— De jouer au backgammon.

— Mais oui, c'est sympa.

— J'aimerais bien que tu puisses rester plus long-temps.

Ce sont des paroles que je n'ai jamais entendues dans sa bouche, des paroles simples. *C'est sympa. J'aimerais bien que tu puisses rester plus longtemps.*

— Moi aussi.

J'ai l'impression que c'est sincère et en même temps, après quelques secondes, totalement insincère. Deux soirs, c'est le maximum que je puisse supporter. Et je sais ce qu'il est en train de faire, je connais sa capacité à jouer de son charme lorsqu'il attend quelque chose de vous.

Je le bats dans la dernière partie, backgammon, et il en rit.

— Tu joues bien, convient-il en rangeant la boîte.

Après cela, je le traîne jusqu'à la buanderie. Le local n'a pas changé : les machines ivoire, les panières en osier, le meuble qui abrite le coffre-fort.

Je lui explique comment trier le blanc, les couleurs et le noir. Comme il y a suffisamment de tenues de tennis pour faire une petite lessive, je les fourre dans le tambour, mesure la poudre de lavage, étudie le choix des programmes et tire sur le bouton. Lorsque l'eau arrive, je ferme le couvercle. Puis nous passons au sèche-linge et je lui explique le fonctionnement des cadrans. Je nettoie le filtre à peluches. Même s'il lâche des « Hmm-hmm » et des « D'accord » aux moments adéquats, je suis consciente qu'il n'écoute pas. Il se comporte comme si tout cela était hypothétique, comme si je le préparais à une situation d'urgence qui ne se présentera jamais.

Il me montre le vieux sèche-cheveux sur roulettes rangé dans un coin, un casque vert-de-gris sous lequel ma mère passait des heures, isolée du monde. Je m'approche et touche l'épais rebord de métal. Je revois son pied battant de bas en haut, je perçois

224

le bruit sec des pages du magazine *Time* qu'elle feuillette. Je sens la douleur du manque croître en moi, puis se figer – je ne peux pas me languir d'elle devant mon père. Mais à une époque elle s'était tenue là, à une époque nous avions tous formé une famille dans cette maison. On dirait une histoire, un conte de fées, quelque chose que l'on m'a raconté, et non un souvenir. Il était une fois une belle dame qui vivait avec un beau monsieur dans une grande demeure non loin de la mer. Ils avaient deux enfants adorables, un garçon et une fille. Mais la belle dame n'était pas heureuse et, un jour, elle a pris la petite fille ainsi que tous les bijoux, et a disparu.

11

Comme ma voiture n'est pas assez spacieuse pour transporter les courses, je prends celle de mon père afin de me rendre au supermarché. Dans la descente qui m'amène en ville, je me trouve derrière une Volvo dont le pare-chocs porte un autocollant proclamant que son occupant préférerait faire de la planche à voile. Devant la poissonnerie, celui d'une Saab pencherait plutôt pour le ski. Je ris comme si Jonathan avait été à côté de moi, à plaisanter sur le sujet. « Ouais, aurait-il fait, là où j'ai grandi, on se mettait sur le cul des autocollants qui disaient JE PRÉFÉRERAIS CONDUIRE UNE BAGNOLE. » A la vue de la berline beige de mon père, des mains se soulèvent des volants pour saluer, puis des yeux surpris lancent des regards scrutateurs. Les conducteurs ne me reconnaissent pas, mais moi je les reconnais : Mme Utley, qui fume cigarette sur cigarette à bord d'un break vert ; Mme Braeburn, qui pince ses lèvres sévères à bord d'une Jeep bleu marine ; la petite Mme Wentworth, penchée en avant à bord d'une camionnette, ne laissant que son front visible ; M. Timmons, qui a inexplicablement pris sa retraite alors qu'il avait la petite quarantaine, en train de garer sa décapotable bleu pastel devant le bureau de poste avec toute la concentration du chef qui dirige une modeste manœuvre militaire.

Après le décès de ma mère, je ne suis revenue à Ashing qu'à l'occasion de rares et brefs séjours. Deux nuits par an avec mon père et Catherine me suffisaient amplement. En chemin, je songeais à toutes les personnes que j'avais envie de voir : anciens amis qui se trouveraient là par hasard au même moment, intimes de ma mère qui m'avaient écrit de gentilles lettres à la suite de son décès. Je prévoyais de me rendre dans tous les magasins, de pointer mon nez au Mug et chez le marchand de bonbons. Je voulais aller voir ces gens parce qu'ils me manquaient et parce que je savais qu'il serait salutaire pour moi de briser l'oppressant carcan d'émotions intenses que génère chaque rencontre avec mon père. Mais la maison de mon père n'était pas le genre d'endroit où vous pouviez entrer et dont vous pouviez sortir aussi nonchalamment que cela. Elle vous engloutissait jusqu'à ce qu'elle vous recrache. Son ambiance familière était séduisante : mon père qui m'accueillait avec animation dans l'allée, sa voix rauque pleine d'histoires qu'il semblait m'avoir exclusivement réservées. Je n'arrivais que de manière sporadique à faire coïncider mes visites avec celles de Patrick. Après ses études, il s'est installé à Miami avec une femme prénommée Hill et les trois enfants de celle-ci, mais ils ne remontaient pas souvent dans le Nord. Frank a fini par atterrir à New York, Elyse dans le Wyoming, et je ne les voyais jamais eux non plus. Alors, pendant mon premier soir en compagnie de mon père et de Catherine, je me demandais pourquoi je ne rentrais pas plus fréquemment à la maison. Mon père se soûlait, mais il paraissait heureux, enjoué. Jamais je n'envisageais, en cette première soirée, d'aller dans les bars de la ville, comme en avaient coutume les autres jeunes de mon âge lorsqu'ils rentraient voir leur famille. J'allais me coucher en même temps que Catherine et lui, sombrant alors dans un profond sommeil. Mais la fête se terminait immanquablement le lendemain après-midi. La bonne humeur de mon père ne durait jamais longtemps. Catherine aura dit quelque chose qui lui aura tapé sur les nerfs, ou un voisin aura débarqué sans y avoir été invité, ou encore quelqu'un du travail aura téléphoné. Sa colère grimpait peu à peu et, le soir venu, il bouillonnait et grommelait ; quant à moi, je m'efforçais d'esquiver autant d'insultes que je le pouvais. Je repartais toujours sans avoir vu qui que ce soit d'autre à Ashing. Il me faisait oublier ceux auxquels j'étais attachée, il me rendait reptilienne. Rencontrer d'autres personnes signifiait que celles-ci risquaient de découvrir mes écailles.

Mais les circonstances sont différentes, maintenant. La dernière fois où j'étais venue ici, j'avais dans le coffre de ma voiture une caisse de lait qui contenait les plus de deux mille pages de ma thèse et je sortais juste d'une rupture pénible. Mais à présent j'ai dépassé toutes ces incertitudes. Tandis que je monte le plan incliné qui amène du parking aux portes vitrées de chez Goodale, je me dis qu'il est presque miraculeux que je sois saine et sauve ce coup-ci.

Il y a au moins dix ans que je n'ai pas mis les pieds dans ce magasin et vu Mme Goodale lancer son bref regard irrité qui laissait sous-entendre qu'elle avait autant besoin d'un nouveau client que d'un trou dans sa tête. Je ne ressemble plus trop à celle que j'étais enfant : j'ai de longs cheveux qui dégringolent le long de mon dos, mon corps maigre s'est étoffé et la grimace de défense que j'affiche sur toutes les vieilles photos s'est effacée. J'avais dans l'idée d'être une espionne dans les allées du supermarché, de guetter tout commentaire relatif à mon père et à Catherine, de glaner toute indication sur l'endroit où celle-ci se trouvait et sur l'éventualité de son retour la maison. Mais lorsqu'elle lève la tête, Mme Goodale s'exclame, sans le moindre temps d'hésitation :

— Daley Amory ! Revenue du fin fond de l'au-delà !

C'était un peu comme d'être annoncée par un valet de pied à l'entrée d'un bal. Sa proclamation porte jusqu'au rayon boucherie du fond avant de ricocher vers ceux des surgelés et des produits laitiers. Heureusement, il n'y a pratiquement personne dans le magasin, en dehors d'une de mes profs de sixième, laquelle examine attentivement les tomates, affreuses boules pâles et dures réunies par trois sur des plateaux de polystyrène vert et emballées sous un épais film de cellophane. Elle me semble avoir une mine encore plus renfrognée qu'autrefois, quoique j'aie la sensation qu'elle essaie en réalité de me sourire, en ce moment. Je m'aperçois qu'elle n'est pas aussi âgée que je l'avais cru alors. Je ne lui donnerais pas plus de soixante ans. Elle ne m'aimait pas beaucoup. Je l'avais eue la première année où nous avions habité Water Street, la première année du divorce de mes parents. Sur le bulletin scolaire envoyé à la maison à Noël, elle me qualifiait de petite fille maussade. Garvey se moquait de moi avec ça. Il m'avait même surnommée « Grincheux », à une époque. Quand, à la fin de l'année, j'avais décroché une note parfaite à mon examen de maths, elle a dit que c'était un coup de chance extraordinaire.

Je me faufile dans l'allée des légumes pour m'approcher d'elle, plus que je ne le fais en général, surtout avec les gens que je n'apprécie pas.

— Bonjour, mademoiselle Perth.

Je ne suis guère plus grande qu'elle, mais comme j'ai mes chaussures noires à lacets et à hauts talons trapus – mes favorites –, je me fais l'effet d'être immense à côté d'elle. Elle sursaute comme un chat et recule d'un pas.

— Oh, c'est vous, répond-elle, ayant oublié mon nom. La sœur de Gardiner.

Voilà qui me rappelle une autre déclaration qu'elle avait faite en automne, quelques semaines après la rentrée scolaire. « Eh bien, vous ne ressemblez en rien à votre charmant frère, dites donc. »

— Et que devenez-vous, maintenant ?

A sa façon de prononcer « que devenez-vous », on a l'impression que c'est une expression qu'elle désapprouve, mais qu'elle ne sait plus comment formuler l'idée du temps écoulé.

Je marque une pause. J'ai envie de me vanter, de lui prouver que ce n'était finalement pas que de la chance, mais je souhaite y mettre de l'humilité.

— Un peu désœuvrée, visiblement, poursuit-elle.

— Pas vraiment.

Je ris, mais mon explication reste bloquée dans ma gorge. Me défendre n'a jamais été un de mes points forts.

— Daley ?

De l'arrière du magasin, une grosse femme vêtue d'une robe bleu marine fond à présent sur moi.

— Seigneur, c'est *bien* toi ! Tu es une vraie bombe ! Regarde-toi un peu, avec tes souliers brillants !

Elle m'enveloppe par le côté et mon épaule est noyée entre ses énormes seins.

— Vivement que je raconte à Neal que tu es revenue ! reprend-elle.

C'est Mme Caffrey. Depuis mon retour, j'ai oublié de me rappeler Neal Caffrey. De grâce, n'en faites rien, pensé-je. Ne prononcez pas mon nom devant Neal.

— Il est ici, tu sais. Je veux dire : il habite ici. Il tient une boutique.

Elle pointe le doigt en direction du centre de la ville. Neal Caffrey tient une boutique à Ashing ? Lui qui avait gagné tous les prix d'excellence à la fin de la quatrième, ainsi que la grande coupe en argent qui récompensait le meilleur élève dans les domaines scolaire, sportif et citoyen. La coupe Renaissance.

— Il serait ravi de te revoir.

Elle s'assure d'un bref regard que mon annulaire gauche est nu et ajoute :

— Je pense que ça collerait bien, entre vous.

— Je ne suis là que pour une journée encore. Je pars en Californie dimanche matin. Je suis professeur à Berkeley.

C'est la première fois que je l'annonce ainsi, au présent. Je parle fort, mais Mlle Perth a déjà passé le coin du rayon.

— Oh...

Mme Caffrey a l'air profondément déçue. Elle donne un coup de pied dans une caisse de poireaux qui attend d'être ouverte.

— Il ne rencontrera jamais personne, dans cette ville, se désole-t-elle. Tous les gens intéressants s'en vont. Seuls les paumés traînent encore ici.

Jamais je n'ai autant bavardé avec la mère de Neal. Je me souviens d'elle quand nous faisions la queue pour le covoiturage à l'école. Elle était toujours debout à l'extérieur des autos et se penchait à l'intérieur de l'une ou de l'autre, puis en ressortait en éclatant de rire. Elle possédait cette jovialité et cette chaleur propres aux personnes corpulentes. Neal n'en avait pas hérité. A partir de la quatrième, il était devenu cafardeux. Un cafardeux qui plaisait, toutefois. Les filles ne lui résistaient pas. Je ne lui avais plus jamais parlé après ce fameux été. Il ne s'en était même pas aperçu. Il trouvait que j'étais concave. C'était ce qu'il avait dit à Stacy Miller en cinquième :

que j'avais tellement peu de poitrine que j'en étais concave. Après la quatrième, il est entré à l'école publique d'Exeter tandis que je suis restée dans le privé.

Derrière nous, quelqu'un entre dans le supermarché – je sens une brève bouffée d'air plus chaud –, contournant les fruits et légumes. A la silhouette des plus vagues qui traverse la périphérie de mon champ de vision, je reconnais les grandes enjambées de Catherine.

— Alors, dis-moi de quoi tu es professeur, au juste, mademoiselle Je-Sais-Tout, plaisante Mme Caffrey après avoir retrouvé sa bonne humeur.

— Il faut que je file. Je suis désolée.

— Fais un saut à la boutique de Neal en rentrant à la maison ! C'est celle qui a un phare peint sur l'enseigne.

Je me précipite dans l'allée centrale, où j'ai vu disparaître Catherine, mais elle est déserte. Au fond de l'établissement, Brad Goodale se tient derrière le rayon boucherie, exactement là où je l'avais laissé au début des années quatre-vingt. Il est occupé à découper une pièce de viande pour quelqu'un dont le visage m'est inconnu. Dans la dernière allée, deux hommes de mon âge sont en train d'étudier les yaourts. Tandis que je les dépasse pour foncer vers la sortie du magasin, je remarque que l'un des deux a un doigt accroché dans un passant de ceinture de l'autre. Malgré ma fébrilité, je ne peux m'empêcher de sourire, heureuse que le changement ait même réussi à arriver jusqu'à Ashing. Je parviens à la caisse juste à temps pour voir l'épaisse chevelure brune, plus courte que dans mon souvenir, tourner à gauche en sortant pour regagner le parking. J'envisage un instant de me lancer à sa poursuite, mais je ne pense pas qu'un comportement désespéré m'aiderait à plaider ma cause. Et en ce moment précis, le seul sentiment que j'éprouve est le désespoir.

— Je suppose qu'elle a oublié sa liste, avance Mme Goodale en enregistrant les quelques articles du panier de Mlle Perth.

J'ai les yeux fixés sur les portes vitrées, la respiration haletante, toujours déchirée par l'indécision. Je devrais l'arrêter avant qu'elle quitte le parking. Mais est-elle celle qu'il lui faut, en fin de compte ? Ne serait-il pas mieux avec une personne plus docile ? Mais *sans* personne, il risque tout simplement de s'autodétruire. Je m'approche de la sortie. Et alors j'aperçois sa voiture, la petite BMW bordeaux, à l'arrière de laquelle un autocollant nouvellement apposé sur le pare-chocs annonce : JE PRÉFÉRERAIS ÊTRE DIVORCÉE.

Mon père suit les infos dans le petit salon. C'est étrange de le revoir dans cette pièce, avec son cendrier et son verre, comme s'il ne l'avait pas délaissée pour le solarium pendant toutes ces années avec Catherine. Un canapé a remplacé les fauteuils inclinables qui avaient eux-mêmes succédé au sofa que ma mère avait emporté à Water Street. L'endroit semble presque avoir retrouvé son aspect normal, même si les housses sont faites d'une laine rêche que jamais ma mère n'aurait choisie. Il regarde la télévision la tête penchée, les yeux plissés sous ses paupières. Une femme traite de la discrimination positive sur les marches d'un tribunal. Elle s'exprime avec clarté et concision, s'efforçant de placer le plus de mots possible dans les quelques secondes qui lui sont dévolues sur l'antenne de la télévision nationale.

— Pourquoi est-ce que les Noirs parlent toujours des Noirs ? Tu n'as jamais remarqué ça ? demande mon père.

Il a utilisé son infecte version de l'accent afro-américain, alors que la femme qui est à l'écran a la prononciation neutre des présentateurs de journal télévisé.

— Parce que, dans ce pays, ils sont définis par leur couleur de peau et qu'ils ont dû se battre pour obtenir tous les droits élémentaires qui nous sont automatiquement accordés du fait que nous sommes nés blancs.

— Se battre pour leurs droits ? Cette femme se bat pour l'inégalité. Cette femme veut qu'un étudiant noir médiocre soit préféré à autre étudiant brillant. Elle se bat pour leur droit à frauder.

Ma réplique se construit promptement. Je ne manque dorénavant pas de munitions sur ce sujet, néanmoins tout mon savoir ne me sera d'aucune utilité pour gagner un combat contre mon père. Il s'accrochera à sa position, en dépit de tout bon sens ; il s'y accrochera comme si c'était sa vie et non son opinion qui était en péril. Il se montrera méchant, cassant, et tous les sentiments négatifs qu'il a pu éprouver envers moi se déverseront de sa bouche. Il faudrait beaucoup de temps pour parvenir à ce que mon père se débarrasse un jour de sa rhétorique raciste et antisémite. Cela nécessiterait une rééducation complète. Ses préjugés sont un méli-mélo de haine de soi, d'ignorance et de peur. S'il était possible de déraciner et d'examiner ces instincts, peut-être n'aurait-il pas besoin de boire autant pour fouler aux pieds la douleur qu'ils génèrent.

— Tu n'as pas grand-chose à répondre à ça, pas vrai ?

Jonathan serait-il horrifié par ma lâcheté ? Comprendrait-il qu'il serait vain de discuter, que cela ne pourrait que me blesser profondément sans changer mon père en quoi que ce soit ?

— Je vais commencer à préparer le dîner.

J'entends la voix de ma mère dans le ton que j'emploie avec lui.

— Veux-tu que je t'appelle quand j'attaquerai la sauce hollandaise ?

— La quoi ?

Puis, se souvenant :

— Oui. Bien sûr.

Mais le moment venu, il s'appuie mollement contre le comptoir, les mains dans les poches, me regardant sans me regarder cependant que je bats les jaunes d'œufs au fouet dans une casserole, puis ajoute une par une les noisettes de beurre.

— C'est si facile, papa. Le seul truc, c'est de garder le feu le plus bas possible sans cesser de remuer. La sauce se séparera, si c'est trop chaud. Tiens, prends le fouet.

Il s'exécute et, me singeant assez bien, agite à petits coups de poignet l'espèce d'ampoule en fil dans la sauce, qui s'épaissit ensuite progressivement. Ma poitrine se gonfle d'espoir. J'ai l'idée saugrenue que s'il est capable de réaliser lui-même sa sauce hollandaise, il s'en sortira. Et s'il peut à la fois apprendre à confectionner la sauce hollandaise et à laver ses vêtements, il n'aura carrément pas besoin d'une épouse.

A table, son faux-filet noyé sous la A-1, ses asperges nappées de hollandaise, il est reconnaissant. Et bien soûl.

— Tu es une sacrée bonne cuisinière, tu le sais ?

Je dors dans la chambre d'Elyse. Mon ancienne chambre. Le tapis est vert et non plus jaune, une peinture à l'éponge bleue a succédé à la tapisserie à pâquerettes. Mais les arbres que j'aperçois par la vitre sont les mêmes. Des pins, des hêtres, des chênes. Un pour chaque fenêtre. Je me couche et éteins. Tous mes bouquins sont dans la voiture. Je n'ai rien à lire pour m'endormir.

— C'est qui, là ? disait mon père chaque fois qu'il entrait dans cette même chambre pour me souhaiter bonne nuit.

Il soulevait Porcinet par l'oreille.

— Non, non, pas Porcinet ! gloussais-je.

Il pivotait le torse et donnait un coup de poing dans la figure de Porcinet.

— Paf ! s'exclamait-il. En pleine poire !

Porcinet volait de l'autre côté de la pièce. Ensuite, il découvrait toutes les autres peluches éparpillées au bout de mon lit ainsi que sur le rocking-chair et, une à une, il leur parlait gentiment, attendait mes fausses protestations, puis les expédiait d'un coup de poing à l'autre extrémité de la chambre. Je riais et riais encore.

Le lendemain matin, je reste longuement plantée au milieu de la salle de bains. C'était ici, devant le lavabo, que ma mère m'avait annoncé vouloir quitter mon père. Il y a eu dix-huit ans la semaine dernière. Je portais une chemise de nuit blanche sans manches. Elle avait une peur bleue. Je m'en rends compte maintenant. Ses lèvres avaient la même couleur que sa peau. Ses yeux étaient emplis de larmes et le marron de leur iris tremblotait. Elle se tenait exactement à cet endroit, devant le lavabo, sa brosse à dents à la main, et il émanait d'elle son odeur du matin, légèrement aigre. Et à présent elle est morte. Ce depuis des années, même si je n'ai pas cette impression. Moi j'ai l'impression qu'elle est juste partie quelque part avec Paul. Dans tous mes rêves, elle est partie et est sur le point de revenir. Je me retrouve souvent sur le chemin de l'aéroport où je dois la récupérer ou sur celui de Water Street pour nettoyer l'appartement avant son retour. Dans la réalité je n'ai fait ni l'un ni l'autre.

Paul m'écrit régulièrement, me téléphone pour mon anniversaire, me demande de lui rendre visite. Je lui réponds de manière sporadique, me rappelle rarement la date de son anniversaire et ne lui rends jamais visite lorsque je suis dans le Massachusetts pour voir mon père. Je me dis que je vais y aller, et puis je n'y vais pas. Est-il à Cape Cod actuellement ? Il y passe autant de temps qu'il lui est matériellement possible, m'expliquait-il dans son dernier courrier. Ma mère et lui louaient chaque été une petite maison à Truro, que le propriétaire a fini par lui vendre l'automne précédent. Sa lettre regorgeait de points d'exclamation, ce qui n'est pas son genre, alors je devine combien il doit être excité.

Tandis que je regagne le lit d'Elyse, je me demande si j'ai ou non pris la plume pour le féliciter. Je n'en ai aucun souvenir. Cette pensée donne dans mon esprit le signal de départ de tout un défilé de gens que j'ai laissés tomber ou que je n'ai pas appréciés à leur juste valeur. Une sensation ancienne, un impalpable malaise, m'engourdit les membres. Il faudrait que je ferme les yeux pour oublier tout cela dans le sommeil, mais je perçois le gargouillis de l'eau qui s'engouffre dans les tuyaux pour la douche de mon père. Le matin est toujours le meilleur moment où être en sa compagnie.

Mais aujourd'hui, il descend en affichant un air renfrogné, prépare son café sans chantonner ou siffloter, contrairement à son habitude, appelle les chiens à leur gamelle d'un ton brusque, puis ouvre la page des sports et se met à maudire un joueur des Red Sox dont je n'ai jamais entendu parler. Sa colère va jusqu'à se diriger contre son propre pied, qu'il glisse deux fois hors de son mocassin pour le gratter. Je relève qu'il y a un trou au bout de l'une de ses chaussettes. Cela ne lui ressemble pas, de porter des affaires déchirées.

— Regarde-moi donc cet orteil qui sort de la chaussette !

— Bon Dieu, je n'ai pas une seule paire de chaussettes décente.

— Eh bien, allons t'en acheter. Aujourd'hui.

— Vraiment ?

On aurait dit que je venais de proposer de la barbe à papa à un gosse de six ans.

— Mais oui. Piper existe toujours ?

— Bien sûr que oui. Et un autre pantalon ne serait pas du luxe non plus.

Maybelle bondit devant la porte à moustiquaire.

— Oh, j'te vois ! lance-t-il d'une voix enjouée et affectueuse. J'arrive.

Et le magasin Piper est en effet là où il a toujours été : au rez-de-chaussée d'une vieille maison pourvue d'une grande véranda. Dans la vitrine, je vois les smokings en madras, les casquettes de golf en toile blanche et les ceintures décorées de voiliers, de truites ou de raquettes de tennis. Je frémis à la vision de tous ces articles. Mais mon père ne perçoit pas le ridicule ou la fatuité de ce style vestimentaire, ne perçoit pas le fétichisme qu'exsude un pantalon orné de symboles de richesse, de petits canards ou de cocktails. C'est tout ce qu'il a toujours connu. C'est ce que portent tous les gens qui peuplent son monde.

Il tire la porte du magasin, puis s'écarte pour me laisser passer. Sauf que dans le vase tout aussi clos qu'est mon propre monde, les hommes ne tiennent pas la porte aux femmes et, s'ils le font, s'ils viennent juste de débarquer de la planète Mars, les femmes ne passent pas devant eux. Je voudrais simplement franchir la porte qu'il me tient. Notre sortie a complètement changé son humeur. Il me reste moins de vingt-quatre heures avec lui. Les chaussettes et le pantalon dont il a besoin ne sont qu'à quelques mètres, et puis je sens affluer vers moi l'odeur du magasin, la douce senteur du coton neuf des vêtements qui m'avait apporté tant de plaisir quand j'étais enfant. Mais je ne peux pas.

Je l'encourage d'un geste taquin à entrer le premier. Il refuse.

— Allez, p'pa. C'est toi, qui as un trou dans la chaussette.

Il lâche un rire de dégoût.

— Pas question qu'une *fille* me tienne la porte.

— Et pourquoi pas ?

Il secoue la tête.

— C'est le genre de conneries que tu apprends dans tes écoles chicos ? A te montrer impolie avec toutes les personnes qui font preuve d'un minimum d'éducation ?

Je me sens gagnée par l'épuisement qu'implique toute tentative de communication avec lui. Encore vingt heures. Je passe cette foutue porte.

— Bonjour, nous lance une femme occupée à plier des pulls à torsades dans le fond.

Même si je ne la vois que vaguement, je reconnais sa voix. Mon père bifurque vers la droite, en direction du rayon homme.

— Je n'étais pas à l'école avec elle ? chuchoté-je.

— Elle ? Non. Elle a deux fois ton âge.

— Je crois que c'est Brenda McPheney.

— Bon Dieu, ce n'est pas elle ! Brenda McPheney était une maigrichonne canon !

— Elle était anorexique, c'est pour ça qu'elle était aussi maigre. Elle a été à deux doigts de mourir, en terminale.

— Eh bien, elle était vachement mieux quand elle était anorexique.

Puis, m'indiquant quelque chose par-dessus mon épaule :

— Regarde ça. C'est super, hein ?

Sur une étagère trône une statue en céramique brillante : un labrador noir au regard suppliant qui tient dans sa gueule une vraie laisse.

— J'adore ça, dit-il.

Et c'est vrai. Il contemple cet objet comme d'autres contempleraient un Van Gogh.

Nous choisissons des chaussettes bleues, grises et noires. Alors que nous sommes en train d'examiner le portant à pantalons, mon père jette un coup d'œil vers le rayon dame.

— Baisse-toi ! m'enjoint-il en m'appuyant sur les épaules pour me pousser dans un petit recoin. Zut, alors ! murmure-t-il.

— C'est Catherine ?

— Seigneur ! non. On ne trouve pas de robes hawaïennes, ici. C'est Kelly Gros Lolos. Si elle nous voit, on ne pourra jamais sortir de là.

Les lattes du plancher grincent.

— Merde ! Elle arrive. Rentre le bide et ne respire plus.

Personne ne l'appelle autrement, en ville, sauf en sa présence, et je ne me souviens d'ailleurs plus de son prénom. C'est une incorrigible curieuse, qui se mêle de tout et, comme l'a dit un million de fois mon père, qui est totalement dénuée d'humour. La sentence suprême.

Brenda McPheney s'approche d'elle pour lui demander si elle cherche quelque chose en particulier.

— Pas vraiment, répond-elle, plus par un soupir que par des mots.

Brenda retourne à ses pulls. Mme Kelly lâche un long pet, discret mais grondant. Mon père me regarde, ravi, formant un O avec sa bouche tandis qu'il me serre le doigt pour s'aider à réprimer l'hilarité qui monte en lui. Je ris en silence, le ventre noué et douloureux. Nous sommes courbés et compressés l'un contre l'autre pour pouvoir nous caser à l'intérieur de cette petite niche dans le mur. Je ne sais pas comment il est possible qu'elle ne nous voie pas, mais elle choisit une chemise pour homme en prenant son temps. Enfin, elle repart vers la caisse et apporte à Brenda celle sur laquelle elle a jeté son dévolu.

— Je me demande pour qui elle achète cette chemise, dit mon père tandis que nous rentrons à la maison. L'époux numéro deux l'a quittée au printemps dernier. Tu connais celle du petit Davy Kelly et de ses deux 10/20 ?

Je la connais, mais il est de si bonne humeur.

— Non.

Il est aux anges. Alors il me raconte qu'en CM1, le petit Davy Kelly était un jour rentré chez lui avec un bulletin scolaire où il y avait deux 10/20 en maths et en histoire-géo. Selon sa mère, il n'avait jamais obtenu moins que des 15/20. Elle découvrit alors qu'en maths et en histoire-géo, le fiston était assis à côté d'Ollie Samuels. Mme Kelly a donc débarqué chez les Samuels à l'heure du dîner et, plantée dans leur cuisine, elle a exigé qu'Ollie lui explique ce qu'il avait fait pour distraire son fils pendant les cours de maths et d'histoire-géo. Ollie lui a dit qu'il avait arrêté de parler à Davy depuis longtemps, quand il s'était aperçu que celui-ci donnait dix cents à Lucy Lothrop pour ses réponses en anglais, alors qu'il n'en filait que cinq à Ollie pour les siennes.

Mon père rit comme si c'était la première fois qu'il l'entendait lui-même. J'ai l'impression que c'est une anecdote beaucoup plus vieille que Davy Kelly, une histoire que mon père aurait pu entendre à la radio quand il était petit. C'est tout à fait le type de récit qu'il aime, mettant en scène des gens qui n'ont que ce qu'ils méritent. Dans la culture de mon père, il n'y a pas de place pour l'autosatisfaction ni même pour le sérieux. Quiconque prend quoi que ce soit au sérieux est un imbécile. Tout ne doit être qu'ironie, dédain et raillerie. La passion n'est autorisée que pour le sport. Toute réussite en dehors du court ou du terrain de jeu expose son auteur au ridicule. La réussite dans n'importe quel autre domaine que le sport est révélatrice d'une personne qui prend les choses au sérieux.

Je me dis que c'est le bon moment pour l'interroger au sujet de son travail.

— Que s'est-il passé avec Hugh, papa ?
— Qu'il aille se faire foutre !
— Que s'est-il passé ?
— C'est terminé. J'ai pris ma retraite.

A notre retour à la maison, il y a un message sur le répondeur de la cuisine. « Salut, Gardiner, c'est Patrick. Je rappellerai. Bon. J'espère que ça va bien. » Sa nervosité est perceptible. Le message est haché, débité d'une voix enrouée qui n'a rien à voir avec celle qu'a habituellement Patrick au téléphone, laquelle est restée – du moins pour moi – cette voix fofolle qu'il avait étant gosse. Tandis que je l'entends, il me manque soudain. Je lui téléphonerai dès que je serai partie d'ici.

— Tu devrais le rappeler.

— Je ne le rappellerai pas et tu ne le feras pas non plus, tu m'entends ?

— Il t'adore, papa. Tu ne peux pas le laisser tomber comme ça.

« Tu crois ça ? » me répliquent ses yeux, qui me fusillent.

Il monte se changer et met son nouveau pantalon ainsi que les chaussettes bleues ornées d'oies en plein vol. Je vais dans les toilettes attenantes au petit salon, où je contemple un long moment les photographies en noir et blanc qui décorent le mur : les équipes dont a fait partie mon père quand il était à Saint-Paul, puis à Harvard ; des rangées et des rangées, des années et des années de garçons blancs, à l'allure d'Anglais, qui tiennent des avirons, des ballons de football et des raquettes de tennis. Je les ai vues si souvent qu'il ne me faut guère de temps pour trouver mon père dans chacune d'elles, son visage étroit et tendu sur les plus anciennes, quand il n'avait que onze ou douze ans, puis son expression mûre et impatiente sur les plus récentes. De toute évidence, on n'encourageait pas les gens à sourire sur les photos, à cette époque, et il est donc impossible de dire si lui ou l'un ou l'autre de ses camarades sont heureux.

Il se prépare un verre en redescendant. Il n'est pas encore midi. Nous nous asseyons au bord de la piscine. J'apporte des sandwichs au thon, que nous mangeons en jouant au backgammon. Le soleil cogne dur. La surface miroitante de l'eau est une invitation. Je ne suis pas sûre d'avoir toujours un maillot de bain et, si c'est le cas, il sera dans un sac-poubelle enfoui quelque part au fond de mon auto bourrée jusqu'à la gueule.

Il fait la navette entre la piscine et le pool house pour se resservir à boire. J'observe son dos voûté, sa démarche en canard, le besoin à l'aller et l'assouvissement au retour, la première gorgée du cocktail fraîchement confectionné, les paupières closes en extase, les lèvres amphibies, qui se tendent pour épouser la courbe du verre, avides du contact avec l'alcool. Encore seize heures avant que je puisse remonter dans ma voiture pour fuir ce spectacle.

Le soleil me brûle le dos.

— Tu n'as pas chaud, papa ?

— Pas trop.

— Nous devrions peut-être nous mettre sous l'arbre.

— Non.

Il gagne.

— Va te baigner, suggère-t-il.

— Et toi ?

— Naaan. Pas aujourd'hui.

— Je crois que je pourrais plonger tout habillée.

— Déshabille-toi. Personne ne regarde.

Il se cale contre le dossier de son fauteuil et ferme les yeux.

Je plonge en chemise et en culotte. Je n'avais pas le souvenir d'une eau aussi froide. Dans mon corps, tout se rétracte, comme pour se ramasser en un seul point. Lorsque j'atteins le petit bassin, je ne sens plus mes jambes. Quand je sors, l'eau roule sur la peau de celles-ci ainsi que sur du caoutchouc.

— Je pensais que tu vérifierais au moins la température avec les doigts de pied ! rit mon père.

— Qu'est-ce que tu as fait ? tu as rempli la piscine de glaçons ?

— Je n'ai pas encore mis le chauffage, répond-il en s'essuyant les yeux. Tu aurais dû voir ta tête ! Impayable.

Je m'ébroue pour l'asperger d'eau.

— Jolis roberts.

— Papa...

— Pourquoi est-ce que tu portes des fringues aussi amples ? Tu n'as pas à avoir honte de quoi que ce soit, crois-moi.

J'en reste sans voix.

Mon père obtient des doublets et pousse des cris de joie.

— J'apprécierais que tu ne parles plus de mon corps de cette manière, dis-je, le timbre frémissant.

— Et moi j'apprécierais que tu lances les dés. Je te faisais un compliment.

Enfin, il rentre pour faire une sieste. Encore quatorze heures.

Je vais m'asseoir par terre dans le pool house pour téléphoner à Jonathan, mais je tombe sur son répondeur. J'aime le roulement sourd et rapide de sa voix. J'ai envie de rappeler aussitôt rien que pour l'entendre de nouveau. Dans une semaine, nous habiterons ensemble une petite maison en Californie. *Arrête de dire Californie comme si c'était si important.* Mais *c'est* important. C'est extrêmement important pour moi. Et si l'un de nous deux n'arrivait pas à bon port ? Je n'ai guère confiance en l'avenir. Il me paraît soudain improbable que nous parvenions là-bas tous les deux vivants. Cela me démange de monter dans ma voiture pour prendre le destin de vitesse.

Je me remets debout et regagne la chaleur du dehors. Je traverse la pelouse jusqu'au court de tennis. Je me représente encore la roseraie, les haies en volutes, la vasque bleu pâle de la fontaine, l'odeur des feuilles noircies que nous en retirions dès la première belle journée de printemps. Je revois ma mère avec son fichu et ses gants de jardinage, occupée à pulvériser les rosiers pour les protéger des pucerons, tandis que je lui demandais ce que c'était que rouler un patin. Elle portait des robes droites de coton aux couleurs vives, riait fort quand Bob Wuzzy ou Sylvie Salters étaient là, avait tant de convictions. Et en Paul elle avait trouvé un véritable compagnon, un homme qui partageait ses vues, et je les entendais bavarder sur le canapé jusque tard dans la nuit, évoquer les affaires sur lesquelles il travaillait, parler des enfants victimes d'abus sexuels et des droits des minorités – des discussions sérieuses qui n'empêchaient cependant jamais l'hilarité de surgir quand on ne l'attendait pas. Je ne faisais pas partie de leurs sujets de conversation, ce qui explique peut-être un peu pourquoi j'étais maussade avec eux, mais je conserve encore cette image de l'amour, de l'harmonie, que m'inspirait le son de leurs échanges sur le sofa, eux et leurs croyances, leurs espoirs, leurs rires.

Je crois que j'ai dû m'endormir sur l'herbe, car je sursaute en entendant soudain le claquement de la porte à moustiquaire. Je lève les yeux et vois mon père revenir sur la pelouse, douché, avec un autre pantalon et un verre à la main. Vodka martini numéro cinq ? six ?

— Ahhh ! dit-il d'une voix forte pour attirer mon attention tandis qu'il s'assoit. Je me demande ce que font les pauvres, aujourd'hui.

Douze heures. A moins que je parte à cinq heures du matin au lieu de six. Onze heures, alors.

— Je vais commencer à préparer le repas.

— Ce n'est même pas six heures.

— On dîne tôt, ce soir.

246

Encore une fois on dirait ma mère, qui parlait sur un ton enjoué tout en fuyant l'endroit où il se trouvait et décochait ses mots avec une légèreté qu'elle n'éprouvait pas, mais qui lui permettait de se protéger.

Je m'efforce de cuisiner sans me presser. Côtelettes d'agneau, purée de pommes de terre, haricots de Lima. Toujours des plats de mon enfance. Je me demande ce qu'il ferait si je lui servais un curry de tofu ou du *bibimbap* et je ris tout haut en imaginant son réflexe outré. Je l'aperçois de temps en temps par la fenêtre, assis à contempler la piscine. Il effectue ses navettes jusqu'au bar du pool house ; il passe du bain de soleil à un fauteuil de jardin. Les chiens le suivent et se recouchent à ses pieds. Quand un aboiement retentit dans le voisinage, ils lèvent tous les quatre la tête et dressent les oreilles, Maybelle se mettant debout. Mon père les calme. « Couchés, les chiens, couchés », susurre-t-il.

Avant de l'appeler, je vais à l'office et tire la vieille table en verre pour la ramener à sa place, dans la cuisine. Je dresse le couvert avec une nappe et des serviettes que j'ai trouvées à la salle à manger, un linge de maison que n'utilisait jamais Catherine. Elles sont impeccablement repassées – ma mère les aura portées au pressing – et sentent le pin du buffet dans le tiroir duquel elles ont dormi pendant les vingt dernières années. Je me souviens du motif : des petites pâquerettes blanches sur un fond bleu vif. J'ai beau les aplanir, les plis de la nappe restent dressés. Les serviettes sont légèrement usées aux angles, mais lorsque je me recule, l'ensemble est aussi joli qu'il l'était autrefois.

J'ignore comment il va réagir. La table est à l'endroit qu'elle occupait quand ma mère y avait laissé son mot avant notre départ. Mais en entrant,

247

mon père ne semble rien remarquer. Il a la respiration bruyante qui est la sienne lorsqu'il est ivre. Il pose son verre devant son couteau et s'installe à son ancienne place, face à la cuisinière, comme si toutes les années qui s'étaient écoulées depuis n'avaient jamais existé.

Il commence par la viande. La vision de l'os fin et de la chair de bébé brebis mort me dégoûte, mais je ne peux m'empêcher de le regarder manger. J'ai l'impression de retomber à l'âge de sept ans. Le bruit de son souffle, la sueur sur son front et sur son nez, la vodka, les oignons et le tabac créent une sorte de brouillard qui me désoriente et éclipse à plusieurs reprises le présent pendant de longs moments. Pour me délivrer du sortilège, je romps le silence.

— Papa, est-ce que tu promets que tu prendras soin de toi, maintenant ?

— Promis, répond-il avant de lever les yeux de son assiette. Au fait, c'est bon, ça.

— Et que tu te cuisineras des légumes ?

— Ouaip.

D'un geste peu convaincant, il ramasse avec sa fourchette trois haricots.

J'ai envie de lui demander comment il compte remplir ses journées pendant le reste de sa vie. Il n'a que soixante ans.

Il avale quelques bouchées de purée, pousse du bout de la fourchette les haricots dans son assiette, puis se renverse contre le dossier de sa chaise. Je m'aperçois alors à quel point il est soûl, juste avant qu'il prenne la parole.

— Et tu prendras soin de toi aussi, Daley ?

Je n'aime pas sa façon de prononcer mon prénom. Exactement comme Catherine : Deï-*liii*.

— Promis.

— Tu vas aller t'enfermer dans une autre fac de cocos et te bourrer encore le crâne d'idées stupides

248

sur la manière dont le monde devrait tourner pour éviter les erreurs qu'ont faites tous les gens qui ont vécu avant toi ?

— Je suppose.

— Laisse-moi te poser une question, poursuit-il en pointant les dents de sa fourchette sur ma poitrine. Juste une question. Est-ce qu'on t'a fait étudier la Seconde Guerre mondiale ? Est-ce qu'on t'a appris ce qu'avait fait ce pays pour le monde ? Les sacrifices qui ont été accomplis pour tous ces pingouins qui maintenant veulent juste nous la fourrer dans le cul ? Je vais te dire ce qui déconne. Ce qui déconne, c'est tout ce qui s'est passé après 1955. Voilà, ce qu'on devrait t'apprendre. Tout – *tout* – ce qu'on t'enseigne est un ramassis de conneries, et vous autres, vous êtes tellement nazes que vous ne vous en rendez même pas compte ! Vous êtes à côté de la plaque.

Il se penche en avant et se lève avec difficulté. Il esquisse quelques pas en direction du bar, puis, remarquant qu'il a oublié son verre, il s'en retourne le chercher. Je vois ce qui va se passer après mon départ et une image de lui gisant sur le sol de la salle de bains se forme dans mon esprit.

Dix heures. Je peux le faire. Je peux dire quelque chose.

— Papa, j'ai peur que tu ne finisses par mourir à force de boire.

Il abat brutalement son verre sur le comptoir.

— Tu sais quoi, Deï-*liii* ? Retourne donc à la fac – une fois de plus. Pour encore dix ans. Passe toute ta vie à la fac. Ne deviens pas adulte. Et emporte avec toi ta sollicitude factice pour moi.

— Elle n'est pas factice, papa.

Je suis surprise qu'il possède le mot « factice » dans son vocabulaire.

— Ouais, bon... marmonne-t-il.

Il accomplit son rituel au bar et revient avec un verre particulièrement rempli.

— Tu sais pourquoi je bois ? reprend-il. Tu sais pourquoi ? Je bois à cause des gens comme toi, des gens qui se croient si parfaits, qui croient qu'ils ont toutes les rép...

— Je ne me crois pas parfaite. Pas le moins du monde.

— Bien, parce que tu ne l'es pas. Tu es une catastrophe. Tu es une source d'embarras. Toi, et aussi ton frère.

Il plaque ses mains sur son crâne, comme pour s'empêcher de penser à nous. Puis il me dévisage de ses yeux jaunes.

— Tous les deux, vous êtes tout ce qui me fait honte.

Je repose mon couteau et ma fourchette. J'en ai marre de supporter ce torrent de boue.

— Et toi tu devrais avoir honte. Tu devrais mourir de honte. Parce que tes deux enfants n'ont pas eu un père : ils ont eu un monstre. Ils ont eu un alcoolique borné et ignorant qui les a empoisonnés avec toute la bile qu'il avait en lui.

Mon argumentation commence à prendre forme. J'ai tellement de preuves. Je m'en vais lui balancer tous mes souvenirs à la figure.

Il rit. Non, il ne rit pas, mais il n'existe aucun terme pour décrire le bruit que produit mon père lorsqu'il est à la fois surpris et furieux.

— Tu sais quoi ? Tu es devenue encore pire que ta mère, petite garce.

L'entendre – et ce pour la première fois dans les neuf ans qui se sont écoulés depuis le décès de ma mère – évoquer celle-ci dans la conversation me

250

tranche les cordes vocales. J'ai juste la force de quitter la pièce pour remonter dans ma chambre.

Je sanglote sur mon lit ainsi que le ferait un enfant désespéré. Je ne cesse de me répéter que je devrais me lever et partir. Mais je ne peux pas. J'ai l'impression d'être paralysée par le poids de toutes ces années et de toutes ces insultes. Je l'entends laver la vaisselle, ouvrir pour que les chiens sortent, puis rentrent. Pour lui, c'est une soirée comme les autres. Un litre de vodka, une dispute violente. Il se sent probablement super-bien, comme après une partie de tennis. Craignant qu'il ne soit tenté de venir me souhaiter bonne nuit, je me hisse suffisamment haut sur le matelas pour pouvoir verrouiller la porte en étirant le bras. La sensation du verrou entre mes doigts m'est si familière. C'est un petit objet argenté en forme de macaroni, qui produit un *clonk* plein et profond au moment où l'épaisse langue de métal se met en place. Je devine presque, de l'autre côté du battant, ma mère m'implorant de descendre pour dire bonjour à la cousine Grace, qui est montée de Westport. Mais je ne veux pas. Je viens de m'installer pour l'après-midi, après avoir sorti du placard le grand panier de pique-nique en osier qui contient toutes les Barbie et leur camping-car. Je n'ai pas envie de prendre le thé avec la cousine Grace.

Je me glisse de nouveau plus bas sur le lit et je songe à Paul, qui s'est toujours montré si respectueux, si patient avec moi, qui a contribué à mon édification, en fin de compte, et à qui – j'en suis à présent certaine – je n'ai pas répondu après qu'il a écrit pour m'annoncer qu'il avait acheté la maison. Je suis ce qu'il a eu de plus approchant d'un enfant. Je pleure pour lui, dont le chagrin d'avoir perdu ma mère avait été trop écrasant pour moi, à l'époque ; comme nous étions alors incapables l'un et l'autre de

251

nous aider, il m'avait paru plus facile de fermer la porte, à lui et à toutes ses évocations d'elle, ma mère, laquelle m'avait aimée, mais ne m'avait pas protégée, laquelle, des années durant, m'avait laissée aller chaque week-end chez mon père, d'où je revenais tel un animal sauvage, sans que jamais elle me demande pourquoi.

12

Pendant les instants où je dors, mes rêves sont un prolongement de mes pensées, lesquelles sont semblables à des muscles, qui se tendent et tressautent de manière involontaire et répétitive, qui se contractent, mais jamais vraiment assez fort. Je suis certaine, comme on peut l'être quand on est allongé sur son lit dans le noir, que si j'arrive à les aligner dans le bon ordre, je pourrai résoudre le problème que pose mon père, le problème que pose la réunion dans une même pièce de mon père et de moi. Mon esprit tourne en rond. Mais à un moment, à travers mes fines paupières, je commence à percevoir le mouvement de la nuit qui, doucement, déserte le ciel ; alors, je suis libérée de la prison de ces réflexions infructueuses et je vois des eucalyptus, une rue étroite, une porte jaune avec une fenêtre vert pâle. Mon cœur se met à battre plus fort. Je suis de nouveau libre. Le siège conducteur m'attend, avec son coussin un peu enfoncé. La radio fonctionne. Réparée la semaine précédente grâce à Jonathan. Je m'arrêterai prendre le petit déjeuner au Howard Johnson's. Je m'installerai dans le box où ma mère et moi étions assises le jour où nous sommes parties pour le lac de Chigham. Tandis que je range mes quelques affaires dans mon sac, puis refais le lit au carré tel qu'elle me l'avait appris, je prends conscience du caractère fluctuant de mes émotions : la nuit dernière, j'avais la terrifiante impression d'avoir définitivement perdu ma mère, alors qu'aujourd'hui, je la sens près de moi. La mort est ainsi. La mort est fluctuante, elle aussi.

Le couloir est plongé dans l'obscurité, l'air est humide. Je respire le parfum des boules antimite au cèdre en passant devant la vieille commode. Si j'emprunte l'escalier de devant, je verrai mon père, qui laisse toujours sa porte entrouverte. Celui de derrière, en revanche, amène directement à la cuisine et à la sortie. Comme il est raide, je le descends lentement, le papier peint en relief orné de lierre et de baies sous mes doigts, des odeurs anciennes s'élevant des marches usées, puis le ronronnement du réfrigérateur une fois que j'arrive à la cuisine, le petit recoin entre l'appareil et le mur où je me nichais jadis, si chaud en hiver. Pour une raison que j'ignore, les grands chiens sont en bas. Ils se lèvent d'un bond en m'apercevant.

— Restez couchés, les chiens ! murmuré-je, prise d'un léger vertige. Je vous en prie.

Ils essaient de me barrer le passage. Pour la première fois depuis que je suis ici, ils ont l'air de penser que c'est moi qui m'occupe de la maison. Ils ont l'air de penser que je devrais leur donner à manger et ils me collent leur truffe contre les cuisses.

La table est propre et débarrassée, toujours couverte de la nappe bleue sur laquelle subsistent quelques taches de gras d'agneau. De son écriture soignée et penchée d'élève de pensionnat, mon père a écrit : *Les cachets devraient faire l'affaire. Adieu, Daley.*

Certains neurologues avancent que nous n'avons non pas un, mais jusqu'à huit cerveaux dans notre tête. En cet instant précis, j'en suis la preuve vivante.

Quelques-uns de mes cerveaux tentent de mal interpréter ses mots. Des cachets pour les chiens ? Des antidépresseurs dont il ne m'aurait pas évoqué l'existence ? Et quelques autres veulent juste que je poursuive mon chemin. Il ment, dit l'un. C'est une ruse, avertit celui-là. Mais l'un de mes cerveaux sait que mon père et Catherine ont une armoire à pharmacie remplie de calmants et de somnifères.

Je le découvre sur son lit, allongé tout habillé sur les couvertures. Il respire, mais je ne parviens pas à le réveiller. Bien que n'étant toujours pas sûre qu'il ne s'agissait pas d'une ruse, je décroche le téléphone.

Je fais le 911, puis me demande si ce n'est pas plutôt le 411 [1], puis me demande lequel j'ai composé. Mais une femme au bout du fil veut savoir ce qui s'est passé et bientôt, au son des sirènes, des gens déboulent à la maison avec une civière ; ensuite mon père ouvre les yeux, mais est incapable de leur expliquer ce qu'il a avalé, ni en quelle quantité. On ne trouve nulle trace de quoi que ce soit à côté de son lit et aucun des flacons de l'armoire à pharmacie n'est complètement vidé.

On lui pratique un lavage d'estomac. Sept comprimés d'aspirine Bayer.

Un psychologue vient s'entretenir avec moi dans la salle d'attente. Il a les sourcils d'un personnage de dessin animé quand il est étonné : deux épaisses traînées charbonneuses en oblique.

— Il a beaucoup de chance, commence-t-il d'une voix posée.

— Et comment ! Vingt de plus et il aurait pu avoir l'estomac irrité...

---

1. 911 : police secours. 411 : service des renseignements.

La diagonale des sourcils de l'homme s'inverse pour lui donner une expression assez sévère.

— C'était un sérieux appel à l'aide, jeune demoiselle, me sermonne-t-il, alors qu'il n'a peut-être que cinq ans de plus que moi à tout casser. Lorsque les gens prennent des cachets, quelle que soit leur efficacité, c'est qu'ils franchissent une ligne. Il est tout à fait possible que votre père ait cru que sept aspirines feraient *effectivement* l'affaire. Et selon les statistiques, il commettra une autre tentative et celle-ci sera plus spectaculaire. Il aura besoin d'être surveillé de plus près.

— Je pars aujourd'hui pour la Californie. Je ne vais rien surveiller du tout.

— Vous êtes sa fille, à ce qu'on m'a dit.

— Oui.

— Votre père vient de faire une tentative de suicide.

— Les jours où il boit modérément, il descend six ou sept vodka martini bien tassées. A mes yeux, au cours des trente ou quarante dernières années, il a passé le plus clair de son temps à essayer de se suicider.

Au fond de moi, je me sens si calme et si froide. J'ai l'impression que je pourrais arracher les poumons de cet homme si je le voulais, et cela s'entend dans mon intonation. Que mon putain de père aille au diable, de me faire une chose pareille maintenant !

Le docteur griffonne quelques mots au bas de la page blanche fixée sur sa planchette à pince.

— Au vu des analyses de sang que j'ai eues, j'ai demandé tout spécialement si votre père abusait de l'alcool et son médecin m'a assuré que non.

— Son médecin est l'un de ses plus vieux compagnons de beuverie. Un témoin guère digne de foi...

Il hoche la tête en hachurant le coin supérieur de la feuille de papier.

— Avez-vous déjà entendu le terme « intervention » ?

Je ris. Un rire dur.

— Voyons voir. Sa seconde femme vient de le quitter, son fils claironne qu'il ne veut plus le voir tant qu'il sera vivant, ses parents sont morts, il n'a ni frère ni sœurs et ses amis devraient eux-mêmes tous être en désintox. Cela ne laisse donc que moi, enfermée avec lui dans une pièce. J'aurais plus de chances de m'en tirer seule au milieu des lions du Colisée.

— Personne ne pourrait vous aider à le faire ?

— C'est un homme qui ne changera jamais.

— Tout individu peut changer, si on lui fournit les outils adéquats.

— Je vous mets au défi d'y arriver. Occupez-vous de lui et appelez-moi quand vous l'aurez remis sur pied.

— La Californie peut attendre encore une semaine. Votre père a besoin de vous.

— La Californie ne peut pas attendre encore une semaine. J'ai décroché un poste de professeur à plein temps qui démarre mercredi en huit.

— Où ça ?

— A Berkeley.

— C'est bien.

Il pose son stylo. Soudain il me voit comme une égale. Je joue dans la même catégorie que lui, à présent. Et voilà qu'il se rend aussi compte que je suis une femme, ainsi que je peux le constater.

— Dans quel département ? interroge-t-il.

— Anthropologie. Maintenant, je vais aller dans la chambre de mon père pour lui dire au revoir.

Je descends le couloir, bleu sous la lumière des néons. Je me sens raide. *Tu es pire que ta mère, petite garce.* Sept aspirines, nom de Dieu ! Il met tout le

257

monde sens dessus dessous pour sept aspirines ! J'espère qu'il sera endormi.

Mais il ne l'est pas. Il est couché, les draps remontés jusqu'au menton, les yeux écarquillés et fixés sur la porte avant même que je la pousse. Je me tiens à quelques mètres du lit, gardant les mains dans mes poches.

— Je ne vais pas trop bien, lutin.

Il froisse le drap dans ses poings. Son visage s'empourpre d'un rouge vif et il commence à pleurer.

— Je ne vais pas bien du tout.

Je ne sais vraiment pas par quoi il devrait attaquer. Il a besoin de tant de choses. Je serre les clés de la voiture dans ma poche. Il faut que je parte. C'est un homme malade. Un homme malade qui a des problèmes auxquels je ne peux remédier.

— Je ne vais pas bien du tout, pleurniche-t-il encore.

— Non, papa. Tu as besoin d'être aidé.

— Oui, j'ai besoin d'être aidé.

— Mais pas par moi.

— Si, j'ai besoin de ton aide.

— Non, tu as besoin d'une aide professionnelle. Tu es malade.

— Je suis juste... Je suis juste... Je ne sais pas ce que je suis.

Les pleurs se muent en sanglots. Sa poitrine se soulève et s'abaisse en un mouvement régulier, tandis que sa bouche s'ouvre en se relevant d'un côté. Il a les dents jaune et gris.

— Papa, trouvons des médecins à même de t'aider.

— Que peuvent faire les médecins ? Perry ? Perry ne peut pas m'aider.

— Pas Perry. Il faut que tu ailles dans un endroit où on s'occupera de toi et où on t'aidera à guérir.

— Où ?

— Un bel endroit. Peut-être dans le Colorado ou en Arizona.

— Non.

— Plus près d'ici, alors. Dans le Vermont.

— Tu veux parler de cet endroit où est allé Buzz Shipley ?

— Ce genre d'endroit, pourquoi pas ?

— A la sortie, ce pauvre gars était devenu une tapette. C'était un mec très bien quand il est entré là-bas et c'était une tapette quand il en est ressorti.

— Il faut que tu arrêtes de boire. Tant que tu n'y seras pas arrivé, tu ne pourras pas voir les choses clairement.

J'attends la réponse cinglante.

— D'accord, dit-il posément. Mais je ne veux aller nulle part.

— Papa, tu ne peux pas y parvenir seul. Personne ne le peut. La meilleure façon, c'est de suivre un programme. Tu vas dans un établissement où tu bénéficies de soutien et d'une thérapie.

— Une thérapie ? Tu veux dire un psy ?

— Quelqu'un qui pourra t'aider à résoudre...

— Pas de psy. C'est niet. C'est consigné dans ton dossier médical jusqu'à la fin de tes jours. Ça détruit les gens. Tu te rappelles ce barjot que McGovern avait choisi comme vice-président ? Jamais. Je ne veux pas qu'elle ait cette satisfaction.

— Que veux-tu dire ?

— Je ne veux pas qu'on parle de moi comme on a parlé de Buzz.

— Personne ne va parler de...

— Oh que si ! Tu ne sais pas comment on parle dans cette ville.

— On n'aura qu'à dire que tu viens avec moi en Californie. Les gens ne seront pas obligés de savoir.

— Je veux rester chez moi. Si je m'en vais, elle va débarquer et tout me prendre. Tout.

Je me souviens que l'oncle de Julie est aux Alcooliques anonymes. Il n'a pas touché à la bouteille depuis plus de douze ans.

— Et les AA ? Il y a certainement des réunions dans le coin. Est-ce que tu serais prêt à faire ça ?

Il acquiesce d'un hochement de tête.

— Chaque jour ?

— Oui, répond-il.

— Papa, je sais que tu ne t'y tiendras pas.

— Si. Il le faut. Je sais qu'il le faut.

Il n'est pas convaincant.

— Dès que j'aurai tourné les talons, tu reprendras tes vieilles habitudes.

— Alors reste ici pour me contrôler.

— Je ne peux pas.

Une infirmière entre. Elle se déplace à pas de loup dans la pièce, comme un enfant qui joue à l'infirmière. Ses mains, en revanche, sont tout efficacité pour changer la poche de la perfusion, ouvrir les Velcro dans un bruit de déchirure avant de les refermer.

— Je vais vous montrer comment fonctionne le lit, monsieur Amory, dit-elle en tapotant d'un ongle long les boutons rouge et bleu d'une télécommande. Avec celui-ci, vous vous mettez en position assise et avec celui-là vous revenez en position couchée. Voulez-vous que je le relève pour que vous puissiez vous asseoir un moment avec votre fille ?

— Oui, merci. Ah, c'est beaucoup mieux ! Merci.

— Il n'y a pas de quoi, monsieur Amory.

— Vous pourrez repasser avant une heure pour m'expliquer comment marche la télé, d'accord ? Les Sox jouent à Cleveland cet après-midi.

— Oh, je sais bien où ils jouent ! Et comme la blessure à la cheville de Clemens s'est aggravée, ils vont sans doute faire débuter Ryan. Dieu nous aide !

— Oh, allons ! Six cinq comme statistiques ça ne vous suffit pas ?

— C'est loin de me suffire.

Mon père rit. Après qu'elle a refermé la porte, il me regarde et semble soudain se rappeler qu'il est censé être un déprimé suicidaire.

— Je sais que tu dois partir. Je suis fier de toi. Vraiment. Je sais que ce n'est pas une façon de le montrer, mais je le suis, Daley.

— Merci.

— Tu sais, je n'arrête pas de repenser à cette fois où nous étions allés chercher un tableau pour ta mère à Wellesley. Tu t'en souviens ?

— Non.

— Tu n'avais pas plus de quatre ou cinq ans. On était sortis tous les deux de la maison en douce et on était partis tôt pour ne pas avoir à lui dire où on se rendait. Tu étais habillée avec une petite robe rose et tu t'étais mis une espèce de nœud dans les cheveux, mais tout de travers. On est allés dans une galerie où il y avait un tableau des bateaux-cygnes de Boston que ta mère aimait beaucoup. On est entrés et l'homme qui était là a dit bonjour, alors toi tu as entièrement relevé ta robe et tu ne portais rien dessous. Tu aurais dû voir la tête du type ! Tu sais, le jour le plus triste de ma vie a été le jour où ta mère est partie. Le jour le plus triste. Je n'aurais jamais cru qu'elle ferait une chose pareille. Et de t'emmener avec elle, en plus. De t'emmener loin de moi. Je sais que c'était dur pour toi, mais ça l'a été pour moi aussi. Ma fille n'était plus là. J'ai un peu déraillé, à ce moment-là, tu sais. Je n'aurais pas dû me maquer avec Catherine aussi vite. Ce n'était pas une bonne idée. Ça n'a jamais été une bonne idée.

Elle voulait que je sois quelqu'un d'autre. Elles veulent toujours que tu sois quelqu'un d'autre. Même toi, tu veux que je sois quelqu'un d'autre.

— Non, papa. Je veux que tu arrêtes de boire et que tu voies ensuite les choses avec un œil nouveau.

Il y a un je-ne-sais-quoi d'un peu hallucinatoire dans la notion même de tempérance chez mon père, de prise de conscience.

— Doux Jésus ! on croirait entendre cette fille que Garvey avait ramenée à la maison, une fois. Comment elle s'appelait, déjà ? Lynnette ? Lianne ?

Je ne lui fournis pas la réponse – Lizette. Je demeure silencieuse.

— Je deviendrais dingue, si je devais voir les choses de plus près. Depuis Catherine, mon cerveau s'est rongé petit à petit.

Je connais cette sensation.

— Et tu bois pour ne plus sentir cela ?

— Oh, bon Dieu ! Oui, je suppose. Si j'arrête de picoler, je ne veux pas devenir un mec comme Bob Wuzzy, c'est tout. Tu te souviens de lui, avec ses sodas light ? Mince, alors !

Je ne peux réprimer un sourire.

— Tu ne deviendras pas quelqu'un d'autre, papa.

Il tourne la tête vers la fenêtre. J'étudie l'entrecroisement de ridules au coin de ses yeux, l'arête droite et délicate de son nez.

— Je sais que tu as raison, lâche-t-il sans me regarder, les mains sagement jointes sur son giron, tel un petit garçon triste à l'église. Je le sais. Mais si tu pars et que je rentre à la maison, je crois que je ne me dirai plus que tu as raison.

Au moins se connaît-il bien sur ce point. Je dois être au campus le 9 juillet – dans dix jours à compter d'aujourd'hui – pour démarrer un projet sur la parenté en milieu urbain. Je peux laisser tomber les arrêts prévus chez des amis à Madison et à Boulder. Je peux conduire d'une traite, en me contentant de petits sommes en chemin.

— Je te propose un marché. Je reste encore six jours. Tu vas aux AA chaque jour. Si tu bois une seule goutte d'alcool, je repars. En prime, tu t'abstiendras de toute blague raciste ou de toute remarque réduisant mon corps à un objet. De plus, tu n'auras pas le droit de proférer des insultes à mon égard ni à celui de ma mère, ni de quiconque, d'ailleurs. Ça marche ?

Je tends le bras. Il dénoue ses doigts et me donne une poignée de main ferme.

— Ça marche.

— Tu vas en baver.

Il me dispense un faible sourire.

— Je le sais.

13

Nous rentrons à Ashing en taxi. Il s'avère que mon père avait été trois ans de suite l'entraîneur du fils du chauffeur en poussins, dans une équipe appelée les Acorns.

— Vous vous souvenez de cet entraîneur des Pirates ? Le grand costaud, avec un gros bide ? demande-t-il à mon père en fixant intensément son regard sur lui dans le rétroviseur.

— Celui qui mangeait toujours des cacahuètes ?

— Celui-là même.

— C'était un sacré numéro.

— En taule. Il a pris de cinq à dix ans.

— Bon Dieu ! Pourquoi ?

— Il a failli tuer sa nana.

— Bon Dieu...

Mon père regarde un moment par la vitre. Nous avons quitté l'autoroute et passons devant le club d'équitation Shining Saddles. Des petites filles coiffées de bombes, non plus couvertes de velours, mais plutôt semblables à des casques, prennent position au centre d'un cercle. Il se retourne vers le rétroviseur.

— Vous vous rappelez ce match contre les Astros ?

— Quand on perdait de sept points ?

— Et ce petit gamin rachitique, qui n'avait jamais tapé dans une balle de sa vie ? Barry quelque chose...

— Barry Corning.

— C'est ça, Barry Corning. Eh bien, il en a envoyé voler une par-dessus la barrière, là-bas. Il a passé tout le reste de la saison avec un grand sourire scotché sur la figure ! C'était un brave gosse, conclut mon père en frottant ses mains sur son pantalon, l'un de ses gestes de bonne humeur.

Affamés, perturbés par le dérèglement de leur routine, les chiens entourent mon père plus près qu'à l'habitude lorsque celui-ci passe la porte. Il leur met la main sur la tête, leur parle d'une voix douce, caresse chacun longuement, puis s'accroupit au milieu de la cuisine pour recevoir tous leurs coups de langue et de museau. Enfin, il se relève pour aller dans l'office prendre leurs boîtes de conserve. Les bêtes bondissent et tremblent d'excitation, leurs griffes glissant sur le sol dans leur effort pour rester plaquées contre lui tandis qu'il avance.

Mon sac est toujours à côté de la table, là où je l'avais laissé tomber ce matin. Je regarde ma voiture chargée qui attend dans l'allée. Je ne comprends pas pourquoi je ne suis pas assise au volant. Les chiens reçoivent leur nourriture et leurs colliers heurtent les récipients en céramique bleue dans un bruyant cliquetis cependant qu'ils engouffrent fébrilement des boulettes brunes à l'odeur forte.

Mon père est debout, appuyé contre le comptoir, l'ouvre-boîte à la main, les yeux fixés sur moi. Il me paraît plus vieux, maintenant, comme si les années venaient de se déposer sur lui, comme si, pour la première fois, je le voyais non comme le quadragénaire de ma jeunesse, mais comme le sexagénaire qu'il est en réalité. La peau au-dessous de ses yeux est gris foncé, alors qu'ailleurs elle affiche un gris verdâtre. Il a les yeux injectés de sang.

— Merci, Daley. Merci d'être là.

— Il n'y a pas de quoi, papa.

Je remarque le bref regard qu'il lance vers l'horloge. C'est la fin de l'après-midi et il a envie d'un verre. Je traverse la pièce pour gagner le bar. Je prends les bouteilles deux par deux, les tenant par le goulot, et les emporte jusqu'à l'évier. Mon cœur bat la chamade et mon corps se raidit pour se préparer à la violence. Mais il ne frappe pas. L'ouvre-boîte ne s'abat pas sur mon crâne tandis que je vide tout l'alcool – d'abord la vodka, puis le vermouth, puis le gin, le bourbon, le scotch et le rhum – dans le bac.

Je nous confectionne des sandwichs au fromage fondu pour le dîner – le premier repas que je lui prépare et que je peux moi aussi manger. Ensuite, pendant que mon père regarde le second match des Red Sox, je passe quelques coups de fil et finis par trouver le responsable de la section régionale des AA, un homme prénommé Keith qui m'indique l'heure et le lieu des réunions les plus proches.

Puis j'appelle Jonathan.

— Salut, toi ! s'exclame-t-il d'une voix chaude et joyeuse. Tu es où ?

Il croit que je téléphone d'une cabine. Il est persuadé que j'ai roulé toute la journée.

— Je suis toujours à Ashing.

— Très drôle.

— Mon père a fait une tentative de suicide.

— Hein ?

— Nous sommes à la maison, maintenant, mais il n'est pas trop dans son assiette. Je pense que c'était plus un geste qu'autre chose.

J'écoute le silence avant de reprendre.

— Il faut que je reste quelques jours de plus.

— Tu vas devoir traverser tout le continent en voiture.

— Je sais. J'y arriverai. Mais je crois que tu seras là-bas avant moi. Je suis désolée.

— Ce n'est pas grave.

— Je lui ai promis de rester encore six jours, juste le temps de...

— Six jours ? Tu n'as *pas* six jours. Tu dois être là-bas le 9 !

— Je le sais. Je ferai le trajet d'une traite.

— Tu ne peux pas débarquer en n'ayant pas dormi de trois jours. Je viens tout de suite et je vais t'évacuer par avion.

— Non, Jonathan.

— Je crois que tu perds le sens des réalités.

— Il a promis d'arrêter de boire.

— Mais bien sûr...

— Il a reconnu que c'était un problème. Vraiment ?

— C'est la première fois qu'il l'admet, ajouté-je.

— Tu vis sur un gros nuage rose.

Les réunions des AA se tiennent chaque soir à sept heures dans le presbytère de l'église congrégationaliste d'Ashing. J'y emmène mon père dès le lendemain. J'ai besoin de le voir franchir la porte. J'ai besoin de m'assurer qu'il demeure à l'intérieur pendant toute l'heure. Tandis que nous descendons la colline et traversons la ville, il ne souffle mot et le silence qui règne dans l'auto à ce moment de la journée me rappelle les dimanches soir où il me ramenait à Water Street. Je me range juste devant l'allée de pierre.

— Ça va bien se passer, papa.

Il hoche la tête avant d'ouvrir la portière. Il part de ses longues enjambées et de sa démarche en canard, un bel homme soigné, vêtu d'un pantalon de coton bleu clair et d'un blazer bleu marine. Ses cheveux sont encore humides de la douche et méticuleusement peignés en arrière. Je jette un coup d'œil à ma montre et, lorsque je relève la tête, je constate qu'il a le même geste. Sept heures moins deux. Je me demande s'il va laisser s'écouler les deux minutes, mais lorsqu'il parvient au seuil du presbytère, il ne marque pas le moindre temps d'arrêt. Il abaisse la poignée de cuivre et disparaît. D'autres personnes suivent. Un homme en tee-shirt et en pantalon de travail s'attarde un instant à l'extérieur pour finir sa cigarette. Deux dames d'un certain âge s'approchent et échangent quelques paroles avec lui, après quoi il leur tient la porte et tous trois entrent à leur tour. Une femme aux longs cheveux plats et secs arrive en courant cinq minutes plus tard. Elle remet la lanière de sa sandale en même temps qu'elle pose la main sur la poignée, puis pénètre en virevoltant dans le bâtiment.

Ce n'est qu'à ce moment que je me rends compte des espoirs absurdes et démesurés que j'ai fondés sur cette idée des Alcooliques anonymes. D'où m'est-elle venue ? De Linda Blair dans cette émission de télé que j'avais vue étant gosse ? De Bob Wuzzy ? De l'oncle de Julie ? Je ne sais pas au juste, mais j'ai l'impression d'avoir toujours été convaincue que si je parvenais à inciter mon père à pousser la porte d'une réunion des AA, tout irait bien. Mais lorsque j'imagine la scène – une petite pièce dans laquelle flotte une odeur de vieux marc de café, une moquette tachée, des chaises en métal disposées en cercle, une assemblée hétéroclite où chacun évoque ses sentiments – je prends conscience que cela va être une catastrophe absolue. J'entends d'ici Garvey se moquer de moi.

Je me prépare à le voir ressortir en courant du presbytère. J'ai les yeux rivés sur le battant vert, avec sa poignée sans fantaisie, son paillasson noir sur le perron de granit. Je me demande s'il existe une autre sortie, si mon père est déjà à mi-chemin du trajet jusqu'à la maison. Le ciel s'assombrit. Les réverbères s'allument. Quelques adolescents marchent dans la rue, jettent un regard oblique dans la voiture, parlent fort. L'ancienne professeur de piano de Mallory – plus toute jeune, mais toujours avec sa superbe chevelure blonde et son maintien impeccable que nous nous plaisions à imiter – passe en promenant un lévrier qui boitille. A huit heures neuf, la porte verte s'ouvre et un groupe de huit ou dix personnes sort, parmi lesquelles mon père. Plusieurs d'entre elles lui serrent la main. Il adresse un au revoir collectif d'un hochement de tête.

— Bien, on y va, dit-il avant même d'être entièrement entré dans l'auto.

Je décide de ne pas lui poser de questions sur le déroulement de la réunion et lui-même demeure silencieux.

Pour le repas, je lui cuisine un steak frites. Je me confectionne une salade aux avocats, dont je dépose quelques tranches sur son assiette, même si je sais qu'il n'y touchera pas. Il est attablé à sa place sans un verre d'alcool à côté de son couvert. C'est l'heure du dîner et mon père n'est pas ivre.

— Il est bon, ce steak. C'est Brad, qui t'a servie ?

— Brad n'était pas là. C'est Will qui tenait le rayon.

D'habitude, à la simple mention du nom de Will Goodale, le troisième des fils Goodale, il se lance dans une diatribe. Will est un escroc, un porc ; ils ne devraient pas le laisser s'approcher à moins de vingt mètres du magasin. A lui tout seul, il va couler l'affaire que son père avait montée en 1933. Le vieux M. Goodale. Il n'y avait pas meilleur homme. Ça, c'était un gentleman. Il portait toujours une veste et une cravate au travail, tous les jours. Il ne méritait pas d'avoir pour fils un glandeur comme Will.

Mais il se contente d'un laconique « Hmm » avant de revenir à son steak.

J'ai envie de lui prodiguer des encouragements, mais peut-être serait-ce une erreur que d'en faire tout un plat.

Au moment de la glace et du coulis de chocolat, il annonce :

— Je crois que je vais aller taper quelques balles au club, demain.

Il lève la tête vers moi. Un désespoir terrible se lit sur son visage.

— Veux-tu m'accompagner ?

— Je suis désolée, papa. Je ne peux pas aller au club.

Comment lui expliquer sans que cela dégénère en dispute ?

— Bien sûr que si. Je sais que tu n'es pas membre, mais tu vis sous mon toit.

Je respire profondément. Je m'efforce de parler du ton le plus doux possible.

— Je ne peux pas approuver une institution qui choisit ses membres en fonction de leur couleur de peau, de leur religion et de leur compte en banque.

— Bon.

Toute sa pugnacité l'a abandonné.

Il lave la vaisselle et monte se coucher.

Le lendemain soir, je l'emmène de nouveau à l'église. La femme aux longs cheveux plats et secs est en train de fumer une cigarette dehors. Avant d'ouvrir la porte, mon père lui glisse une réflexion qui la fait sourire. Je la regarde s'appuyer contre le mur et souffler sa fumée en direction des arbres jusqu'à ce que l'horloge de la bibliothèque située de l'autre côté de la rue indique sept heures cinq. Alors, elle entre dans le presbytère.

Je descends de voiture et me tiens un instant sur le trottoir. Je ne sais comment occuper mon temps. Après le décès de ma mère, je me suis concentrée sur mes études, ce que je n'avais jamais vraiment fait auparavant : je ne m'étais jamais « appliquée », comme le suggéraient toujours mes bulletins scolaires quand j'étais au lycée. Mais j'ai travaillé dur au cours de mes deux dernières années de fac pour pouvoir intégrer le troisième cycle d'anthropologie de l'université du Michigan, et là j'ai bossé plus dur encore, car j'avais Berkeley en ligne de mire. Alors, pendant un temps incommensurable ma vie s'est résumée à des dates butoirs, à des semaines sans sortir, à des nuits sans sommeil, à de la lecture, à de la rédaction et à de la dactylographie. J'ai été esclave de mes professeurs, des autres étudiants, de la salle informatique, de mes programmes et ensuite de ma thèse, un monstre de cinq cent quatre-vingt-six pages intitulé : « Des jeux et des esprits : la perception de la vie et de la mort par les enfants zapotèques ». Pour pouvoir la terminer, au printemps, je n'ai vu personne pendant vingt jours d'affilée. J'ai logé dans l'appartement d'une amie qui était partie à Nagasaki pour son enquête de terrain sur les *hibakusha*, les gens affectés par l'explosion. Je me suis approvisionnée en riz, en haricots et en eau, puis me suis enchaînée au bureau. Je dormais sur ma chaise, la tête sur un livre, par tranches de quelques heures. Lorsque je me suis retrouvée à court de papier hygiénique, j'ai utilisé une éponge, que j'ébouillantais ensuite. Je me rendais à peine compte que c'était dégoûtant. Seule l'efficacité du procédé m'apparaissait, à ce moment-là. Une fois que je fus venue à bout de ma thèse et que je l'eus soutenue, Jonathan m'emmena dans la péninsule supérieure du Michigan pour un week-end prolongé, mais il m'était difficile de parler et j'avais l'impression que, dans le monde naturel, tout bougeait avec une inquiétante vélocité. Le vent m'écrasait de tout son poids, les nouvelles feuilles fouettaient l'air à une vitesse folle. J'avais la sensation qu'une force était à l'œuvre, pas une force neutre, mais une force furieuse et agressive qui me rendait effrayant l'univers physique. Jonathan espérait que je me détendrais, que je me relâcherais avec délices, mais je ne savais plus comment l'on s'y prenait. J'éprouvais, par rapport à ma propre existence, le même détachement et la même distance qu'au retour de mon enquête de terrain au Mexique. Il se montra patient, m'entraînant avec lui pour de longues promenades dans les bois ou sur les bancs de sable et, lentement, très lentement, je finis par redescendre, mais quelques semaines après, j'étais de nouveau sous la pression des dates butoirs, avec trois articles à revoir avant publication et une centaine de mémoires de licence à noter.

Depuis, il m'est souvent arrivé de me rappeler avec une certaine fierté ces vingt jours de pur esprit. Jonathan et Julie nomment cette période « le confinement », et je reconnais volontiers que j'étais devenue une sorte de maniaque névrotique, mais cela me plaisait. Il y a une partie de mon être qui serait parfaitement disposée à vivre dans ma tête, qui aspire à y retourner, qui n'a ni besoin ni envie de mon corps. Mais en cet instant, sur le trottoir d'Ashing, loin de toute exigence intellectuelle et replongée dans ma conscience d'enfant, qui ne perçoit que le viscéral – les odeurs de mon père, la marée basse, le chien

272

mouillé, le bruit des mouettes, des cloches d'église et des autos –, je ressens la nécessité de laisser mes pensées vagabonder. Mais savent-elles encore le faire ? Suis-je capable de penser sans un livre, un cahier ou un écran d'ordinateur ? Je songe à Wordsworth et à Coleridge parcourant ensemble les collines calcaires. Je suppose qu'une balade constituerait un bon début.

Le soleil a disparu derrière la bibliothèque et le ciel s'est paré d'une blancheur de lilas en attendant la nuit. La plupart des gens sont chez eux, à préparer le dîner. La bibliothèque est fermée, le supermarché Goodale aussi. Seule la station-service est ouverte ; un homme à la cravate légèrement dénouée est en train de mettre de l'essence dans son Audi, tâche sur laquelle il se concentre d'une manière superflue. Dans la sandwicherie éclairée, des adolescents sont blottis dans les box. Puis suit une rangée de devantures éteintes, d'enseignes et de bannes qui n'existaient pas autrefois : un magasin de cuisines, une petite pizzeria, une boutique d'articles de bureau fantaisie. Au bout de la rue, près de la voie ferrée, brille une lumière solitaire. En m'approchant, je constate que c'est un discret panneau en bois au-dessus duquel est accrochée une ampoule. LIBRAIRIE DU PHARE.

Concave. Le crétin.

Son magasin est exigu, guère plus grand qu'un dressing. Les murs sont constitués d'étagères, tandis qu'une longue bibliothèque occupe le centre de l'espace. Des livres, neufs et d'occasion, sont serrés sur les rayons, le dos méticuleusement aligné sur le bord de ceux-ci. D'autres ouvrages sont empilés à l'horizontale sur les premiers et, même si l'ensemble est rangé avec soin, il se dégage de cet endroit la même impression de chaos que dans le bureau d'un professeur. Je ne vois ni caisse, ni comptoir, ni libraire.

L'adulte cultivée qui est en moi implore l'adolescente de sortir de la boutique. Prouver à un pauvre type que vous avez enfin des seins – pas énormes, certes, mais bien proportionnés – est une raison stupide pour se rendre dans une librairie. Mais alors, mon regard est attiré par un roman de Penelope Fitzgerald ainsi que par ce qui semble être un nouveau recueil de nouvelles d'Alice Munro et me voilà bientôt accroupie, à la recherche de *Gens indépendants*, que Jonathan me recommande toujours vivement, et du *Chant de Salomon*, que Julie vénère et que je n'ai jamais lu. Puis je m'aperçois qu'il y a un rayon exclusivement consacré à l'anthropologie, et non associé à la sociologie ou aux sciences, lequel abrite les deux volumes de l'*Anthropologie structurale* de Lévi-Strauss, mais aussi la *Correspondance de Franz Boas*. Ce ne sont pas les titres les plus difficiles à trouver, mais comme je m'étais spécialisée très tôt dans les enfants zapotèques, il me manque certaines bases dans mon propre domaine. Je remarque même le *Echantillons de civilisations* de Ruth Benedict, ma première bible, que j'avais prêté et n'avais jamais récupéré. J'ai une haute pile de livres dans les bras au moment où Neal pousse la porte. J'avais fini par l'oublier.

— Désolé. Je voulais mettre un mot, dit-il sans me regarder, en posant un sandwich enveloppé de papier d'aluminium sur une petite table à jouer. Vous trouvez votre bonheur ?

Il me tourne le dos. J'acquiesce d'un vague murmure.

Sa voix n'a pas du tout changé. Pourquoi les voix sont-elles si distinctes, si reconnaissables, alors qu'elles ne sont rien d'autre qu'une vibration contre deux anches au fond de la gorge ? On peut comprendre qu'il existe quelques milliards d'évolutions du visage, étant donné toutes les variables, mais la voix ? Celle de Neal est aussi suave que le glissement des patins sur de la glace vierge. Son timbre n'est guère plus profond qu'auparavant. Lui, en revanche, a grandi. Et puis il y a ses cheveux : les mêmes boucles châtains sur lesquelles Mlle Perth avait coutume de le taquiner. Elle l'appelait Shirley Temple, quand il n'était pas sage, ce qui lui arrivait parfois. « Shirley Temple, va t'asseoir à ta place, disait-elle tout en continuant à écrire au tableau. J'ai des yeux derrière la tête, Shirley Temple. » En CE1 et en CE2, nous avions des cahiers d'exercices de maths rouges et nous faisions la course tous les deux pour en finir un afin de passer au suivant. Nous formions une paire inséparable, mais rivale. Dans ces petites classes, on nous envoyait dans la salle du cours supérieur pour suivre les leçons d'anglais. En CM2, nous étions capitaines de deux équipes d'orthographe adverses. Alors mes parents ont divorcé et mes notes ont baissé tandis que celles de Neal n'ont jamais bougé.

Plus jeune, il était petit et étroit, presque chétif, affligé de dents carrées trop grandes pour sa figure, mais depuis, son corps s'est allongé, ses épaules se sont élargies, et, avec ses pans de chemise sortis de son pantalon, il a une allure d'étudiant qui n'a pas grandi. Je connais le genre et je l'évitais, à l'université : ces mecs qui ne parviennent jamais vraiment à s'adapter au monde tel qu'il est à l'extérieur des pensionnats, qui n'arrivent pas à croire que leur gueule d'ange, leur frange qui dégringole sur leurs paupières, leurs performances sportives, leur démarche souple, leurs yeux de biche et leurs vives reparties sardoniques ne suffisent plus à impressionner les professeurs ou à tomber les filles. Ils ont le chic pour me démasquer, ces grands gamins désabusés, pour flairer mes origines en dépit de tous mes efforts pour les dissimuler, et je les fuis aussi vite que je le peux. Les garçons comme ça deviennent des hommes comme mon père, plus tard.

Je continue à lui tourner le dos pendant que je me dirige vers le rayon poésie du fond. Je l'entends s'écrouler dans un fauteuil en rotin, caler un livre devant lui et déballer le sandwich.

— Je crois que je vais passer à la caisse, annoncé-je en l'entendant réduire le papier d'aluminium en une boule et le jeter à la poubelle.

Il relève brusquement la tête de sa lecture. Je suppose que ma voix n'a pas changé elle non plus.

— Bon sang ! Je pensais que ma mère avait des hallucinations. « Daley Amory est en ville, Neal. Cette bosseuse est professeur à Stanford. »

C'est une imitation absolument parfaite de sa mère. Mais cela ne me plaît pas d'être utilisée comme aiguillon. J'ignorais qu'elle pouvait avoir un côté cruel. Elle m'avait semblé contente qu'il habite encore ici, fière de son magasin. Le bref numéro auquel je viens d'assister me laisse perplexe.

— Berkeley, pas Stanford, dis-je enfin. C'est une chouette librairie, fais-je après un regard circulaire.

— Ouais, enfin, je pense qu'on pourrait l'appeler « Entre l'idée et la réalité se projette l'ombre », mais peut-être que c'est la même chose pour tout. Tiens, pose ça là, ajoute-t-il en débarrassant un coin de la table.

Je glisse ma pile sur le plateau, d'où je déloge un carnet de reçus. Je me penche pour le ramasser par terre et remarque que le dernier client a acheté *Les Aventures de M. Pickwick* pour trois dollars quatre-vingt-quinze.

— Et ton papa, ça va ? interroge-t-il en notant les livres que j'ai choisis.

Je perçois dans son ton qu'il s'excuse déjà pour cette question. Qu'a-t-il pu entendre à ce sujet ? Que sait-on en ville au juste ?

— Ouais, je pense.

J'ai envie de lui expliquer que mon père est en ce moment à sa deuxième réunion des Alcooliques anonymes, que pour y aller il s'habille comme s'il se rendait à un cocktail et Dieu seul sait qui peut bien se trouver là-bas ou de quoi ils peuvent parler. J'ai envie de lui demander s'il connaît des gens qui ont assisté à ces réunions et si ça avait vraiment des chances de marcher – non, je ne veux pas m'entendre raconter des histoires d'échecs.

— Comment vont tes parents ?

— Bien. Ils durent.

Sa mère avait une telle présence que je me souviens à peine de son père. Un coupe-vent beige est la seule chose qui me vienne à l'esprit.

Je ne sais sur quoi enchaîner. Je le regarde griffonner de son écriture serrée, si familière.

— Félicitations pour le boulot à Berkeley. Ça n'a pas dû être facile à décrocher, dit-il en me donnant mes livres, le reçu coincé au milieu du premier.

Je souris plus que je ne le devrais. Ce travail est le talisman qui me protège de tout cela.

— Merci. Prends soin de toi, Neal.

Avant de descendre l'escalier du perron, je me retourne, mais il est occupé à reposer la caisse sur le sol.

Je repars en direction de l'église. « Bon, c'était embarrassant, me plains-je à l'adresse du trottoir. Même pas sûre qu'il ait remarqué mes lolos. »

Et c'est alors que je l'entends, ce son de lourdes pièces de métal qui s'entrechoquent. Je suis submergée par un sentiment ancien, une délicieuse attente. Le bruit provient de derrière moi, de l'autre côté de la voie ferrée. Pivotant sur mes talons, je vois les camions et les remorques qui sont là. Le spectacle et la bande-son de l'été à Ashing : la fête foraine qui s'installe.

J'aimerais aller y assister comme autrefois, avec Patrick et Mallory, à califourchon sur nos vélos de l'autre côté du grillage, parfois pendant des heures d'affilée, hypnotisés par toutes ces remorques et ce qui en sortait, les membres gigantesques d'attractions comme le Scrambler ou le Salt'n'Pepper Shaker, les chevaux du manège sur leurs mâts, les grandes couronnes de lumières et de miroirs, les sièges capitonnés, les petits bateaux et avions. Un jour, la veille de l'ouverture officielle de la fête foraine, un garçon de notre âge, à peu près, nous a apporté quelques beignets du stand familial. Tandis que nous les dévorions, nous l'avons bombardé de questions – Comment est-ce qu'il vivait ? Est-ce qu'il pouvait aller gratuitement sur les attractions ? Laquelle préférait-il ? Quelle était sa gourmandise favorite ? Sa ville favorite ? « Pas celle-ci, a-t-il répondu. Dans les villes riches comme celle-ci, les gens gardent tous leurs sous dans le trou du cul. » Nous avons éclaté de rire et quelques autres garçons nous ont rejoints, ce qui a attiré l'attention d'un grand costaud occupé à fixer le faux balcon de la maison hantée. « Hé ! nous a-t-il lancé, arrêtez d'embêter les mômes ! Ils ont du boulot. » *Les villes riches comme celle-ci, Leurs sous dans le trou du cul* et *Arrêtez d'embêter les mômes* sont devenus des rengaines qui devaient nous accompagner des années durant.

Je reste assise sur le banc, devant la bibliothèque, jusqu'à ce que sonnent huit heures, puis je traverse la rue et monte dans la voiture pour attendre la sortie de mon père. Je reconnais à peine les participants à la réunion de la veille, mais, cette fois encore, ils mettent un point d'honneur à lui dire au revoir.

— OK, OK ! lâche-t-il en prenant place. A la maison, à la maison, poil au menton !

Devant sa bonne humeur, je pense pouvoir me hasarder à poser la question.

— Comment ça s'est passé ?

— Bien.

Il regarde la porte du presbytère. Je suis incapable de dire s'il joue la comédie pour moi.

— Pas trop de bondieuseries ?

C'était l'une de mes sources d'inquiétude. Mon père déteste presque autant Dieu que les démocrates.

— Non, répond-il, les yeux toujours sur la vitre. Chacun son truc.

« Chacun son truc » ? Il faudra que je la sorte à Garvey, celle-là ! En attendant, je m'efforce de réprimer mon envie de rire.

La lumière de la Librairie du phare est éteinte.

— Je suis allée faire un tour là-bas, pendant ta réunion. Jusqu'à la librairie.

— Ah ouais ? Je n'y ai jamais mis les pieds. C'est bien ?

— Petit, mais il y a de bons livres.

— Ce pauvre gars.

— Que veux-tu dire ?

Il secoue la tête.

— Avec une mère comme ça.

— Je l'aime bien, sa mère.

— Ouais, eh bien, laisse-moi te donner un bon conseil : évite-la comme la peste. Il lui manque une énorme case.

Tandis que je me gare dans l'allée, je m'aperçois que j'ai oublié de consulter l'écriteau du parc qui indique la date à laquelle débutera la fête foraine. J'espère que ce sera avant mon départ.

Je pousse papa à cuisiner lui-même sa côte de porc et lui montre comment percer des trous dans les pommes de terre avant de les mettre au four.

Nous mangeons au bord de la piscine. Les chiens nagent. A la fin du repas, je lui demande comment il se sent.

— Bien, affirme-t-il.

C'est sa nouvelle manière de couper court à toute discussion, mais je me rends compte qu'il ne va pas bien. Sa jambe droite ne cesse de frétiller, comme celle de Garvey, son regard voltige d'une chose à l'autre et il a la peau grise – non pas le gris violacé qu'elle prend après un grand nombre de verres, mais une pâle couleur de cendre. Il fume cigarette sur cigarette et je remarque le bout rouge qui tremble. J'ai emprunté un livre à la bibliothèque pour m'aider à comprendre ce qu'il peut éprouver, mais tout ce que j'en ai retiré, c'est que chaque organisme réagit différemment à la privation soudaine d'alcool.

— Je sais que ce doit être vraiment dur, en ce moment.

Il fait sautiller sa jambe. Il me regarde plusieurs fois, semble sur le point de me dire quelque chose, mais s'interrompt. Enfin, il se décide.

— Ecoute, il faut que tu assouplisses les conditions de notre marché. Moi je fais ça pour toi et toi tu m'accompagnes au club samedi matin, juste histoire de taper quelques balles.

— D'abord, tu ne fais pas ça pour moi. Tu fais ça pour toi. Et ensuite, nous avons conclu un marché. Moi je reste six jours de plus et toi tu ne bois pas.

— Si je tiens jusqu'à samedi, est-ce que tu m'accompagneras ? Je ne peux pas manquer une autre semaine.

— Nous pouvons jouer ici, répliqué-je en indiquant le court du jardin.

— J'aime jouer au club. J'aime la terre battue.

— Papa, je n'ai plus rejoué au tennis depuis que j'avais seize ans.

— S'il te plaît...

Il a besoin de moi au cas où Catherine y serait. Il a besoin de quelqu'un à ses côtés quand tous les regards se poseront sur lui.

— S'il te plaît, lutin...

Je n'en mourrai pas d'être pendant une heure la fille que mon père a toujours rêvé d'avoir. Je peux lui offrir ce souvenir avant de partir. Mais l'idée même de remonter la longue allée privée jusqu'aux colonnes blanches qui ornent la façade en brique du club-house m'amène presque à souhaiter que mon père ne tienne pas sa part du marché.

14

Mais il la tient. Après sans doute plus de quarante années d'une solide consommation quotidienne, mon père passe six jours et six nuits sans une goutte d'alcool. Au téléphone, Jonathan suggère qu'il pourrait en avoir planqué quelque part. Mais je connais la différence entre mon père ivre et mon père à jeun. Je connais la morgue comblée des premiers verres, l'agitation qui se mue en colère des suivants, la mollesse et les yeux jaunes qui accompagnent le vide des derniers. De plus, j'ai inspecté la baraque. J'ai fouillé ses placards et ses voitures, j'ai retourné la cave, le grenier, la remise et le garage. Rien. Et je me couche tard, des heures après lui, mais je n'entends que le régime régulier de son lourd ronflement.

Le vendredi soir, après sa réunion, il m'emmène dîner à La grand-voile. C'est le seul restaurant chic d'Ashing et il possède une salle qui donne sur le port. L'entrée est un appontement qui s'élève à partir du parking et sur lequel résonnent les pas. Je suis vêtue d'une robe bleue, toute plissée à force d'être restée dans la chaleur de ma voiture. Mon père est nerveux et il marche avec les mains réunies en une coupe serrée.

— Hé, salut, toi ! lance-t-il à la statue en bois d'un garçon qui tient un filet renfermant un poisson en bois également. Belle prise, il doit bien faire dans les trois kilos.

Il redoute de tomber sur Catherine, mais je l'ai rassuré en lui affirmant qu'elle savait que c'était son restaurant, son territoire, et qu'elle n'oserait pas y venir. J'espère ne pas m'être trompée.

Harold, le patron, un homme chauve et obséquieux que toute ma vie j'ai vu posté sur l'estrade de l'entrée, nous salue en s'inclinant.

— Bonsoir, monsieur Amory. Bonsoir, mademoiselle.

— Bon Dieu, Harold ! C'est Daley.

Nouvelle révérence.

— Bonsoir, mademoiselle Amory.

— Laissez tomber le « mademoiselle », si cela ne vous ennuie pas.

Mon père émet un faible gémissement.

— Oh, êtes-vous mariée ?

— Non, mais appelez-moi simplement Daley, s'il vous plaît.

— Certainement, répond l'homme.

Les lèvres pincées, visiblement mécontent de la tournure un peu heurtée de cet échange, il prend dans le présentoir placé sur le côté de l'estrade deux longs porte-menus en cuir.

Tandis que nous nous glissons sur nos chaises près de l'immense baie vitrée, mon père me souffle :

— Daley, arrête de vouloir repeindre cette ville en rouge coco, je t'en prie ! Quelqu'un qui t'appelle « mademoiselle » ne cherche pas à te blesser.

— Je m'en fiche, ça me blesse quand même.

— Pourquoi ?

— Parce que employer les termes « mademoiselle » et « madame », c'est comme marquer le bétail au fer. Personne n'a besoin de savoir que je ne suis pas mariée.

— Si, les gens veulent connaître ces détails.

— Il existe une tribu de Nouvelle-Guinée où les femmes libres se voient accoler à leur nom un suffixe qui signifie « vulve serrée » et où celles qui sont prises sont affublées de celui de « vulve flasque ». Doit-on en arriver là, pour que ce soit plus clair ?

— Bon sang, tu me donnes envie de vomir !

Mais cela l'amuse. Il prend du bon temps.

— Et voici, monsieur Amory, annonce Harold en déposant à côté de la main droite de mon père une vodka martini *on the rocks*, agrémentée de deux petits oignons et d'une olive. Et que puis-je apporter à votre charmante fille ?

Je sens dans le plancher la vibration que transmet le tressautement nerveux de la jambe de mon père. Je perçois l'attraction entre lui et son verre et je devine sa retenue, les efforts que cela lui demande de ne pas s'envoyer dans le gosier cette vodka martini pour la faire pénétrer dans son système sanguin. Il lève le verre et le rend à Harold.

— Désolé, monsieur. Pas d'alcool, ce soir, je le lui ai promis.

Harold me lance un bref coup d'œil – *vous n'avez pas déjà fait suffisamment d'histoires comme ça ?* –, puis considère mon père d'un air compatissant.

— Excusez-moi, monsieur Amory. Je n'aurais pas dû prendre cette liberté.

Je regarde par-dessus l'épaule de mon père Harold retourner au bar avec le cocktail. Je ne me souviens plus du nom du barman, mais je me rappelle qu'il a un sous-marin tatoué sur le haut du bras et un rouleau de bonbons à la menthe dans sa poche. Au moment où Harold lui parle, il relève brusquement le nez et se tourne vers nous. Il secoue la tête, puis vide le verre dans l'évier.

Mon père n'a pas besoin de consulter la carte. Il commande toujours le filet mignon sauce béarnaise. Je me hâte de chercher ce que je peux manger. Le menu est rédigé en script, sous forme de grandes lettres inclinées. Quand j'étais à l'université, j'avais travaillé dans un restaurant comme celui-ci, à servir des gens qui étaient exactement comme mon père, avec leur apéritif habituel, leur morceau de vache habituel.

Il y a de la crème vichyssoise, mais lorsque je demande à Harold si elle contient du bouillon de poulet, il revient de la cuisine en ayant le grand plaisir de m'annoncer que oui, en effet. Mon père hoche la tête de gauche à droite. Il s'excuse auprès de Harold quand je commande un plat de riz vapeur accompagné d'une julienne de haricots verts.

— Chacun son truc, papa.

De l'autre côté du port, la grande roue se met en mouvement. Petit à petit, ses lumières rouges et bleues bavent jusqu'à fusionner en d'énormes anneaux violets. C'est le début de la fête foraine.

— Oh, bon sang ! lâche mon père après un coup d'œil en direction de la porte. Ils ne vont donc jamais me ficher la paix.

En dépit de ses lamentations, son visage demeure impassible. Bien qu'intriguée, je m'abstiens de me retourner, sachant qu'il serait furieux si je m'y aventurais.

— Les voilà, geint-il.

Mais alors, relevant les yeux, il feint de manière convaincante la surprise et se lève d'un bond pour serrer vigoureusement la main de l'homme et faire la bise à la femme. Je les connais, elle avec son front court et lui avec sa poitrine gonflée. Je les embrasse tous les deux, cependant qu'ils se récrient d'étonnement sur tout le temps qui s'est écoulé et sur la jolie fille que je suis devenue, mon père m'adressant un regard parce qu'il sait ce que j'éprouve à l'idée d'être désignée comme une fille alors que j'ai vingt-neuf ans. Je les interroge sur leurs enfants, espérant me rafraîchir la mémoire. Carly habite Woods Hole, Scott travaille chez Schwabb et Hatch vit dans le Colorado, où « il fait Dieu sait quoi », ajoute la femme en riant.

— Il y en a toujours un comme ça, constate l'homme avec un gloussement gras.

— Chez moi, c'est les deux, repartit mon père.

Je pense que, l'espace d'un instant, il a oublié que ce n'était pas avec Catherine, qu'il sortait.

— Certainement pas, objecte la femme pour rattraper sa bourde. Il paraît que celle-ci s'est dégoté un super boulot dans l'Ouest.

Leur prénoms et leur nom me reviennent : Ben et Barbara Bridgeton. Leurs enfants allaient avec nous au collège d'Ashing, mais n'étaient ni dans la classe de Garvey ni dans la mienne. Mon père a été l'entraîneur d'au moins un des deux garçons.

— Quel est ton domaine de compétence, Daley ? s'enquiert Mme Bridgeton.

— Oh, Seigneur ! Ne lui pose pas la question, plaisante mon père.

— Les Zapotèques de l'après-colonisation, en particulier les enfants, et, s'ils survivent, la manière dont cette société traite les taux de mortalité infantile et préscolaire élevés.

Je vois M. Bridgeton échanger un regard avec Harold, qui s'empresse d'apporter les apéritifs à leur table.

— Très bien, Margaret Mead, conclut mon père. Laisse-les donc aller s'asseoir.

— Jusqu'à quand restes-tu ici, mon chou ? questionne Mme Bridgeton en me serrant la main.

— Jusqu'à dimanche.

— On s'occupera bien de lui après ton départ. Ne t'en fais pas.

Tandis que Harold les conduit jusqu'à leur table, mon père et moi nous rasseyons.

— Une minute de plus et tu allais embrayer sur les vulves flasques, hein ? Et j'aurais dû te prévenir de ne pas lui dire quand tu repartais.

— Pourquoi ?

— Après que Catherine m'a quitté, ils débarquaient à la maison tous les soirs. Des quiches, de la soupe, une espèce de goulasch. J'étais obligé de tout foutre dans le broyeur de l'évier. Même les chiens n'en voulaient pas !

— Mais c'est si gentil à eux, de penser à toi.

— Et c'est à peu près les seuls, en plus. Cette salope a raconté tellement de mensonges sur moi. A toute la ville.

Il faut que j'amène la conversation sur un autre sujet que Catherine.

— Tu n'as pas entraîné Scott ou Hatch ?

— Les deux. Six ans à subir les jacasseries de cette femme. Tu te rappelles cette casquette de directeur adjoint que je lui avais donnée et qu'elle avait portée tout l'été ? Elle n'avait même pas saisi la plaisanterie.

Nos salades arrivent. De la laitue iceberg, des tomates farineuses et une tranche de concombre épluchée, le tout noyé sous une épaisse couche de sauce crémeuse. La Grand-voile vit dans sa propre capsule temporelle. Mais je suis assez avisée pour me garder de toute plaisanterie là-dessus.

Après un unique coup de fourchette dans sa salade, mon père la pousse de côté.

— Alors, qu'est-ce qui va se passer ? Une fois que tu seras là-bas, on te fournit un logement ?

— J'en ai trouvé un. Une petite maison.

287

C'est si bête, ce que je sens monter en moi, cette vague de chaleur, de bien-être, ce flot d'endorphines – tout cela parce que mon père me pose une question sur ma vie.

— Pas loin de l'université ?

— A cinq ou six pâtés de maisons.

J'ai envie de lui décrire l'eucalyptus et la couleur de la porte, mais je sais que je perdrai son attention. Il faut que je prenne une voix blasée, comme si tout cela ne m'importait guère.

— Cher, le loyer ?

— Non, plutôt raisonnable pour la Californie.

En fait, à quatre cent cinquante par mois, c'est une super affaire.

— Il y a sans doute pas mal de travaux à faire, ajouté-je.

— Tu ne l'as pas encore vue ?

— Non. J'ai demandé à un copain qui vit là-bas d'aller voir pour moi.

— Et ton boulot, c'est pour combien de temps ?

— J'espère que ce sera à durée indéterminée, si je suis titularisée.

— Et il faut faire quoi, pour ça ?

— Je n'en sais rien.

Mais je le sais, bien sûr. Il faut juste que j'emploie le bon ton, avec lui, ni trop péteux ni trop farfelu.

— Avoir des articles régulièrement publiés, reprends-je, obtenir invariablement de bonnes évaluations de cours, faire copain-copain avec tous mes collègues et diriger au moins une équipe pour une enquête de terrain quelque part.

Il regarde Harold passer avec un plateau sur lequel sont posés des scotch sodas pour la table derrière nous.

— Tu as tout prévu, pas vrai ?

Trop péteux.

Je me force à rester enjouée, à ne pas réagir. C'est un homme qui a envie de boire. Qu'il se montre irritable n'a rien de surprenant.

— Non, pas du tout. Mais j'aime me fixer un but. Un objectif à atteindre.

Du prêchi-prêcha trop grossier. Il va tout de suite deviner que j'ai amené la conversation sur lui. Le ventre faible, j'attends la remarque coupante. Mais il se contente de hocher la tête.

— C'est bien de viser quelque chose.

Je suis soulagée de voir Harold venir débarrasser nos assiettes de salade pour les remplacer par le filet mignon et les légumes vapeur. J'en ai assez, de parler de ma vie à mon père.

Plus tard ce soir-là, j'appelle Jonathan aussitôt que je perçois les premiers ronflements de mon père.

— Six jours et six nuits, me réjouis-je fièrement.

— Et tu t'en vas demain matin.

— Dimanche matin.

— Tu avais dit samedi.

— Non, ça a toujours été dimanche. N'est-ce pas ?

— Je n'avais jamais réellement cru qu'il en serait capable, poursuis-je. Il descend la petite allée de l'endroit où se tient sa réunion en traînant les pieds, mais il ressort regonflé à bloc.

— Dimanche au point du jour.

— Arrête de te faire du souci.

— Tu es en train de te laisser embarquer. Je l'entends dans ta voix.

— Je ne me laisse pas embarquer.

— Je pense qu'on devrait aller camper à Crater Lake le week-end prochain.

— Tu ne crois pas qu'on préférera déballer un peu nos affaires ?

— J'ai acheté un guide. Tu devrais voir les photos ! Je ne suis pas sûr de pouvoir attendre.

Le lendemain matin, je téléphone à Garvey.

— Hmm... marmonne-t-il après un grand nombre de sonneries.

Je l'ai réveillé.

— Je sais que tu ne veux pas entendre parler de papa, mais...

— Tout juste.

— Garvey, il a arrêté de boire !

Enorme rire étouffé.

— Je t'assure. Six jours et six nuits.

— Oh, Hermey, petite mésange candide...

— Crois-moi, j'ai passé la baraque au peigne fin. Il n'y a rien de caché. Il y arrive. Il va tous les soirs aux réunions des AA, à l'église congrégationaliste.

Nouvel éclat de rire.

— Je ne te crois pas.

— C'est moi qui l'y emmène en voiture. Je le regarde entrer. Il se met sur son trente et un, avec son blazer et son pantalon d'été.

— Et je suis sûr qu'il ressort tout de suite par-derrière.

— Non, Garvey, je le vois sortir. Il bavarde avec les gens, leur serre la main.

— Peut-être qu'il va s'y tenir quelques jours pour toi, mais il est trop tard pour qu'il change ses habitudes.

— Si, mais à condition qu'on l'aide. Ne pourrais-tu pas venir passer quelques jours ici la semaine prochaine, après mon départ ? Juste pour le soutenir.

— Putain, non ! Daley, tu ne piges pas. Bon Dieu, malgré toutes tes études, tu n'as pas beaucoup de jugeote.

Il prononce « jugeote » avec l'accent traînant de Boston, exactement comme papa.

— Oh, merde, c'est presque dix heures ! Il m'appelle. S'il te plaît, réfléchis-y, Garve.

— Pas question. Où allez-vous ?

— J'accompagne papa, c'est tout.

— Hmm... Dix heures du matin un samedi de juillet. Serait-ce par hasard pour aller au club de tennis et de voile d'Ashing ?

— J'ai perdu un pari.

— Je veux une photo.

— Je dois y aller.

— Il va falloir que tu mettes une de ces petites jupes plissées.

— J'ai un short de course blanc.

— Comme on oublie vite les choses... Tu as plus de dix-huit ans et tu dois donc porter une jupe.

— C'était en 1972.

— Mais Ashing vit en 1952. Et y vivra toujours.

Il a raison. Je suis contrainte de mettre des tennis, une jupe et une chemisette. Mon père m'emmène à la Boutique du pro, où une femme qu'il appelle H m'installe dans une cabine d'essayage à portes de saloon, dans laquelle elle ne cesse de glisser son bras osseux et grillé par le soleil jusqu'à ce que je finisse par choisir une jupette à rayures bleu marine avec son polo assorti. Puis elle me déniche une paire de tennis très matelassées.

— Holà ! s'exclame mon père lorsque je ressors.

Il me tend une raquette toute neuve. Avant que j'aie le temps de protester, H a réuni mes cheveux en une queue-de-cheval, haut à l'arrière de mon crâne. Tous deux me considèrent avec un visage rayonnant. Dans le miroir placé de l'autre côté de la pièce, je me vois à l'âge de onze ans.

Tandis que nous nous rendons au court numéro cinq, mon père met un point d'honneur à dire bonjour à chaque personne que nous croisons et à me présenter avec un enthousiasme bien plus grand qu'à l'accoutumée.

— Regardez ma Daley, une vraie adulte maintenant ! l'entends-je plusieurs fois se réjouir.

Regardez Daley, une vraie débile, oui.

Je veux un père qui ne boit pas. Il veut une fille qu'il puisse emmener au club. Pour l'un comme pour l'autre, c'est un pacte avec le diable.

Il commence par m'envoyer quelques balles pas trop fortes et parfaitement placées, de sorte qu'il me suffit d'un mouvement de bras pour les renvoyer. Les premières sortent des limites du terrain, les suivantes heurtent le filet ; alors mon père me montre comment accompagner la frappe, comment la terminer en projetant mon poids vers l'avant et je réussis mes coups suivants.

— Bigre ! plaisante mon père, qui rattrape aisément la balle. Il faut que je reste vigilant, aujourd'hui !

C'est une sensation formidable, que de bouger avec mon corps, de penser avec mon corps. Voilà des mois que je n'ai pas fait d'exercice. J'imite ses gestes. Ma concentration est absolue. Je perçois le désir de mon père de me voir bien jouer, mais cela ne me déstabilise pas comme jadis. Pour la première fois, j'apprécie à sa juste valeur la qualité de son jeu. Quelle que soit la zone du court où j'envoie la balle, il y est en quelques pas, ayant anticipé la direction qu'elle prendrait à peine partie de ma raquette. Ses coups sont fluides, gracieux, plus puissants qu'ils n'y paraissent. Il ne semble fournir aucun effort. Il transpire plus lorsqu'il mange un steak.

Je suis incapable d'expliquer pourquoi je me débrouille soudain aussi bien au tennis. Peut-être n'étais-je pas si mauvaise que je l'avais toujours cru. Tout ce que je sais, c'est que c'est un plaisir. J'aime sentir la terre battue sous mes tennis neuves en cuir, la marque pâle que laisse la balle lorsqu'elle touche le sol devant moi, le moment où, après avoir atteint le sommet du rebond, elle commence à redescendre et où je la frappe exactement au bon endroit du tamis de ma raquette. Malgré sa tête très large, celle-ci est étonnamment fiable. J'aime même la jupette, avec tous ses plis qui se balancent quand je cours. Je suis un imposteur, une intruse dans un environnement profondément familier. Je suis là, mais bientôt je serai loin d'ici. C'est mon vilain petit secret. Tous les gens que je connais seraient dégoûtés de me voir. Je souris à cette pensée.

— Tu pourrais devenir une sacrée bonne joueuse, Daley. Tu le sais ? me glisse mon père pendant que nous profitons d'une pause au distributeur d'eau qui se trouve entre les deux terrains.

Nous buvons dans des gobelets en carton et mon estomac se resserre au contact de l'eau froide.

— Je sens la différence, déclare-t-il alors.

— Que veux-tu dire ?

— Sans les cocktails.

C'est le premier bienfait qu'il évoque.

Nous faisons deux sets. Il me bat 6-3, 6-4. Je sais que s'il le voulait, il pourrait l'emporter 6-0, 6-0 de la main gauche. Je pensais que je pourrais le fatiguer en jouant d'un côté puis de l'autre, mais il a tout renvoyé – je n'avais même pas l'impression qu'il courait.

Après notre partie, nous nous asseyons sur le banc installé au bord du court.

— J'ai cru que tu allais gagner le premier set, quand on était à égalité et que tu as envoyé ce coup gagnant sur la ligne.

Je ne vois pas du tout de quoi il parle. Une fois qu'un match est fini, je ne me rappelle aucun point en particulier : tout se mêle très rapidement dans mon esprit.

— A la fin de l'été, tu me battras.

— Papa...

Il sourit et secoue la tête de gauche à droite.

— Pendant une minute, j'ai cru que tu avais seize ans.

Pendant une minute, j'ai presque souhaité avoir seize ans.

Cet après-midi-là, profitant de la sieste de mon père, j'appelle Julie pour lui avouer où j'étais le matin même.

— Je sais que ça peut paraître bizarre, mais je pense que le fait de porter une jupe de tennis apporte une sorte de pouvoir, dis-je.

— Oh, Seigneur, Daley ! Quitte cet endroit !

— On croirait entendre Jonathan.

— Tu ne vas pas lui raconter où tu étais ce matin ?

— Pas au téléphone. Une fois que je serai là-bas et qu'il se sera calmé. Mais je pense sincèrement que la jupe m'a aidée à mieux jouer. C'est un uniforme, et tous les uniformes sont les accessoires du pouvoir.

— Ou du dénigrement.

— J'ai quand même refusé de manger au club-house.

— Au moins te reste-t-il une once de raison.

— Explique-moi ce que tu vois par ta fenêtre.

Elle vient d'emménager à Albuquerque.

— De la terre.

— De la terre ?

— Une terre sèche et jaunâtre. Je n'arrête pas de me balader dans mon quartier en me répétant : « Mais que vais-je devenir ? »

— Que vas-tu faire en attendant la rentrée scolaire ?

— Travailler sur mon programme. Lire. Manger. Et d'autres choses que je n'ai pas faites pendant sept ans. J'ai eu mon père aujourd'hui. Il m'a dit de réserver le long week-end d'octobre. Il va m'envoyer un billet d'avion, mais la destination est un mystère, comme d'habitude.

Je m'aperçois maintenant que l'irritation que j'éprouvais autrefois à propos de Julie et de son père correspondait en réalité à la peine causée par la jalousie. Ils sont très proches l'un de l'autre, capables de bavarder au téléphone deux heures durant – des conversations décousues qui peuvent aller des marques de dentifrice aux écrits de Simone Weil. Si elle l'appelle le soir, il ne sera jamais ivre. C'est un médecin, un psychiatre, et il possède cette assurance des médecins qui confine à la suffisance. Il m'a toujours inspiré un mélange d'attirance et de répulsion. Après notre première rencontre, il avait dit à Julie que j'étais un diamant brut. L'image nous avait fait rire, mais en mon for intérieur, elle m'a longtemps laissée perplexe, à me demander ce qui au juste était brut en façade et où précisément se trouvait le diamant.

— J'espère que ce sera la Californie. Comme ça, vous seriez nos premiers invités.

— Si tu promets de porter ton nouvel uniforme.

— Bien sûr. Je suis sûre que d'ici là je jouerai en championnat féminin.

Le soir venu, mon père sort de l'une des poches de son blazer un morceau de papier et de l'autre ses lunettes.

— J'ai entendu cette réflexion à la réunion d'aujourd'hui : « Pour obtenir l'attention de Dieu, il suffit de dire merci. » J'ai trouvé ça plutôt bien.

Il a l'air gêné, mais il rit lorsqu'il constate que mes yeux se sont emplis de larmes.

Le dimanche matin, je reste allongée dans mon lit après que la sonnerie du réveil a retenti. J'entends l'ouvre-boîte fendre le couvercle des conserves de nourriture pour chiens, la cuiller claquer contre les gamelles, le vacarme frénétique des animaux tandis que mon père porte celles-ci jusqu'à leur place contre le mur, le silence pendant qu'ils mangent, permettant à leur maître de retourner à son café et à son journal, puis le bruit sec de la porte à moustiquaire au moment où ils doivent sortir après leur repas. Mon père crie quelque chose à l'une des bêtes. Je suis soulagée par ce son, par le ton impatient que je connais si bien. Il n'y aura pas de scène, cette fois. Je ne cesse de m'encourager à me lever, pour me rouler ensuite dans une position encore plus confortable. J'ai eu chaud au cours de la nuit et la couverture est repoussée à mes pieds, mais à présent je la tire sur moi. A voir les nuages par la fenêtre, on dirait qu'il fait froid dehors. J'ai envie de passer la matinée à dormir. Je ne me suis pas encore occupée de boucler mes bagages et mes affaires gisent en tas sur le sol.

J'enfile un jean que je n'avais pas remis depuis le Michigan. Il me rappelle un hiver là-bas, il me rappelle les grosses bottes noires que je portais avec, il me rappelle Jonathan et l'orgasme qu'il m'avait provoqué rien qu'en frottant son pouce contre la toile du pantalon. Mon ventre effectue un lent salto arrière. J'ai besoin de le revoir. Je range la tenue de tennis au fond d'un tiroir de la commode. Je glisse les baskets dans mon sac. Je fourre les livres achetés chez Neal dans les poches latérales et tire la fermeture éclair. A mi-escalier, je m'aperçois que j'ai oublié ma brosse à dents à côté du lavabo, mais je ne m'arrête pas. Des brosses à dents, j'en trouverai plein sur le chemin de la Californie. J'adore voyager par la route. A minuit, j'aurai au moins atteint l'Indiana.

— Bonjour, dis-je, mon sac heurtant l'encadrement de la porte.

— Tiens donc, ne serait-ce pas Annie la petite orpheline ? lance mon père en reposant son journal avant de se lever pour me débarrasser de mon sac et le mettre près de la sortie. Bon Dieu ! qu'est-ce que tu as fait ? piqué l'argenterie avant de partir ? Café ?

Il m'en a proposé presque chaque matin et j'ai immanquablement décliné son offre. J'aime bien être un peu endormie pour commencer la journée et en plus il boit de l'instantané.

— Bien sûr, réponds-je. Merci.

Il sort du placard une tasse et une soucoupe, blanches et ornées de fleurs rose pâle. Elles font un tel bruit quand il les tient qu'il est contraint d'en prendre une dans chaque main pour les porter jusqu'à la cuisinière. Je regrette d'avoir accepté son café. Il faut que je m'en aille avant qu'il explose ou qu'il s'effondre.

— Que vas-tu faire, aujourd'hui ?

— Aucune idée. Perry s'est encore fait mal à la cheville et il a annulé notre partie de tennis. Il faut que je passe l'aspirateur dans la piscine. Je ne t'ai pas montré le nouvel aspirateur.

297

— La réunion est à une heure, aujourd'hui. Tu t'en souviens, hein ? Parce que c'est dimanche.

— Ouaip.

Il s'approche de la porte, où les chiens sont en train de gratter pour pouvoir rentrer. Ils vont ensuite s'installer directement à leur place autour de sa chaise.

J'attends qu'il me dise qu'à treize heures, il se servira sa première vodka martini.

— Je peux t'appeler tous les soirs, pour voir comment ça se passe.

— Pas la peine de faire ça. Tout ira bien, assure-t-il en flattant la tête du chien gris, incitant les autres à lever la leur dans l'espoir d'une caresse. Ne reste pas trop enfermée. Ce n'est pas bon pour toi. Sors et profite du soleil. Joue un peu au tennis. Tu as ta raquette ? Tu ne l'as pas prise ? Emporte-la avec toi. Cadeau d'anniversaire en avance.

— En retard. Mon anniversaire, c'était il y a deux semaines.

— Bon, d'accord.

— C'est une vraie chance pour toi, papa.

Il regarde droit devant lui, les yeux dans le vague. Il acquiesce d'un hochement de tête.

— Aujourd'hui est le premier jour du reste de ta vie.

J'ai passé tant d'années à ravaler mes sentiments pour mon père, à me bâtir une personnalité faussement désinvolte à même d'esquiver ses coups, d'éviter les questions, de dissimuler ce qui lui déplaît, que j'ai maintenant beaucoup de mal à toucher du doigt la vérité en sa présence.

— Tu as été si fort, au cours de cette semaine. Je sais que tu peux continuer.

Quatre-vingt-dix réunions en quatre-vingt-dix jours ; voilà ce que disent les AA. Si vous réussissez à tenir jusque-là, vous avez beaucoup moins de risques de replonger dans l'alcool.

— Quatre-vingt-dix en quatre-vingt-dix. Tu te sens capable d'y arriver ?

Ils disent aussi, naturellement, qu'à chaque jour suffit sa peine. Peut-être devrais-je me taire.

— Tout le monde me quitte.

Il a prononcé ces paroles d'une voix si basse qu'il me faut une seconde pour comprendre ses propos. C'est moins qu'un chuchotement, plutôt une émanation qui se serait échappée de son être en dépit de ses efforts pour la réprimer.

S'ensuit un silence qui enveloppe tout. Même les colliers des chiens – bruit blanc régulier indissociable de la maison de mon père – semblent figés.

Je pose ma main sur la sienne, dont les veines gonflées battent fort contre ma paume.

— Je t'appellerai chaque soir.

Puis, maladroitement, car cela remonte si loin :

— Je t'aime, papa.

Il hoche la tête de haut en bas et expire longuement.

Les chiens poursuivent ma voiture le long de l'allée, puis repartent auprès de mon père, qui est toujours debout, les mains dans les poches, à l'ombre du garage. Contrairement à son habitude, il ne leur crie pas après. Lorsqu'ils parviennent à ses pieds, il met la main sur leur tête, puis s'en revient à la maison. L'arrondi de son dos disparaît derrière les arbres.

Bien qu'il ne soit que neuf heures et demie et que le ciel soit couvert, il y a déjà des gens qui remontent la colline pour se rendre à la plage. La grande roue est immobile. Une immense banderole annonce que la fête foraine rouvrira ses portes à midi. Raté. Des gosses sont déjà en train de tourner en vélo autour du secteur, attendant l'ouverture. A la Librairie du phare, un écriteau FERMÉ est suspendu à la poignée. Les deux portes de l'église congrégationaliste sont ouvertes, laissant s'échapper le son des orgues. Les Bridgeton inviteront probablement mon père à venir prendre l'apéritif cette semaine. A Water Street, les stores sont baissés aux fenêtres de notre ancien appartement. Je m'engage dans Middle Street pour rejoindre l'autoroute. Les panneaux verts apparaissent, le blanc traditionnel des inscriptions remplacé par un argent réfléchissant. Route 4 Nord et Route 4 Sud. Je vais emprunter la Route 4 Sud jusqu'à la 95, puis la 90, bifurquer ensuite dans l'Ohio sur la 80, que je suivrai jusqu'à Berkeley. Mon père ne retournera pas aux réunions des AA. Je passe la bretelle d'accès à la Route 4 Nord, mets mon clignotant pour la suivante, mais continue tout droit sous le pont autoroutier en direction de la décharge municipale. Après celle-ci, à la place de ce qui était jadis un bois, un nouveau lotissement est sorti de terre. Je tourne dans la longue allée à l'asphalte frais et parcours le cercle parfait qu'elle décrit devant les maisons nouvellement construites, puis reprends Middle Street pour redescendre en ville.

Au moment où je me gare, il se tient au bord de la piscine. Un gros cordon électrique court du pool house directement dans l'eau. Je traverse la pelouse. Au fond du bassin, une petite boîte blanche se déplace toute seule en ligne droite et aspire toutes les saletés en chemin. Lorsqu'elle heurte la paroi, elle pivote et repart dans un autre sens. Ce n'est que lorsque je viens me planter à côté de lui qu'il lève les yeux.

— Tu sais contre qui jouent les Sox à une heure, n'est-ce pas ? dit-il.

— Les Yankees ?

300

— Mais tu vas quand même me forcer à aller à cette réunion ?

— Ouaip.

— Merde.

Nous regardons ensuite l'aspirateur dessiner au hasard ses traces de propreté sur le plancher de la piscine.

15

J'appelle le directeur de la chaire d'anthropologie
l'après-midi même. J'ai répété quelques phrases dans
ma tête, que j'oublie aussitôt que le téléphone se met
à sonner. Un adolescent me répond d'un ton enthou-
siaste. Je n'imaginais pas Oliver Raskin avec une
famille. Il est sur le terrain pendant des années
entières et a écrit une bonne vingtaine de livres. Cette
voix jeune me donne l'espoir que le docteur Raskin,
en tant que père, sera à même de comprendre ma
situation. Le combiné est lâché sur une table et il
s'écoule plus de cinq minutes avant que mon correspondant décroche un autre appareil.
— Veuillez m'excuser de vous déranger chez vous
un dimanche, Oliver.
— Je vous en prie. Je suis certain que vous devez
avoir des questions, Daley. Allez-y.
Il se trouve dans une petite pièce silencieuse.
— Il ne m'est pas possible de venir en Californie
tout de suite.
— Le projet ne démarre pas avant mercredi. Je
croyais que c'était clair.
— C'est clair. Je ne pourrai pas être là mercredi.
Mon père est malade.
— Je suis désolé, Daley.

Je ne sais pas s'il veut dire qu'il est désolé pour mon père ou qu'il est désolé, mais que la maladie de celui-ci ne change rien à l'affaire.

— Que lui arrive-t-il ?

— C'est compliqué.

— Je vous écoute.

J'ignore pourquoi j'ai pu penser qu'il comprendrait. A sa manière de respirer, je me rends compte que ce n'est pas le cas.

— Il traverse une période dif...

— Est-il en train de *mourir*, Daley ? Parce que pour justifier que vous ne soyez pas ici le 9, il faudrait qu'il soit à l'article de la mort.

— J'ai peur qu'il ne meure si je ne reste pas.

— Si vous restez, il ne mourra pas. Si vous partez, il mourra. Etes-vous un dieu, Daley ?

Je l'entends boire une gorgée de je ne sais quoi. Je me demande s'il est ivre.

— Vous avez signé un contrat, si vous vous souvenez bien, par lequel vous acceptez de commencer vos recherches ici dans quelques jours. Je vous en accorde dix de plus, si vous pensez que votre magie peut opérer durant ce laps de temps.

— Il va m'en falloir plus que cela.

— Combien ?

Quatre-vingt-dix en quatre-vingt-dix.

— Trois mois.

Silence. Nouvelle gorgée. Nouveau silence.

— Autrement dit, vous téléphonez pour présenter votre démission.

— C'est une urgence familiale. J'avais espéré pouvoir bénéficier d'une sorte de prorogation.

— Ce n'est pas comme de postuler à l'université. Ce n'est pas un emploi sur mesure. C'est l'un des postes les plus convoités du pays. Nous avons étudié les dossiers de plus d'une centaine de candidats. Nous

303

en avons convoqué cinq ici. Le processus de sélection a pris toute l'année.

— Je comprends cela.

— Etes-vous réellement mon prochain suicide, Daley ?

Je n'ai pas envie de travailler avec cet homme. C'est un con.

— Non, pas du tout, Oliver. Je suppose que je suis votre première défection.

Le téléphone sonne au cours du dîner. Mon père décroche.

— Ouaip, elle est ici, dit-il en me tendant le combiné.

Mais je n'entends que la tonalité. Je raccroche.

— Que s'est-il passé ? demande mon père.

— On a été coupés, je pense.

Je m'efforce de parler d'une voix ferme.

— C'était ton copain ?

Je réponds oui de la tête.

Je n'ai soudain plus faim. Je n'ai aucun moyen de rappeler Jonathan. Il est déjà en route, à présent. De toute façon, je ne suis pas certaine qu'une discussion changerait quoi que ce soit.

Le lendemain matin, mon père est en veste et en cravate.

— Je vais aller voir Howard, ce matin.

— Howard Gifford ?

Le nom de l'avocat qui s'était occupé de son divorce me donne des douleurs dans l'estomac.

Il opine du chef.

— Je veux que cette affaire avance.

— Si tu es sûr que c'est ce que tu veux.

— Un peu, que j'en suis sûr !

Après son départ, je vide le lave-vaisselle. J'emporte la pile d'assiettes dans l'office, où Catherine les rangeait, mais je m'immobilise au milieu de la pièce. Je ne suis plus obligée de les mettre ici. Elle ne va pas revenir. Tout – l'argenterie, les serviettes, les verres, les saladiers, les bols – peut reprendre sa place légitime. Tandis que je m'active, je me surprends à imaginer des conversations avec Oliver Raskin ou avec Jonathan ou avec un amalgame entre les deux dans lesquelles j'essaie de les convaincre que je n'ai d'autre choix que de demeurer ici quelque temps encore, que c'est mon devoir, non seulement en tant que fille, mais en tant qu'être humain.

Une fois que tout a regagné sa place, je sors les laisses de la penderie et les fixe aux colliers des chiens. Ils ne savent pas comment se comporter, avec une laisse : mon père ne s'en sert que pour les emmener chez le véto. Au fur et à mesure que nous descendons l'allée, ils ne cessent de zigzaguer jusqu'à former un enchevêtrement serré, la petite Maybelle se retrouvant presque suspendue au-dessus du sol.

— Vous êtes pitoyables ! leur dis-je lorsque nous atteignons la rue, et j'ai franchement l'impression qu'ils baissent la tête de honte. Voici ce que nous allons faire : Sadie, tu vas marcher à ma droite, Oscar à ma gauche, Yaz devant et toi, Maybelle, je vais t'attacher à ma taille, comme ça, expliqué-je en glissant la petite poignée de sa laisse dans l'un de mes passants de ceinture. Et maintenant, on y va.

Nous occupons tout le trottoir, ainsi que les parterres de pelouse qui le flanquent de part et d'autre. Chaque fois qu'Oscar commence à lorgner l'herbe du côté de Sadie, je lui ordonne d'arrêter et de regarder devant lui. Tous m'obéissent. Yaz, le plus grand des trois, nous tire tel un chien de traîneau.

Nous dépassons l'allée de l'ancienne maison des sœurs Vance, aujourd'hui encombrée de tricycles et de camions en plastique aux couleurs vives, cependant qu'un énorme garage a remplacé le jardin chaotique, puis nous prenons le raccourci qui emprunte Lotus Lane jusqu'au sentier sablonneux, ignorant les nouveaux écriteaux ENTRÉE INTERDITE. J'ai du mal à respirer comme il faut. J'ai l'impression d'avoir une balle de baseball qui occupe presque tout l'espace dans mes poumons. En réalité, je me demande encore si je n'ai pas rêvé cette discussion avec le docteur Raskin, et même si ce n'était qu'un rêve, celui-ci serait déjà assez terrible. Percevant le bruit des vagues et les odeurs de l'océan, les chiens tirent fort sur leurs laisses. Lorsque nous parvenons à la promenade en planches et que la mer apparaît soudain devant nous, je les libère tous et les deux plus gros dévalent l'escalier en bois usé par les intempéries. Ils galopent vers l'eau dans une fine gerbe de sable blanc. Maybelle reste à mes pieds et descend courageusement chaque marche avec une grande prudence.

De l'air chaud s'élève de la plage et de l'air froid arrive de l'océan. Les mouettes poussent des cris stridents, tandis que les vagues enflent et se brisent en superbes diagonales blanches qui déferlent sur toute la longueur de la grève. Au-delà, l'eau présente un aspect pâle et lustré, ou alors froissé et d'un bleu profond, selon la façon dont le vent l'effleure. Revoir l'Atlantique est toujours comme revoir un ancien amour : une douleur familière, une attraction puissante et une tristesse infinie. Il est si vaste, si fort, d'une si irrésistible beauté. Jonathan et moi n'avons jamais vu un océan ensemble. Nous attendions d'être en Californie. Notre petite maison se trouve à moins de quatre kilomètres de la mer. Il avait chronométré et mesuré le trajet lorsqu'il y était allé.

Les gros chiens ne s'éloignent pas des bas-fonds, aboyant contre les vagues lorsqu'elles se forment et battant en retraite quand elles foncent ensuite vers le rivage. Je retire mes chaussures. Le vent bat contre mon tee-shirt et mon short. J'essaie de respirer à fond.

Plus loin, près de l'accès principal à la plage, quelques personnes plantent leurs parasols et étendent leurs serviettes. Mais ici, il n'y a que moi, les chiens et un couple âgé en imperméable qui se dirige vers les rochers. Je me demande si mon père va déjeuner avec Howard Gifford à Boston. Voyant le couple, les chiens se mettent à courir dans sa direction. Ils iront chez Locke-Ober et Howard commandera un apéritif. Lorsque je rappelle les chiens, ma voix est trop fluette pour qu'ils m'entendent.

Une fois revenue à la maison, je m'installe au bureau de mon père avec une feuille blanche – il n'a pas été facile d'en trouver une qui ne soit pas frappée de son nom et de son adresse – et un stylo bille. Il faut que j'écrive à Jonathan et que je poste la lettre cet après-midi pour qu'elle arrive en Californie en même temps que lui. Je veux lui expliquer que j'ai besoin d'un peu plus de temps ici – moins de trois mois. Et ensuite nous irons à Crater Lake. Peut-être pourrons-nous postuler tous les deux pour du travail à Philadelphie l'année prochaine. Je le vois dans son pick-up, celui qu'il était incapable de conduire quand je l'ai connu, roulant vers un boulot dont il ne voulait même pas. Il souhaitait retourner à Philly. C'était ça, son projet.

Mais dans le projet de Jonathan, il n'y avait rien sur moi. Et il a toujours un projet. C'est sa manière d'affronter la peur. Ma manière à moi est de ne jamais rien espérer, ainsi ne suis-je pas déçue. Même avec Berkeley, je ne me suis jamais fixée sur cette idée. Je voulais le poste, mais je ne m'attendais pas à l'obtenir. C'est peut-être pour cela que je peux le lâcher maintenant. Je n'ai jamais vraiment cru que je l'avais eu. Et même avec Jonathan, je suis restée sur la réserve, jusqu'au jour où il m'a interpellée sur le sujet.

« J'ai envie d'avoir une relation avec toi. »

J'avais ri. Nous étions tous les deux nus.

« Je crois que nous en avons une.

— Mais ces choses-là ont besoin d'être dites. Je pense que tu ne me crois pas sérieux. Ou peut-être que c'est toi, qui n'es pas sérieuse. Quelles sont tes intentions envers moi ? »

J'avais encore ri.

« Je ne plaisante pas, Daley. Quelles sont-elles ?

— Mes intentions ? A t'entendre, on dirait que je suis à la pêche au mari ou un truc de ce genre.

— C'est le cas ?

— Non. »

Il était demeuré silencieux.

« Tu n'es pas soulagé ?

— Non. Je n'ai pas envie de prendre les choses avec désinvolture.

— Je ne prends pas les choses avec désinvolture.

— Je ne suis pas sûr que tout cela ait une quelconque importance à tes yeux, avait-il reparti en me posant la main sur le sternum. Tu es fermée à double tour, ici. »

Il avait raison. Je l'aimais tellement et en même temps je cherchais à tout prix à dissimuler la véritable mesure de mon amour. Mais petit à petit, il a brisé ma cuirasse. Puis il a extirpé mes sentiments et m'a amenée à en parler. Il possédait la faculté d'analyser clairement ces émotions qui, pour la plupart des gens, ne sont rien d'autre qu'une masse dans le ventre. Avec une patience et un soin méticuleux, il a construit pour nous une plateforme robuste, en laquelle j'ai fini par avoir suffisamment confiance pour y placer tout mon poids. C'est parce que je me tiens sur cette plateforme que je suis capable d'aider mon père aujourd'hui.

Je regarde la page. Mes sentiments sont si exacerbés, la situation si incroyable, si indicible. Jonathan est en route pour l'Ouest et je n'y suis pas. Je ne vais pas lui ouvrir la porte. J'ai trahi ma promesse. Je pose la tête sur la feuille, qui se voile bientôt au contact de mes larmes. Je la jette et monte dans ma chambre.

Sur mon lit, je repense à notre dernière nuit ensemble, avant que Garvey téléphone, et je nous revois couchés tous les deux, son doigt se glissant dans mes sous-vêtements. Il est sur moi, lourd, dur, ses lèvres plaquées contre les miennes. « J'ai envie que tu me prennes », chuchoté-je, alors il entre en moi d'une poussée et je jouis rapidement. Trop rapidement. Je demeure allongée une minute, gagnée par la tristesse, et puis je recommence, plus lentement, et mon orgasme est plus profond. Cette fois, je le sens se répandre dans tout mon corps, sous mes orteils, dans mon cuir chevelu. Etendue là, j'ai la sensation d'être près de lui. Je ne veux pas cesser, et éprouver de nouveau la distance entre nous. Je replonge mes doigts dans l'humidité onctueuse en un mouvement de va-et-vient, jusqu'au moment où retentissent des coups contre la porte de la cuisine.

Je remonte la fermeture éclair de mon pantalon et ramène mes cheveux en arrière. Je descends l'escalier, les membres à la fois cotonneux et forts.

C'est Barbara Bridgeton. Me voyant à travers la moustiquaire, elle fronce les sourcils.

— Je t'ai réveillée ?

Non, mais vous venez d'interrompre mon troisième orgasme.

— Je faisais juste un peu de ménage.

309

Je lui ouvre et la cuisine est heureusement impeccable, à la suite de mon réarrangement.

Elle promène son regard aussi perçant qu'un laser sur toute la pièce et dépose une pile de Tupperware sur le comptoir.

— J'ai préparé trois repas pour ton père, mais il n'en a peut-être plus besoin, maintenant. Il est sorti ?

— Il est allé à Boston.

— Tout seul ?

— Oui.

Elle pince les lèvres. Elle veut savoir pourquoi il s'est rendu à Boston. Elle considère les repas qui trônent sur le comptoir d'un air peiné.

— Je croyais que tu devais partir dimanche.

— Moi aussi. Mais je vais rester encore.

— Tu peux te le permettre ?

— Oui.

— Je devrais peut-être rapporter toute cette nourriture à la maison, dans ce cas. J'ai Scott et Carly qui viennent cette semaine.

— Je vous en prie. Nous en avons plein. En fait, j'essaie d'encourager papa à apprendre la cuisine.

Devinant sa désapprobation, je me hâte d'enchaîner.

— Mais merci quand même. Il vous est si reconnaissant de tout ce que vous avez fait pour lui.

— C'est normal : c'est un vieil ami si cher.

Mais une fois qu'elle a repris ses Tupperware, elle ne semble pas si contente que cela. Je me demande si je n'aurais pas mieux fait de les accepter de bonne grâce.

— Enfin, tu es une bonne fille, pour ton père, dit-elle comme pour nous en convaincre toutes les deux. Ton papa a besoin de sa famille, en ce moment, et au moins il t'a. Je regrette que Garvey n'ait pas été capable de faire la même chose. On n'a jamais vu un père autant aimer son fils, se désole-t-elle en remettant les Tupperware sur le comptoir et en secouant la tête. On n'a jamais vu un père aussi fier de son fils. Tu sais qu'ils ont gagné six années de suite le tournoi père-fils ? Je ne comprendrai jamais ce qui est arrivé à ce garçon. Et il a tenu le premier rôle dans la pièce qu'ils ont jouée en quatrième. C'était quoi, cette année-là ?

— *Bye Bye Birdie.*

— C'est ça. Tu ne t'en souviens sans doute pas.

Bien sûr que si, et je me souviens également qu'après la représentation, mon père cabriolait dans la maison en chantant *Put on a Happy Face* d'une voix efféminée, tournant en dérision tout le spectacle en quelques minutes.

— Et puis il était toujours au tableau d'honneur – je ne peux pas en dire autant de deux des miens. Encore que la plupart de ces gamins doués deviennent des drogués qui gâchent la vie de leurs parents, donc on ne peut pas savoir. Tiens, Lukie Whitbeck, tu te rappelles ? celui avait cette tignasse fournie ? Je crois qu'il avait décroché toutes les récompenses dans la classe de Scott. Tout le monde le trouvait si merveilleux, mais il avait mauvais fond ; plus d'une fois j'en ai parlé à ses parents. Il a fait de la prison l'an dernier ; pas longtemps, mais quand même. Enfin, je suis si contente que tu sois là, Daley.

Son visage se fend en un large sourire. Cette plongée dans le passé semble l'avoir ragaillardie.

— Tu es une bonne fille, pour ton père, redit-elle avant de me faire la bise, de récupérer sa nourriture et de prendre congé.

Mon père rentre à trois heures et s'endort sur le canapé. Lorsque ses ronflements parviennent à leur volume maximal, je me penche au-dessus de lui pour sentir son haleine. Hamburger, frites et ketchup, rien d'autre. A six heures et demie, je le réveille pour sa réunion.

— Perdants de tous pays, unissez-vous ! plaisante-t-il en montant l'escalier clopin-clopant pour aller se doucher.

J'ai profité de l'après-midi pour nettoyer et ranger la Datsun, emportant quelques sacs dans ma chambre et le reste dans la remise. Il s'installe en gémissant dans l'habitacle et se ramasse en un petit œuf pour souligner avec humour le manque de place. Le parfum de son after-shave emplit l'espace exigu.

— Tu n'es pas obligée de toujours m'emmener, dit-il.

— Ça me plaît.

Il me tarde d'en être au stade où je ne douterai pas qu'il aille chaque soir à l'église à sept heures, mais cela va demander du temps. Il y a des jours où, en le voyant si triste et si silencieux pendant le trajet, je suis certaine que sans moi, il s'arrêterait chez Shea, le magasin de vins et spiritueux, et descendrait un litre de vodka dans la voiture, ou bien irait chez les Utley ou les Bridgeton, qui seraient à coup sûr en train de prendre l'apéritif dans leur patio.

Après l'avoir déposé à l'église, je vais à pied à la fête foraine. Les beignets m'appellent. Je n'ai aucun travail à rendre, aucune recherche à effectuer, aucune date butoir. Mon esprit ne cesse de passer en revue cette liste, mais n'y trouve rien. Encore et encore. Chaque fois, je me sens un peu plus légère.

Il est difficile de reconnaître le parc quand la fête foraine en a pris possession. Toutes les installations – la balançoire et le toboggan, le terrain de baseball, le kiosque – sont englouties par les attractions. Petite, j'avais du mal à réunir les deux concepts dans ma tête et quand, de temps à autre, je remarquais que c'était sur les gradins du terrain de baseball que les gens allaient s'asseoir pour manger des hot-dogs rouges de trente centimètres de long avant de filer sur les montagnes russes, j'avais l'impression d'être face à un vestige d'un autre temps, comme lorsque les deux personnages découvrent la statue de la Liberté à la fin de *La Planète des singes.*

Je paie les six dollars de droit d'entrée et pénètre dans le parc. Du foin a été étalé sur tout le site afin de protéger le gazon. Avant, on pouvait s'y promener librement et personne ne se souciait jamais de l'herbe. Elle repoussait toujours. C'est un signe qui montre qu'Ashing commence à être consciente de son image, avec ses bannes toutes neuves assorties aux devantures des magasins et ses rues rebaptisées qu'évoque le journal local. Snelling Street s'appelle maintenant Coral Avenue. Et Pope's Road est devenue Bayview Lane. Mais la musique de la fête foraine est la même qu'autrefois : *Sweet Caroline, Mandy, My Eyes Adored You.* Je vois d'ici Jonathan rouler des yeux, ce qui ne l'empêcherait pas d'entonner le refrain avec moi. Il doit connaître toutes les paroles. Il y a beaucoup de monde, une foule de gamins, d'adolescents et de nouvelles familles : des parents de mon âge avec leurs enfants dans des porte-bébés et des poussettes. J'ai de nouveau la sensation d'être une intruse, une espionne de mon propre passé.

Je fonce directement au stand de beignets. La femme m'en donne un énorme, couronné par des flaques d'huile de friture et je le saupoudre de sucre à la cannelle jusqu'à ce qu'il présente une robe foncée d'un marron profond. J'ai l'intention de me trouver un banc pour pouvoir le déguster lentement, mais il est si bon que je le dévore sur place, debout à côté des condiments. Après cela, j'achète un carnet de tickets et pars à la recherche du Tilt-a-Whirl. Il est toujours au même emplacement, à gauche de la grande roue, et les capots bleu et blanc de ses voitures sont en train de s'immobiliser petit à petit sur la piste circulaire dans un mouvement ondulant. Mallory, Patrick et moi sommes probablement montés ensemble plus de cent fois sur cette attraction. Je m'asseyais toujours au milieu, parce que Mallory et Patrick, plus lourds que moi, pouvaient faire tournoyer la voiture plus vite encore en se penchant sur le côté. Mallory poussait des cris stridents dans mes oreilles et Patrick gardait la bouche fermée, gémissant faiblement de temps en temps tel un fantôme. Le son de mes pieds sur les fines marches de métal, après que j'ai donné mon ticket, suffit à ramener à ma mémoire des étés entiers. Les sièges sont toujours en cuir rouge lisse, la barre qui s'abaisse sur les genoux a toujours la même forme arrondie de coquillage. J'ai la même montée de plaisir par anticipation lorsque l'homme tire la manette et que le tapis qui supporte les voitures se met en branle. Je m'installe sur le côté pour accentuer la giration. Bientôt, je suis projetée dans une rotation si rapide que mon cerveau abandonne toute velléité de s'ancrer au sol et je succombe à cette sensation intense, mélange de peur, pour une petite part, et de pure extase pour le reste. J'entends mes hurlements perçants se mêler aux autres hurlements perçants. Sur le Tilt-a-Whirl, il y a des instants où vous pouvez redresser la tête et lancer un bref coup d'œil autour de vous avant d'être envoyé dans un autre tourbillon. Ainsi, levant les yeux à un moment, j'aperçois Neal Caffrey qui me regarde, assis sur un banc. La seconde suivante, il a disparu. A la fin de mon tour de manège, je me dirige d'une démarche flageolante vers l'opérateur pour lui donner d'autres tickets et reviens m'installer sur mon siège rouge. Pendant que je suis prise dans le tournoiement, il m'est impossible de penser à Jonathan ou à Oliver Raskin ou à la maison, avec sa porte jaune.

Quand je redescends, je n'ai plus que vingt minutes pour profiter du Scrambler, du Salt'n'Pepper Shaker et de la grande roue. Incapable de trancher, je repars vers le stand de beignets. Cette fois, je le saupoudre de sucre à la cannelle et de sucre glace jusqu'à ce qu'il soit gris foncé. Délicieux. Puis, je prends place dans la queue pour la grande roue, qui serpente sur une longue passerelle amenant à la base de l'attraction. Deux petites filles et leur mère attendent devant moi. Les filles tentent de se mettre d'accord sur la couleur de la nacelle dans laquelle elles espèrent monter. Celles-ci sont rondes, avec en leur centre une colonne qui soutient un parapluie de métal assorti. Les filles trépignent sous l'effet de la même combinaison de sucre et d'excitation que moi. J'aimerais pouvoir les accompagner et suis sur le point de le leur demander, quand Neal me tapote le pied. Il se trouve au niveau inférieur.

— Hé !

Il donne l'impression d'avoir oublié ce qu'il voulait dire d'autre.

Les petites et leur mère s'installent dans une nacelle verte. Une des filles pleure, car elle voulait la bleue. Je jette un regard à la longue file d'attente qui s'étire derrière moi.

— Tu essaies de resquiller ?

— Je ne sais pas. Peut-être.

— Eh bien, tu as intérêt de te dépêcher.

Il se hisse par la rampe en métal et se faufile entre les barres. Notre nacelle arrive. Voyant qu'elle est bleue, la fillette au-dessus de nous pousse des braillements. Je tends à l'homme assez de tickets pour nous deux, puis nous nous accroupissons pour passer sous le bord du parapluie et nous installons face à face dans le panier circulaire. Le forain engage un verrou dans les trois anneaux qui ferment le portillon. Nous nous élevons un peu avant de nous immobiliser. Je n'ai pas la moindre idée de ce que je pourrais raconter à Neal Caffrey. Et à la vérité, je n'ai pas envie de parler. J'ai envie de monter tout en haut pour admirer le spectacle de la ville et de la pâle surface de l'eau qui s'étendent à mes pieds.

— Oh, putain… lâche Neal tandis que notre nacelle s'élève encore pour s'arrêter près du sommet en tanguant légèrement. Oh, merde…

— Ne me dis pas que le lauréat de la coupe Renaissance a peur du vide. Regarde comme c'est magnifique, d'ici.

Je me tourne pour contempler le port, qui s'étale de plus en plus au fur et à mesure que nous grimpons, et, au-delà, l'océan constellé d'îles, sur l'horizon duquel la nuit commence à se répandre.

— S'il te plaît, ne fais pas ça. Ne bouge pas, je t'en prie.

Il est penché en avant, cramponné à la rambarde circulaire.

— Tu veux dire comme ça ?

Je déplace un tout petit peu mon poids d'avant en arrière.

— S'il te plaît, non, gémit-il.

Je suis un peu choquée de le voir faire ainsi l'enfant.

Nous montons et stoppons de nouveau, tout en haut, maintenant. Neal a le visage totalement exsangue et les yeux hermétiquement clos.

— C'est superbe, d'ici. Le port est plein de bateaux et l'eau si calme.

Nous nous remettons en branle, vers le bas, à présent.

— OK, souffle-t-il. OK.

— Tu veux qu'on descende ?

— Non. Je vais m'y faire.

— Tu es sûr ? Ils laissent toujours descendre les gamins qui commencent à flipper.

— Non. Je peux y arriver.

Nous décrivons plusieurs fois des cercles complets. Il garde les paupières fermées. Il s'excuse à quelques reprises. Il s'efforce de sourire. Si j'imagine ses traits plus aplatis, ses taches de rousseur plus sombres et sa chevelure plus épaisse, je revois le garçon qu'il était. Lorsqu'il sourit, ce sont les mêmes dents carrées, mais sans le vide entre celles de devant. Il a dû porter un appareil dentaire après la quatrième.

Il s'adosse à son siège avec une lenteur prudente.

— Je croyais que tu devais partir. Je croyais que tu étais déjà partie.

— Ouais, bon... Peut-être que Berkeley est un peu trop surestimée, après tout.

— Pas comme les beignets et le Tilt-a-Whirl...

Il sourit et je remarque de nouveau ses dents, mais aussi le vide, même s'il a été comblé.

— Exactement.

— Sérieusement, Daley. Que s'est-il passé ?

Il plisse les yeux et m'observe par deux minces fentes.

— Sérieusement : le directeur de la chaire du département refuse de m'accorder un délai. Il fallait que j'y sois mercredi. C'était ça ou rien.

— Je croyais que ton père se portait mieux.

— C'est vrai. Mais il a besoin qu'on l'aide pour aller là où il doit aller.

Il ne répond rien. Impossible de dire à quoi il pense ou ce qu'il sait au sujet de mon père. Il y a probablement beaucoup de choses que j'ignore.

— Depuis combien de temps vis-tu ici ? m'enquiers-je.

Il secoue la tête.

— Depuis longtemps.

— C'est-à-dire ?

— Presque dix ans.

— Nom de Dieu !

Je croyais qu'il allait répondre un an ou deux. Dix ans, cela signifie qu'il a laissé tomber la fac. J'ai le plus grand mal à dissimuler mon effarement. Il rit.

— Je sais. Je suis le George Willard d'Ashing.

Nous avions lu *Winesburg-en-Ohio* en quatrième. Je lui souris, mais il a encore refermé les paupières.

— Et tu ne vas pas me conseiller de m'en aller pendant que je le peux et de suivre mes rêves ?

— Non, je déteste les conseils, réplique-t-il. Vis ta vie. Voilà. C'est ça, mon conseil.

— Est-ce que tu vis ta vie ?

— Non.

Je ris.

— Voilà une réponse qui ne t'a pas demandé beaucoup de réflexion.

Notre nacelle s'arrête en se balançant. Neal geint. En bas, des gens descendent. Nous serons parmi les derniers.

— J'ai rédigé un mémoire sur toi en troisième cycle d'université.

Je ne sais pourquoi, mais avec ses paupières closes, il m'est plus facile de dire ce que je pense.

— Hein ?

— Tu avais raconté que j'avais la poitrine concave et j'ai écrit que cet instant a été mon introduction au monde du regard masculin.

— Je n'ai jamais raconté que tu étais concave.

A son intonation, j'ai le sentiment qu'il sait exactement de quoi je parle.

— Pas à moi. Mais Stacy me l'a répété.

— C'est faux. Ce n'est pas ce que j'ai dit.

— Bref, j'ai obtenu un 15/20 pour ce mémoire.

Notre nacelle s'immobilise soudain à la base du manège, puis l'homme retire le verrou et ouvre en grand le portillon.

— C'était chouette, lui glisse Neal.

Nous rentrons en ville. Les longs pas élastiques de sa démarche me rappellent sa prestation dans *Le Roi et Moi*. « Par moments, il m'arrive presque de ne plus être sûr de ce que je connais avec certitude », l'entends-je encore chanter. J'éclate de rire.

— Quoi ?

Maintenant qu'ils sont ouverts, ses yeux paraissent anormalement grands et je ris de nouveau.

— Putain, quoi ?

— Rien. Ou plutôt, trop de choses.

— Je crois que je préférais quand j'avais les yeux fermés.

— Pourquoi ?

— Chaque fois que tu me regardes, j'ai l'impression que tu demandes : « Pourquoi es-tu là ? Pourquoi es-tu là ? »

— Pas du tout. Sincèrement, j'étais juste en train de me dire que tu faisais un sacré bon roi de Siam. C'est tout.

— Ça revient au même.

Lorsque nous arrivons devant sa librairie, il sort ses clés de sa poche.

— Tu retournes travailler ?

— J'habite ici. A l'étage, précise-t-il en indiquant quelques fenêtres noires au premier.

— Je croyais que tu vivais chez tes parents.

— Je suis nul, mais quand même pas à ce point.

L'espace d'un instant, je redoute qu'il ne m'invite à monter chez lui, mais il me souhaite simplement bonne nuit avant de disparaître dans l'obscurité du magasin. Quelques secondes plus tard, j'aperçois de la lumière à l'étage, bien que je ne puisse voir que le plafond, de l'endroit où je me tiens. Il ne vient pas à la fenêtre. Je ne sais pas trop pourquoi j'ai pensé qu'il le ferait. Je poursuis mon chemin. Lorsque je passe devant la sandwicherie, trois adolescentes en sortent, leurs sodas toujours à la main.

— Allez ! lance la première en tirant sa copine par la manche.

— Non ! proteste l'autre en libérant son bras d'un geste brusque. Je t'ai dit que c'était pas vrai !

— Allez ! Il habite juste au bout de la rue. On va lui demander et comme ça on saura.

— Non ! crie la deuxième tandis que l'autre part en courant sur le trottoir.

La troisième se tord de rire. Mais la première ne fait que brasser de l'air, car lorsqu'elle parvient à la porte de Neal, elle se contente de faire semblant de frapper. Finalement, les deux autres l'entraînent avec elles à la fête foraine.

Mon père fume une cigarette devant l'église en compagnie de l'homme en pantalon de travail du premier soir. Cet homme ressemble un peu à Garvey : la même façon de tenir sa cigarette vers l'arrière, coincée entre pouce et index, l'extrémité allumée cachée par sa paume. Je fais un signe de la main et monte dans la voiture. A côté de lui, mon père paraît vieux, avec ses cheveux qui ne sont plus seulement parsemés de gris, mais présentent une robe argent uniforme. Son dos est plus voûté, son cou, quand il s'incline, laisse un espace entre sa nuque et le col de son blazer. Lorsqu'il bavarde sur le trottoir, il est toujours jovial : il parle aux gens – hommes ou femmes – comme à des joueurs s'apprêtant à entrer sur un terrain de sport. « Ménagez-vous », lance-t-il immanquablement en prenant congé de son interlocuteur ; « Ménagez-vous », lance l'homme qui ne l'a jamais fait. Mais en cet instant, avec ce type, mon père écoute, opinant gravement du chef, puis regarde par-dessus le toit de la bibliothèque qui se dresse de l'autre côté de la rue avant de répondre d'un air sérieux. Ils discutent quelques minutes encore après avoir écrasé leurs cigarettes sur l'allée, puis se donnent de petites tapes sur le bras et se séparent.

Mon père s'installe dans l'auto en expirant longuement.

Je démarre et commence à m'engager sur la chaussée.

— Je vais te dire, personne n'a eu la vie facile, ça, c'est sûr.

Je tourne la tête vers lui. Je lis de la peine sur son visage, de la peine pour quelqu'un d'autre. Mon père éprouve de la compassion.

Le tableau de bord émet des bips.

— Qu'est-ce que c'est que ce bordel ?

— Ça te dit de mettre ta ceinture, papa.

— Putain, je rêve ! Et ça va me dire quand je dois pisser, aussi ?

Il se penche vers moi pour engager la boucle, ce qui n'est pas évident, car il faut l'introduire selon un angle précis. Il grommelle, mais finit par y arriver et demande alors :

— C'est quoi, cette odeur ?

— Je n'en sais rien.

Ma Datsun est vieille et elle a de nombreuses odeurs.

— De la bouffe, des sucreries, quelque chose de ce genre.

— Les beignets ?

— C'est dégueulasse. Tu as mangé ces saloperies avant le dîner ?

— Deux énormes beignets.

— Comme ta mère.

Il a raison. J'avais oublié ce détail. Comme ma mère.

Nous passons devant les fenêtres éclairées de Neal, puis devant le site de la fête foraine. La grande roue tourne. Un sentiment enfle en moi, m'emplissant la poitrine, la gorge et les mollets. Il me faut une bonne minute pour le reconnaître. Le bonheur.

16

Mon père traverse la cuisine accompagné du *pling* des pointes de ses chaussures de golf sur le linoléum. Il ne trouve pas son fer 5.

— C'est ce maudit Frank qui a dû le tirer.

Il retourne vérifier dans le vestiaire.

— Ce gamin a toujours été un bon à rien. Il peut bien avoir un boulot qui en jette ou plein de zéros sur son chèque de fin de mois, je m'en fous ! Il m'a volé mon putain de club de golf !

Il serre les poings. Son visage est rouge vif. Les chiens dansent autour de lui, ayant mal interprété son excitation. Je sais que j'ai vu le caoutchouc rainuré du manche d'un club de golf quelque part. Cela me revient soudain.

— Il est dans le pool house.

— Quoi ?

Mais il s'en souvient lui aussi. Il va de l'autre côté de la pelouse et revient avec son fer 5. Je devine qu'il regrette de l'avoir trouvé. Cela l'énerve encore plus.

— Maintenant je suis en retard. Je suis vraiment en retard !

Mais en réalité il arrivera en avance au club. Le premier départ du tee n'est pas avant neuf heures.

Après que les chiens ont fini de poursuivre sa voiture dans l'allée, ils retournent dans la cuisine et cabriolent autour de moi pendant que je vide le lave-vaisselle, attendant leur promenade. Au moment où je m'apprête à attacher les laisses, la sonnette de la porte de devant retentit. Les bêtes tirent brusquement sur leurs laisses et se libèrent pour filer à toute allure en direction du son, jappant et se bousculant, leurs cris redoublant de volume une fois qu'elles ont gagné l'entrée. Personne d'autre que le facteur n'utilise la porte de devant et il a rarement une raison de sonner. Les chiens sont déchaînés. Ce doit être quelqu'un qui ne leur est pas du tout familier. Neal Caffrey ? Je m'approche du battant.

Mais ce n'est pas Neal, que je vois derrière les fenêtres. C'est Jonathan.

Pour qu'il se trouve ici maintenant, c'est qu'il a dû rouler depuis qu'il a raccroché le téléphone hier matin. Il porte l'une de ses plus jolies chemises, la rayée dans laquelle il avait soutenu sa thèse. Je me hâte de ramener les chiens dans la cuisine en les traînant par le collier, puis je les y enferme et repars en courant pour ouvrir, tirant la porte qui adhère à l'encadrement. J'ai honte des aboiements, honte que Jonathan me paraisse différent ici, sur la terrasse de cette maison.

— Tu es parti dans la mauvaise direction, Mister Magoo.

Ma voix a une drôle de sonorité, comme si j'avais une grenouille coincée dans la gorge, mais c'est parce que je pleure déjà.

— Je sais, répond-il en m'enlaçant.

Il sent le café, les nachos et, quand je plaque mon nez contre le côté de son cou, il sent notre vie dans le Michigan. Je m'efforce de ne pas trembler. Une fois que j'ai assez confiance en ma voix, je dis :

— Je n'arrive pas à croire que tu sois là.

— J'ai appelé de Des Moines et j'ai continué jusqu'à Omaha avant de faire demi-tour.

J'ai l'impression d'être faible, de ne pas avoir mangé depuis un bon moment, alors que je viens de terminer un bol de céréales. Je ne veux pas relâcher mon étreinte. Je ne veux plus parler. Je l'embrasse et il me rend mon baiser. Je me rends compte qu'il devient dur et je me plaque contre lui, mais il se recule. Puis il laisse ses bras ballants à ses côtés et nous voilà de nouveau séparés.

J'ai toujours les laisses à la main. Il les contemple. Ses yeux sont rougis et sa bouche semble incapable de garder une forme quelconque. Je ne l'avais jamais vu ne pas être en pleine maîtrise de lui-même.

— Entre, dis-je en m'approchant de la porte.

Il secoue la tête de gauche à droite.

— Mon père n'est pas là.

— Je n'ai pas peur de lui. Tu crois que j'ai peur de lui ?

— Non.

Je me fais l'effet d'être toute petite, toute jeune. Je veux trouver une repartie qui me le ramènerait. Je saisis au hasard la première chose qui me traverse l'esprit.

— J'ai vu un raton laveur, l'autre jour. Il avait renversé notre poubelle, déchiré le sac pour fouiller dedans et était assis sur le fût à manger un morceau de gruyère, qu'il tenait entre ses deux pattes comme un journal pendant qu'il le grignotait.

Il sourit devant ma tentative. Il me prend les deux mains. Il s'apprête à dire quelque chose de sérieux, puis change d'avis.

— Ça ressemble à quoi, un élan ? Je crois en avoir aperçu un. Juste au bord de l'autoroute. Sur le terre-plein central. Il avait de ces bois !

Il lâche mes mains et écarte les bras, sous lesquels je remarque deux énormes taches de sueur.

— Grands comme ça. C'était insensé. Je ne sais pas comment il faisait pour ne pas s'affaler sous leur poids.

J'essaie de rire.

— Il faut que tu repartes avec moi, maintenant.

— Jon...

Il lève les yeux vers la maison, qui, de l'endroit où il se tient sur la terrasse, se présente sous son angle le plus imposant : de part et d'autre ainsi que sur deux étages, elle déploie en éventail ses rangées de vieilles fenêtres avec leurs volets, sans oublier la lucarne du petit troisième, lequel sert uniquement de débarras, mais donne à l'ensemble l'allure d'un bâtiment ridiculement disproportionné.

— Je ne comprends strictement rien à ce qui se passe depuis deux semaines.

— Il faut que je reste encore un peu.

— Non, certainement pas. Il faut que tu partes maintenant.

— Je ne peux pas être la prochaine à le laisser tomber.

— Mais tu ne le laisserais pas tomber. Daley, tu es sa fille et tu es adulte. Il sait que tu dois vivre ta vie.

— Il se sentirait abandonné. Et il a déjà parcouru tellement de chemin. Il aime les AA. Il aime ces réunions.

— Que viennent faire les AA là-dedans ? Qu'est-ce que les AA ont à voir avec ton existence ? Daley...

Il recule d'un pas et presse ses lèvres entre ses dents.

— Si je m'en vais, il n'ira plus. Je sais qu'il n'ira plus.

— Alors, c'est qu'il ne le fait pas réellement pour lui, n'est-ce pas ?

326

— Pas encore, pas uniquement. Mais il le fera pour lui dès qu'il sera assez fort pour cela.

— Comment peut-il devenir plus fort quand ta présence ici l'encourage à être faible ? Ce n'est pas comme cela qu'on devient plus fort. Il a besoin d'y arriver seul.

— Il a besoin de pouvoir s'appuyer sur quelque chose, pour le moment. Je suis comme une attelle pour sa jambe brisée.

— A quel prix, Daley ? Une attelle, ça finit à la poubelle. Et il ne t'est pas venu à l'esprit que ta mère et ta belle-mère ont elles aussi tenté pendant des années et des années d'être des attelles ?

— Mais elles attendaient plus de lui que moi.

— Oh, Daley ! C'est toi qui attends beaucoup plus de lui qu'elles n'ont jamais attendu ! Tu espères le papa que tu n'as jamais eu. Tu attends de lui qu'il efface toutes les taches de ton enfance.

— Il n'est pas question de moi. Il est question de lui.

— Je sais qu'il n'est pas question de toi – en apparence, en tout cas. Tu as joliment dissimulé ça derrière un geste de noble sacrifice.

— Jon, *nous* pourrions être plus forts tous les deux si j'avais de meilleures relations avec mon père.

— C'est précisément ce que je veux dire.

— C'est juste pour souligner que ça a ses avantages.

— Daley, commence-t-il en me prenant par les épaules, les yeux injectés de sang et presque tristes. Tu ne peux *pas* rester ici. L'enjeu est tellement énorme, pour toi. Tu ne comprends pas ? Si tu perds ce boulot, tu...

— Je perds un boulot. C'est tout. Je serai quelqu'un qui a perdu un boulot.

327

De l'autre côté de la rue, M. Emery est sorti de chez lui et nous observe, planté dans son allée. Jonathan ne s'en aperçoit même pas. Je me libère les épaules d'une secousse.

— Je dispose de ce créneau – là, maintenant – pour aider mon père. C'est le seul créneau qui se présentera jamais. Et je suis la seule personne à même de le faire.

— Ce doit être agréable de jouer à Dieu.

Pourquoi ne cesse-t-on de me répéter cela ?

— Voilà onze jours qu'il n'a pas bu.

— Je connais beaucoup de gens que je pourrais essayer de sauver, mais ce serait vain de ma part. Tu le sais.

— C'est mon *père*, Jonathan.

— Pourquoi est-ce qu'il n'a jamais été important pour toi d'avoir un père jusqu'à maintenant, juste au moment où nous allons nous installer ensemble ?

— S'il te plaît, ne nous mêle pas à cela. Il n'est pas question de nous.

— De quoi est-il question, alors ? Il y a une semaine, c'était toi, moi et la Californie, alors que maintenant c'est cette ville sinistre, une baraque construite par ces foutus Pères pèlerins et le raciste qui l'habite !

Il s'approche de l'escalier qui descend jusqu'à son pick-up, garé dans le demi-cercle en contrebas. Puis il se ravise et revient vers moi.

— As-tu déjà appelé Oliver Raskin ?

— Oui.

— Et il est d'accord avec ça ?

— Non.

— En clair ?

— Il va offrir le poste à quelqu'un d'autre.

328

J'ignore pourquoi, mais c'est la phrase qui lui rend la situation tangible. Je vois ses yeux s'embuer.

— Pourquoi sabotes-tu ainsi ta vie ?

Ma joie d'obtenir ce poste avait déclenché les larmes de Julie, sa perte déclenche maintenant celles de Jonathan. Mais je n'éprouve pas grand-chose. Tous ces mots sont comme une bouillie de carton dans ma bouche. J'observe que M. Emery est rentré dans sa maison. Jonathan se pince l'arête du nez pour en essuyer les larmes, puis il secoue la tête et se met à rire.

— Putain ! J'y crois pas !

Il est à présent de l'autre côté de la terrasse.

— Jonathan, rien n'a changé. J'ai envie d'être avec toi. J'ai envie de bâtir ma vie avec toi.

— Pas suffisamment. Tu n'en as pas suffisamment envie.

Ne peut-il donc pas comprendre que ce n'est pas *par choix* ? Ne ferait-il pas la même chose à ma place ? Je sens la colère monter petit à petit. Je me fiche de savoir si M. Emery nous entend ou pas.

— Qu'est-ce qui ne va pas, chez toi ? Pourquoi es-tu incapable de comprendre ? Pourquoi es-tu incapable de voir que je ne fais pas cela parce que je le *veux*, mais parce que je le *dois* ? Oui, nous avions un projet. Et là je l'ai légèrement modifié. Pourquoi es-tu incapable de t'adapter à la situation ?

— Légèrement ? Tu ne l'as pas *légèrement* modifié ! gronde-t-il d'une voix profonde et écorchée. Tu as dit que tu allais travailler à Berkeley. J'ai refusé Temple pour être avec toi. Et ensuite, au lieu de partir en Californie, tu es venue ici. Pour deux jours, affirmais-tu. Et après tu as dit six jours de plus. Et maintenant tu as laissé tomber le poste. Pourquoi devrais-je croire que tu voudrais *un jour* venir en Californie ?

— Je le ferai, Jon.

— Je ne te crois pas. Tu sais, tu peux te moquer de moi et de mes projets, mais je n'ai pas d'autre choix. Si je veux manger, si je veux avoir un toit au-dessus de ma tête, si je veux un jour pouvoir subvenir aux besoins de ma famille, je suis *obligé* d'avoir un projet. Mais tes choix sont sans incidences réelles. Parce que tu peux te permettre de mettre le feu à ce que tu veux, sachant que ton papa paiera la facture. Je n'ai pas fait le troisième cycle juste pour m'amuser.

Je me suis débrouillée seule pendant huit ans. J'avais une bourse moins importante que la sienne, à l'université du Michigan. Nous étions pauvres ensemble. Et voilà maintenant qu'il déforme toute l'histoire.

— Tu sais quoi ? Va te faire foutre !

— Va te faire foutre toi aussi !

Je n'avais jamais vu sa bouche aussi serrée, aussi méchante. Il pivote sur ses talons et dévale l'escalier. Quel point final indigne ! Du niveau d'un échange entre mon père et Catherine.

J'entends le pick-up démarrer, avec son vieux moteur bruyant, puis les pneus qui écrasent les gravillons blancs et enfin le silence lorsqu'il retrouve l'asphalte avant de disparaître.

Mon père revient du golf bien après l'heure du déjeuner. L'espace d'un instant, je crois qu'il est ivre. L'espace d'un instant, je vois un mirage, un flash-back de son visage de buveur, un relâchement de la chair autour de la bouche, la culpabilité au fond de ses yeux jaunes. Mais alors qu'il approche de la maison, il lève la tête et me surprend en train de l'observer de la cuisine ; alors il corrige son expression.

— On n'a pas fait de quartier ! lance-t-il en entrant avant de me regarder de plus près. Qu'est-ce qu'il y a ?

— Rien.

— C'est sûr ?

— Ouais. Je suis juste fatiguée.

— Tiens, si on allait au restaurant, ce soir ? Où tu veux.

17

Juillet passe.

Les matins, quand il n'a pas rendez-vous au tennis ou au golf, mon père s'active autour de la maison. Il tond la pelouse avec son espèce de tracteur, nettoie la piscine et y verse la dose de produits chimiques requise, ou enlève les mauvaises herbes du potager pour les apporter à la décharge. Il aime bricoler, s'amuser avec ses outils au garage, aller et venir entre la maison, le garage, la remise et le pool house, mû par un objectif que j'ai parfois du mal à cerner. De temps à autre, il s'installe à son bureau, dans le petit salon, et, lunettes sur le nez, s'occupe de ses factures. Visiblement, le travail ne semble pas du tout lui manquer. Je m'efforce d'apparaître active moi aussi, bien que j'en aie une indigestion, de l'activité. Je suis enveloppée par une épaisse couche d'inertie. J'emmène les chiens à la plage, vais me promener à Littleneck Point, descends à la boutique de Neal. J'ai entamé la rédaction d'un essai à l'intention des prédicateurs laïcs, traitant de la pauvreté et de la solidarité dans la sierra Juárez, mais je ne parviens pas à trouver le ton. Je n'ai pas dépassé la deuxième page.

Si je n'étais pas vigilante, nous passerions la plupart de nos après-midi sur le court de tennis, mon père et moi, alors je dois veiller à proposer d'autres occupations. Début août, alors que mon père s'est vu remettre un jeton jaune pour ses trente jours d'abstinence, nous effectuons la demi-heure de route vers le nord pour aller prendre le ferry de Hook's Island, un rafiot aux rambardes vertes écaillées, pourvu de quelques bancs. Aucun de nous deux n'a jamais mis le pied sur Hook's Island. Nous nous tenons à la poupe et mon père contemple le modeste sillage blanc du bateau, les casiers à homards, la poignée de baleiniers et de voiliers qui mouillent non loin de la côte, les mouettes qui lancent leur cri rauque avant de plonger dans le même carré d'eau bouillonnante. La température baisse au fur et à mesure que nous nous éloignons de la terre. L'océan s'étend en un dégradé de bandes bleues : lavande pâle, pastel, cobalt, marine. Mon père regarde le spectacle, mais ne commente pas sa beauté. C'est peut-être la première fois de l'été qu'il voit le large.

— Un été, ma mère a loué une maison sur une île, dit-il. Ça m'y fait penser.

— Je croyais que vous alliez toujours à Boothbay.

— Ça, c'était après avoir épousé Hayes. Il avait une baraque dans le Maine.

— Elle était où, cette île ?

— Je ne sais plus trop. Elle s'appelait Duck Island, je crois. Ou Buck Island. Je n'avais que cinq ou six ans.

— Il n'y avait que vous deux ?

— Et Nora.

Une secousse agite soudain le ferry, et nous nous tournons vers la proue. L'île nous apparaît alors, tout en plages sur le pourtour, tandis qu'une butte se dresse en son centre. Il n'y a pas une seule maison. L'ensemble constitue une réserve naturelle. Le navire se glisse dans son étroit emplacement. Nous retrouvons la chaleur d'août.

Les touristes mettent leur sac à dos et attendent que le passeur décroche la chaîne. Nous nous effaçons devant une famille, un mari trapu, une épouse élancée et deux gosses munis de VTT. Ils nous sourient. Je me rends compte qu'ils voient en nous une fille et son père qui vont pique-niquer. Une petite vague de fierté enfle en moi. Je leur rends leur sourire.

La femme qui nous a vendu les tickets nous a expliqué que la meilleure plage se trouvait de l'autre côté de l'île et nous suivons le sentier forestier qu'elle nous a indiqué. Les bois sont sombres et frais, le sol sablonneux.

— Nous jouions à un jeu avec un mouchoir blanc, reprend mon père. Il pleuvait beaucoup. A côté de la cheminée, il y avait une caissette pour le petit bois et c'était toujours là que je cachais le mouchoir. Toujours. Parce que ça faisait rire ma mère. Je crois que c'était au Canada, ajoute-t-il.

L'île du Prince-Edouard ? Celle de Campobello ? Mais je n'ai pas envie de gâcher une question en m'appesantissant sur le lieu. Je garde le silence. Je me demande si ce sont les discussions qu'ils ont aux AA qui l'amènent à revenir sur le passé. Je ne me mêle pas de ses réunions ; j'ignore s'il a un parrain ou s'il suit les étapes.

— Nora était alitée parce qu'elle était tombée malade, alors ma mère a dû jouer avec moi.

A travers les trouées dans les arbres, j'aperçois les crêtes des dunes qui se chevauchent, sculptées en arêtes vives par le vent.

— Toute ma vie, on m'avait rebattu les oreilles sur l'intelligence de ma mère, sur le prix prestigieux qu'elle avait gagné au Smith College, l'université pour femmes, et sur les articles qu'elle avait écrits pour le *New York Times* au sujet de ses voyages en Egypte, alors qu'elle n'avait même pas encore sa licence. Mais tu sais ce que je voyais la plupart du temps ? Une femme assise dans un fauteuil, le regard dans le vide. Même avant la mort de mon père. On l'entendait de temps à autre se plaindre que son steak était trop cuit ou qu'il y avait des traces sur son verre ou que je faisais trop de bruit. Mais c'était à peu près tout.

— C'est la description d'une personne en colère.

— Elle *était* en colère. Mais pourquoi ? Elle avait une existence aisée. Ses parents lui avaient laissé largement de quoi vivre.

— Peut-être ne voulait-elle pas d'une existence aisée. Peut-être voulait-elle une existence stimulante. Etre une femme intelligente à Dover, Massachusetts, dans les années trente, ne devait pas être facile, il y avait de quoi se tirer une balle dans la tête.

Nous montons entre deux hautes dunes. De ce côté-ci, face à l'est, l'océan est plus sombre, les vagues plus grosses. J'ai lu quelque part qu'au niveau de la mer l'horizon n'est jamais au-delà de cinq kilomètres et demi, mais cela me semble impossible en cet instant. Je suis stupéfiée par le gigantisme de cette immensité bleue et déserte. Après avoir fait l'amour la première fois dans ma voiture, Jonathan et moi nous sommes assis sur la petite grève de galets en nous demandant ce qui rendait toujours les grandes étendues d'eau aussi fascinantes. J'affirmais que c'était la couleur et lui soutenait que c'était l'espace. On ne peut pas les goudronner ou construire dessus ou y faire du commerce. Ce n'est rien d'autre qu'un énorme soulagement pour les yeux, disait-il. Mais pour moi, c'est plus que cela. J'ai chaque fois l'impression que l'eau me parle, m'exhorte à quelque chose, même si je ne sais jamais quoi au juste.

— Pourquoi est-ce que tu fais toujours ça ?

— Quoi ?

— Ce que tu viens de faire avec ma mère.

— Qu'est-ce que j'ai fait avec ta mère ?

— Cette manie de tout ramener au fait qu'elle était une femme. C'est comme pour ce gamin qui était dans la même classe que Garvey. David Stevens. Tu t'en souviens ? Sans doute pas. Il n'est pas resté longtemps. Il est arrivé en CM2, et puis, en cinquième, il a triché lors d'une interrogation écrite et il a reçu un avertissement. A l'interrogation suivante, il a recommencé et il a été viré. Ses parents en ont fait tout un plat en prétendant que c'était parce qu'il était juif. Personne ne savait qu'il était juif ! Il s'appelait Stevens, bordel ! Mais pour eux, c'était à cause de ça. Ce pauvre gosse n'a jamais eu à assumer la responsabilité de ses actes.

Je me rappelle vaguement que l'histoire était un peu plus compliquée, qu'ils avaient été deux à tricher et que l'autre avait juste été exclu temporairement, pas renvoyé. Mais je n'ai pas envie de débattre de la politique du collège d'Ashing.

— Donc tu voudrais que je me contente de dire : « *Ouah ! ta mère était un pauvre légume dérangé du ciboulot* » sans chercher à savoir pour quelle raison elle pouvait être malheureuse ?

— La mère de Don Finch était juge à la cour d'appel. Celle de Shep Holliston était médecin.

— C'étaient les exceptions qui confirmaient la règle.

— Alors sois une exception. La vie est injuste. Elle est injuste pour toi, comme elle l'est pour moi. Mais si tu prétends qu'elle a eu une existence épouvantable parce que c'était une femme qui était née riche au début du vingtième siècle, tu ne me feras pas pleurer. Les gens de ta génération ont l'air de croire que les hommes obligeaient les femmes à se marier avant de les coller à la cuisine. Permets-moi de te dire que ça ne se passait pas comme ça. C'était nous, qui étions contraints au mariage.

— Oh, papa, arrête !

— C'est vrai. Si tu voulais coucher avec une fille bien.

— Issue d'une bonne famille.

— Il n'y a rien de mal à ça.

— Une fille que tu pouvais emmener au club.

Nous avons glissé au bas des dunes et longeons à présent la mer pour trouver un endroit agréable sur la plage.

— Ecoute, je n'aime pas cette façon de toujours se lamenter, chez les gens de ta génération.

Puis, riant soudain :

— Comme cette femme noire qui a déposé contre le juge, l'an dernier.

— Anita Hill.

— Anita Hill. Quelle connerie ! Alors qu'elle avait l'occasion de voir l'un des siens devenir juge de la Cour suprême, voilà qu'elle se jette sous les roues du train ! Elle débarque de nulle part pour le détruire. D'abord, est-ce que tu crois réellement qu'un type important comme lui, un mec qui a bossé toute sa vie pour décrocher un tel poste, va s'amuser à parler de poils pubiens sur une canette de Coca ? Et à supposer qu'il ait fait une chose pareille, comment réagirais-tu, toi ?

— Je n'en ai aucune idée.

— J'espère, j'espère juste que tu te remettrais au travail.

— Papa, Anita Hill ne débarquait pas de nulle part. Quand un juge est nommé à la Cour suprême, il a besoin de références, comme nous tous, de témoignages de personnes qui ont travaillé avec lui et sont à même de répondre à des questions sur sa personnalité. Elle a raconté ce qu'elle savait. On voyait bien qu'elle ne faisait pas ça par plaisir. Mais elle a eu le courage de parler franchement et de dire à la commission qu'il a invariablement profité de son pouvoir sur elle pour la harceler et la noyer sous un flot de langage pornographique.

— La bave du crapaud...

— Les mots font autant de ravages que les actes, papa.

— Au boulot, on parle de choses et d'autres, de conneries. Si les femmes ne sont pas capables de le supporter, elles n'ont qu'à rester chez elles.

— Désolée, mais plus question d'être mises à l'écart des lieux de travail. Les femmes ont été maintenues en esclavage chez elles bien assez longtemps.

— C'est bien joli, ce que tu dis, mais es-tu une esclave ? As-tu les mains liées ?

— Pas au...

— Réponds à ma question, c'est tout. Es-tu enchaînée actuellement ?

— Non.

— As-tu la liberté de parole, de voter pour le candidat de ton choix, de poursuivre la carrière que tu désires mener ? Le fait d'être une femme t'a-t-il empêchée de briller à l'école ? Ta chaire a-t-elle été accordée à quelqu'un d'autre parce que tu es une femme ?

— Non ; nous avons fait des progrès, mais...

— Très bien, dans ce cas, conclut-il en s'arrêtant de marcher. Qu'y a-t-il dans ce panier de pique-nique ?

Nous mangeons tout ce que j'ai emporté : les sandwichs au poulet, les chips, les tranches de pastèque.

— Je vais te dire, Daley, en ce moment, tout le monde parle d'avantages et de privilèges. Eh bien, ça aide, mais pas plus que ça. Tu sais qui a bénéficié de tous les avantages et de tous les privilèges imaginables ?

338

Je le sais, mais je réponds non de la tête.

— Garvey. Il a eu la totale. De bonnes écoles, une bonne éducation, de bons tout ce que tu veux, et regarde-le.

— Je n'ai pas envie de parler de Garvey.

— Je te dis juste qu'il aura de la chance s'il peut un jour entrer au Rotary Club.

— Il n'y a absolument aucun problème avec Garvey et je crois que tu le sais bien. C'est dommage que tu aies des idées si arrêtées sur la personne qu'il devrait être.

Assis sur sa serviette, ses grands genoux pointus relevés à hauteur d'épaule, mon père laisse s'écouler du sable sur une bande de cellophane. La famille installée un peu plus loin est partie se baigner et les mouettes picorent dans son paquet de crackers resté ouvert.

— Tu sais, quand Garvey était en seconde, il a gagné un prix pour une nouvelle qu'il avait écrite, dit-il. Ta mère et moi sommes allés assister à ce grand événement. Tous les candidats ont lu leur texte et puis Garvey est monté le dernier sur la scène. Il avait la cravate de travers, la chemise sortie du pantalon et il nous a lu l'histoire la plus chiante et la plus nulle que tu aies jamais entendue de ta vie, à propos de ces gens qui se rendaient à un cocktail. Dieu merci, il y avait quelqu'un qui faisait tourner discrètement une flasque de gin.

— Il se passait quoi, dans cette histoire ?

— Rien ! Je n'arrivais pas à saisir comment elle avait bien pu décrocher le premier prix !

— Et maman, elle en pensait quoi ?

— Oh, Garvey était l'Enfant Jésus, pour elle. Tout ce qu'il faisait était bien.

Je souris. Elle aurait compris que son histoire était une satire.

— Quand tu étais à Saint-Paul, tu t'y plaisais ?

— Ouais, ça allait. A part pour la religion. Eglise toutes les cinq minutes.

— Est-ce que tu revois quelques-uns de tes amis de l'époque ?

— Non. Ils sont tous partis à New York ou je ne sais où. J'ai gardé quelque temps le contact avec mon entraîneur de tennis, qui était aussi mon prof d'histoire, même si je n'avais pas de très bonnes notes dans ses cours. C'était un ami, un type jeune, à ce moment-là. Mais après, je l'ai revu une fois à Boston et ça a été fini.

— Que veux-tu dire ?

J'imagine des avances sexuelles, une main glissée sur la cuisse de mon père.

— Il m'a appelé pour me donner rendez-vous dans un restaurant français chic, et quand l'addition est arrivée, il m'a tout simplement laissé la régler. Cent dollars pour deux, ce qui était une sacrée somme, en ce temps-là. Il me téléphone, il choisit le restaurant et ensuite il me fait tout payer. Je ne lui ai plus jamais reparlé. Pourtant c'était un bon mec. Super joueur. Mais il m'avait piégé, dans cette histoire.

Je le sens tellement ouvert, que j'ai l'impression de pouvoir lui poser n'importe quelle question.

— Est-ce que ta mère buvait ?

Il répond oui de la tête.

— Alors que Nora était malade, pendant notre semaine sur l'île, elle devait se lever chaque soir pour aider ma mère à se mettre au lit.

— Tu crois qu'elle a commencé à la mort de ton père ?

— Aucune idée. Mais ça ne s'est pas arrangé quand elle a épousé Hayes, ça, c'est sûr !

— Il buvait, lui aussi ?

— Je pense. Mais avec lui, c'était plus difficile à dire. C'était un grand costaud. J'étais un avorton, à côté de lui.

— Est-ce qu'il te frappait ?

— Moi ? Jamais.

Je relève la légère accentuation sur le « moi ».

— Ta mère, alors ?

— Je crois.

— Oh, papa...

— Ouais, enfin... lâche-t-il en enfonçant profondément le cellophane dans le sol avant de le recouvrir de sable. Ils sont tous morts, maintenant. Bon débarras.

Alors, il s'allonge, détourne le visage du soleil et sa main est bientôt agitée de deux mouvements convulsifs, puis il s'endort. Je m'approche de l'eau. Le sable est mou, froid et une vague se brise, puis se déroule à toute allure jusqu'à mes chevilles avant de refluer brutalement, aspirant le sable tout autour de mes pieds, sauf au milieu de la plante. Lorsque je me trouve au grand air, je pense toujours à Jonathan. Il serait là avec moi et sentirait le sable qui se retire, sentirait l'étroite bande sur laquelle les pieds terminent en équilibre. Tandis que je retourne à la serviette, je crois percevoir sa main sur mon bras. « Attends, encore une fois », l'entends-je demander. Pourquoi ne l'ai-je pas emmené à la plage de Ruby Beach ? Pourquoi n'y sommes-nous pas allés ? J'aurais eu les laisses des chiens dans la main. Nous les aurions regardés courir jusqu'à l'océan en soulevant des nuages de sable. Nous nous serions dit des choses différentes, là-bas. Nous n'aurions jamais été aussi cruels l'un envers l'autre. Quand je songe à notre échange de « Va te faire foutre ! », j'ai l'impression que l'on me met le feu au ventre.

Je lis *La Porte des anges* étendue sur ma serviette. Voyant le nez de mon père commencer à rougir, je lui

applique de l'écran total, ce qui le réveille à peine :
il murmure juste un « Merci » avant de s'assoupir de
nouveau. Je finis par mettre mon livre de côté pour
tenter de me relaxer à mon tour.

Mais je n'y parviens pas. Détente et sommeil me
sont devenus plus difficiles depuis le passage de Jonathan. Mon esprit est en effervescence. Il veut
examiner en détail ce qui s'est produit sur la terrasse,
puis il veut retourner dans le passé. Il veut tout
revivre, comme si, par cette opération, il avait le
pouvoir de changer la fin. Là, nous sommes sur son
lit, la première nuit où j'ai couché chez lui. Nous nous
sommes touchés et avons discuté des heures durant. Il
est trois heures du matin et il est allongé perpendicu-
lairement à moi, la tête sur mon ventre, m'effleurant
du dos des doigts l'intérieur du bras. Il évoque Wicker
Street.

— La première fois où on m'a parlé de mon quartier comme de « la cité de Wicker Street », j'ai été
étonné. Les cités, c'était autre chose. Les cités, ce
n'était pas l'endroit où *nous* habitions.

Lorsqu'il est entré en CM1, il a dû aller dans une
école pour Blancs située à une demi-heure de chez lui
et où l'on essayait d'imposer la déségrégation. Pour
pénétrer dans le bâtiment après être descendus du
bus, ses camarades et lui devaient marcher entre deux
haies rapprochées de parents blancs qui leur criaient
de rentrer chez eux.

— Nous aurions bien aimé rentrer chez nous, ça je
peux te le dire !

Leurs parents leur avaient conseillé de baisser la
tête et de continuer à avancer. Ils ont gardé les poings
serrés dans leurs poches.

— Il y a une photo de ça que ma mère a découpée
dans le journal. Si tu la regardes de très près, tu peux

remarquer que sous sa poche, mon pote Jeff leur fait un doigt d'honneur.

Une fois à l'intérieur de l'école, tout allait bien. C'étaient les parents des autres élèves qui leur faisaient le plus d'histoires. Son premier copain blanc était un garçon prénommé Henry, qui avait un chat. Chaque fois qu'ils allaient chez lui, celui-ci était pelotonné sur le canapé et Henry le caressait, mais quand Jonathan voulait le caresser à son tour, l'animal faisait un bond d'un mètre. La pire des insultes de la part de l'un ou l'autre de ses grands frères était de le traiter de Blanc, explique-t-il.

— Quand ils me voyaient jouer avec mes amis, ils disaient qu'on jouait comme des Blancs. Les chaussures marron que ma mère m'avait achetées étaient des pompes de Blancs. J'enlevais ma chemise comme un Blanc. Mais ma mère, elle, me tapait sur la tête en me reprochant de me comporter comme un nègre !

Quand sa mère a obtenu son autorisation d'exercer comme infirmière, ils ont déménagé pour s'installer dans une maison à eux, qui avait un jardin à l'arrière où était planté un arbre.

— Je me souviens que l'un des premiers soirs où nous habitions cette maison, j'étais assis dans l'herbe au pied de cet arbre et j'ai levé les yeux pour le regarder. C'était un petit arbre fragile, à l'écorce lisse, et j'ai éprouvé une drôle de sensation : que j'aimais cet arbre et que lui aussi m'aimait. Et il m'est apparu qu'il s'en fichait, que je sois blanc ou noir. Qu'il s'en fichait réellement et sincèrement. Que cela n'avait aucune importance pour lui. Et pendant quelques secondes, j'ai eu un peu l'impression de flotter dans l'air. Je pense que cela a été la première et peut-être la dernière fois où je me suis senti libéré, vraiment libéré.

— De ta condition de Noir ?

— De tout, sauf de ce que j'étais moi-même.

— Casse-toi, connasse ! Mais casse-toi donc !

Mon père fait mine de taper sur une mouette. Celle-ci a bondi hors de portée de lui, mais continue à lorgner avec avidité le bout de film alimentaire qui dépasse du sable.

— Oh, merde ! Prends-le !

Mais lorsqu'il le lui jette, l'oiseau s'en désintéresse.

— Je ne sais pas ce que tu veux, alors. Je ne peux rien pour toi, conclut-il en s'asseyant le dos droit. Tirons-nous d'ici.

Je pense que nous avons le temps de prendre le ferry de seize heures, mais nous l'entendons appareiller alors que nous sommes encore dans les bois.

— Bon Dieu de bon Dieu... grommelle mon père, le poing serré.

— Il va revenir. Il y a un départ toutes les demi-heures.

Il me regarde comme si j'avais manigancé tout cela. On dirait un petit garçon qui s'est réveillé de très mauvaise humeur.

— Respire profondément, papa.

— Et toi va te faire voir. J'ai besoin d'un verre, bordel.

— Très drôle.

Mais je vois qu'il ne plaisantait pas. Il a oublié. Je regarde la colère envahir son visage.

— Tu sais quoi, Daley ?

Deï-*liii*. Sans lui laisser le temps de poursuivre, j'interviens :

— Je ne veux pas t'entendre. Garde ça pour toi. Tu es d'une humeur massacrante et moi aussi, alors prenons le bateau et rentrons à la maison.

344

— Je ne vais pas aller à cette foutue réunion, ce soir.

Je m'attendais à cela. J'avais même répété ma réaction.

— Très bien, réponds-je calmement.

— J'en ai marre de ces gens et de leurs problèmes. Je n'ai rien en commun avec eux. Rien.

— Sauf l'envie de boire.

A sept heures moins le quart ce soir-là, il m'appelle alors que je suis dans ma chambre. Lorsque je descends à la cuisine, il se tient devant la porte, douché et changé.

18

Quand j'étais petite, mon père adorait surprendre les gens. Lorsque mes parents avaient des invités à dîner, il n'était pas rare qu'il monte dans sa chambre pour en redescendre affublé d'une perruque à la Marie-Antoinette et de sous-vêtements de ma mère. Une fois, il nous a tous offert des cadeaux pour *son* anniversaire. A Noël, il y avait toujours quelque chose d'inattendu : un chaton, une batterie, une nouvelle voiture dans l'allée. Mais si le secret était révélé prématurément, attention ! Garvey n'a jamais eu la table de ping-pong qu'il avait découverte dans la remise deux jours avant son anniversaire et mon père n'a plus jamais adressé la parole à M. Timmons après que celui-ci eut souhaité à ma mère de bien en profiter à Hawaï – ce qui était son présent pour leurs quinze ans de mariage. A l'exception de leur départ soudain, ni ma mère ni Catherine n'avaient été très douées pour inventer elles-mêmes des surprises et je doute que sa propre mère – une femme malheureuse – ou même que Nora – une femme gentille, mais pas très joueuse – aient beaucoup œuvré en matière d'imprévu pour lui. Alors je décide d'organiser en cachette une soirée pour le 29 août, qui marque à la fois son anniversaire et son soixantième jour sans alcool.

Je passe chez Neal afin de lui demander s'il connaît un traiteur et il me donne le numéro d'une personne prénommée Philomena. Comme il n'y a pas de clients dans sa librairie, nous nous installons sur le perron. La ville est noyée dans le brouillard, ce matin, et l'air est si humide, si saumâtre, qu'il se révèle difficile de respirer, comme si l'on inhalait une pulvérisation de sel et d'algues. En dépit de l'absence de soleil, il fait déjà chaud. Neal porte un short qui lui donne une drôle d'allure, ce dont il semble conscient : il ne cesse de couvrir ses genoux pâles avec ses mains. Ses cheveux forment des frisettes autour de ses oreilles.

— Comment est-ce que tu la connais ?

Ce serait bien le genre de Neal d'avoir une petite amie qui s'appelle Philomena.

— C'est une vieille copine de la Morte.

— De qui ?

Il baisse les yeux sur ses mains.

— Une fille que je connaissais.

— Mais qui n'est pas vraiment morte.

— Non.

— Rupture douloureuse ?

Il répond oui de la tête. J'attends de voir s'il va poursuivre sur le sujet.

— Est-ce qu'on t'a déjà fracassé le cœur en mille morceaux.

— Oui.

— Je veux dire *réellement* fracassé. Tout le monde prétend avoir eu le cœur brisé, mais ça va être une fille qui est sortie deux fois avec un mec qu'elle aimait beaucoup et qui ne l'a jamais rappelée après. Ou alors quelqu'un comme mon frère, qui est sorti pendant deux ans avec cette nana vraiment épouvantable et qui ne faisait que se plaindre ou se moquer d'elle, mais qui, quand elle a fini par coucher avec un autre, a raconté partout qu'il avait le cœur brisé en deux. Et le mardi suivant il s'était trouvé une nouvelle copine. Ce n'est pas ça, dont je parle.

— C'est se réveiller chaque matin en ayant la sensation d'avoir été tabassé au point d'être incapable de respirer normalement, dont tu parles.

Neal ferme les yeux.

— Oui.

Nous demeurons assis à regarder défiler les voitures. *Le Deuxième Sexe* de Simone de Beauvoir trône maintenant en vitrine. Je l'ai lu pour la première fois l'hiver dernier. Un matin, j'étais plongée dedans sur le canapé de Jonathan pendant qu'il passait l'aspirateur. Il est beaucoup plus soigneux que moi. Je n'ai jamais possédé d'aspirateur. « Je suis le troisième sexe, a-t-il plaisanté en arrivant près de moi. Mais personne n'a jamais écrit de bouquin sur moi. »

— Que s'est-il passé ? demande Neal.

— J'ai perdu et le boulot et le mec. Pas de prorogation dans un cas comme dans l'autre.

— Il changera d'avis.

— Je ne le crois pas. J'aurais déjà eu de ses nouvelles.

Je sursaute toujours chaque fois que le téléphone sonne, guette toujours l'arrivée du courrier emplie d'espoir. J'ai appelé les renseignements, mais son nom n'est inscrit nulle part, ni à Paloma Street ni dans toute la baie de San Francisco.

— Il s'appelle comment ?

— Jonathan.

Il m'est douloureux d'articuler ces syllabes. J'ai besoin de changer de sujet.

— Et ta Morte ?

— Je ne prononce plus son nom, réplique-t-il en secouant la tête.

348

— Comment est-ce arrivé ?

— C'est une histoire trop longue.

— J'ai tout mon temps.

— Pas moi.

— Donne-moi juste un ou deux détails.

— Ça a commencé en première année de fac et ça s'est terminé six ans plus tard dans un Pottery Barn[1] du centre commercial de Chestnut Hill.

Je m'adosse au montant de porte.

— Allons... Dis-m'en un peu plus.

— Arrête donc. Ne t'installe pas bien confortablement pour écouter une longue histoire. Les filles sont toujours comme ça, elles essaient de te soutirer un maximum de confidences.

— Non, les *filles* ne sont pas toujours comme ça. Les *femmes* – c'est-à-dire les personnes de sexe féminin de plus de dix-huit ans – non plus. Il se trouve que cela m'intéresse parce que mon domaine est l'anthropologie des comportements. Ou plutôt était. Qu'est-il arrivé au Pottery Barn ?

— Nous étions sur le point d'emménager tous les deux. Ici, précise-t-il en montrant l'étage. Je refusais de payer la moitié du lit que nous prenions. J'avais l'argent, mais je pensais juste que les choses devaient être claires – elle achetait le lit et moi le canapé. Au cas où. Et voilà qu'elle a monté ça en épingle, en me faisant tout un laïus sur la confiance et l'engagement réciproques.

— A ce que tu me décris, c'était bien cela dont il était question.

— Ouais. J'ai eu quelques années pour me rejouer dix mille fois la scène. C'était bien de cela, en effet.

---

1. Chaîne de magasins de meubles et d'objets de décoration.

— Et maintenant, où est-elle ?

— Je ne sais pas trop. Dans le Vermont, peut-être. A toi, à présent. Raconte-moi quelque chose sur Jonathan.

Je regrette d'avoir dit son prénom. J'ai l'impression de lui avoir donné un pistolet chargé. Il se penche en arrière et s'appuie sur les coudes.

— Ne t'installe pas confortablement !

Il rit.

— Je t'écoute.

Mais il n'y a pas encore d'histoire à raconter. Juste un nœud serré et brûlant.

— Allez, vas-y, fait-il en me poussant très légèrement de l'épaule.

Une mère et sa fille montent l'escalier, une longue liste de lectures pour l'été à la main.

— Nous nous y prenons un peu tard, mais elle lit vite, déclare la femme en remettant la feuille de papier à Neal.

— Collège d'Ashing, annonce-t-il en me présentant d'un geste de la main.

— Coupe Renaissance 1978, rebondis-je en montrant Neal qui rentre dans le magasin.

— C'est vrai ? demande la mère, impressionnée.

Il pointe à son tour le doigt vers moi.

— Refais ça encore une fois, et tu n'auras plus le droit de mettre les pieds dans cette boutique.

Puis, redevenu sérieux, il va leur chercher les livres prescrits et je réveille les chiens pour reprendre le chemin de la maison.

J'envoie par la poste des invitations aux amis les plus proches de mon père, ceux qui n'ont pas pris le parti de Catherine, ceux dont il parle d'une manière plus ou moins affectueuse. J'achète des torches de

350

jardin que je cache dans la réserve de Neal. A la friperie, je rencontre par hasard la femme un peu bohème qui est souvent en retard aux réunions. Elle m'apprend qu'elle s'appelle Patricia et se dit ravie d'avoir fait la connaissance de mon père, alors je l'invite également.

J'aimerais pouvoir le rendre sourd pour deux semaines. J'ai trop peur que quelqu'un ne commette un impair et n'évoque la réception devant lui. Lorsque nous sommes en ville tous les deux, je suis prête à bondir à la gorge de toute personne qui me paraît susceptible de laisser échapper le secret. Chaque fois qu'il revient de la quincaillerie, de la décharge ou d'une réunion, je m'attends à l'entendre déclarer qu'il n'a pas envie de cette putain de soirée surprise. Et quand je finis par lui demander d'un ton très dégagé ce qu'il aimerait faire pour son anniversaire, il réplique :

— Rien. Je déteste les anniversaires.

Je le rassure en lui affirmant que nous allons dîner tranquillement à la maison, rien que nous et les chiens. Et le soir venu, prétextant que j'ai l'intention de lui préparer un repas spécial, j'insiste pour qu'il aille à la réunion sans moi. C'est la première fois que je ne l'accompagne pas, mais je n'ai aucune inquiétude. J'ai la sensation que l'heure a sonné. A peine est-il parti que Philomena débarque avec son équipe et nous nous hâtons d'installer tables et chaises sur la pelouse, à côté du pool house. Mme Bridgeton arrive plus tôt avec plusieurs gros pots d'hortensias qu'elle dispose avant de m'aider à arranger les bouquets de fleurs et les bougies.

— Je me souviens de toi en peignoir rose duveteux, en train de faire passer les hors-d'œuvre à toutes les réceptions que donnait ta mère. Tu étais petite, mais

351

si précieuse ! Et maintenant, te voilà qui organise toute seule une soirée d'adultes !

Les hortensias bleu pâle sont magnifiques. C'est exactement ce qu'aurait choisi ma mère.

Neal s'est proposé pour aborder mon père à la sortie de l'église. Je lui ai dit de lui demander s'il avait vu comment Billy Hatcher, le joueur de champ extérieur des Red Sox, avait volé le marbre quelques semaines plus tôt. Cette conversation durera une bonne demi-heure. Mon père ne peut s'empêcher de revivre cet instant.

A sept heures et demie, les vieux copains de mon père commencent à apparaître les uns après les autres autour de la piscine. Je les ai priés de se garer loin de l'allée et de terminer à pied. Tous portent des tenues d'été, des cotonnades imprimées aux couleurs vives. C'est une génération propre et soignée. Ils sentent les fleurs, les épices et la gnôle. Comme je les ai prévenus sur le carton d'invitation qu'il n'y aurait pas d'alcool, ils sont venus bien imbibés.

Mme Keck s'empare de mes mains pour ne plus les lâcher. Elle est beaucoup plus frêle que dans mon souvenir.

— C'est merveilleux, ce que tu fais là pour ton papa.

Elle a la tête tremblotante. Parkinson. Elle promène un regard circulaire sur les tables recouvertes de nappes blanches, sur les jarres de delphiniums et sur les flammes des torches qui illuminent les ténèbres.

— Vraiment merveilleux, conclut-elle.

Puis le téléphone sonne dans le pool house. Cela ne peut signifier qu'une chose : Neal n'a pas trouvé mon père à la sortie de l'église. Il a disparu de la circulation. Je décroche.

— L'oiseau vient de s'envoler.

J'entends le sourire dans sa voix. Puis il raccroche.
J'ai peur. Je ne sens presque plus mes mains. La
voiture s'engage dans l'allée. J'aperçois mon père
entre les troncs des arbres, qui ralentit pour négocier
le virage, découvrant alors la piscine, les tables et les
flambeaux. Il s'immobilise complètement devant le
pool house. Sa vitre est baissée.

— Qu'est-ce que vous foutez tous là ?

— Surprise ! s'exclament-ils tous en chœur, bien
que je n'aie rien suggéré de tel.

— Nom de Dieu ! lâche-t-il avant de ranger l'auto
au garage.

Lorsqu'il traverse la pelouse pour nous rejoindre,
tout le monde répète « Surprise ! » et il secoue la tête.
Les invités le saluent avec effusion. Il a la figure
rouge. Je ne saurais dire si son sourire est feint ou
réel. L'une des assistantes de Philomena s'approche
de lui avec un plateau de toasts au saumon fumé et il
en prend un en la remerciant d'un hochement de tête.

— Où est Daley ? interroge-t-il la bouche pleine.
Daley, viens ici ! ordonne-t-il, mais c'est lui qui vient
à moi, l'index pointé. C'est toi qui as fait tout ça ?
C'est toi qui as tout organisé ?

J'opine du chef.

— Mais quand je suis parti, tu as dit…

— Je sais. C'est une soirée surprise, papa. J'ai dû
mentir un peu.

— Mais rien de tout cela n'était là. Et qui sont ces
gens en tablier ?

— Les employés du traiteur.

— Du traiteur…

Il prononce le mot comme s'il n'était pas déjà allé à
des milliers de soirées gérées par des professionnels. Il
se tourne et contemple les tables dressées avec de la
vaisselle en porcelaine.

— Mince, alors ! Et tout le monde reste à dîner ?
Je confirme.
— Côtes de bœuf, ajouté-je, anticipant sa question.
— Comme les dimanches soir au club.
Il semble un peu sous le choc. Les convives viennent lui parler et il est ballotté de-ci de-là sur la pelouse. Tandis qu'il répond aux sollicitations, il ne cesse de regarder autour de lui, tel quelqu'un qui n'aurait jamais vu cet endroit auparavant. Ma mère organisait de nombreuses réceptions comme celle-ci, des collectes de fonds pour tellement de candidats et de causes différents.
— Je vais te chercher un verre d'eau de Seltz, papa. Ensuite, nous pourrons passer à table.
Nous avons installé une table avec des jus de fruits et de l'eau gazeuse près du plongeoir. Comme elle est trop loin, peu d'invités l'ont trouvée. Les verres sont encore impeccablement alignés, les bouteilles pleines. Je n'ai aucune idée de ce que peut ressentir mon père, alors je n'ai aucune idée de ce que je pourrais ressentir. Je sers l'eau de Seltz, mais j'ai peur de retourner vers lui.
— Bon sang, tu avais raison, pour Billy Hatcher ! Il avait *plein* de choses à dire.
Il m'est toujours étrange de réentendre la voix de Neal. Je ne comprends pas pourquoi ce vestige de mon passé me paraît rassurant alors que mon passé lui-même n'avait rien de rassurant. Je lui souris en jetant un coup d'œil à mon père par-dessus son épaule.
— Détends-toi, à présent, reprend Neal. Tu as réussi ton coup.
— Je ne sais pas s'il passe un bon moment.
— Aucune importance. Tu as fait quelque chose de gentil pour lui. Tu ne peux pas contrôler la façon dont il va réagir à cela.

— Je suppose que tu as raison.

— Bon, prends donc un pétillant de canneberge, dit-il en me tendant un gobelet avant de trinquer avec moi. Santé !

Je me demande si Neal boit, s'il prend une cuite tous les soirs, seul dans son appartement exigu à l'étage. Je me demande s'il a bu quelque chose lui aussi avant de venir.

Bien évidemment, j'ai eu mon lot de petits amis alcooliques. Le dernier en date avait été un Anglais qui avait réussi à bien dissimuler son accoutumance à l'alcool pendant quelque temps et qui, une fois que j'ai été follement éprise de lui, l'a affichée sans vergogne, comme s'il en était immensément fier. Il avait l'esprit vif, était sexy et avait toujours envie, quel que soit le nombre de verres qu'il avait sifflés. Quand il était soûl, j'avais des orgasmes rapides et intenses. Et puis un soir, dans une fête, il m'a frappée. Pas très fort, le coup n'ayant même pas laissé l'ombre d'un bleu sur mon visage. Par la suite, j'ai appris à les flairer, même les plus astucieux d'entre eux. Dan en était un, ce que j'avais deviné avant même de le voir boire quoi que ce soit ; je l'ai su à la minute où il s'est mis à cogner sur le volant. Jonathan et moi appréciions le goût du vin, mais aucun de nous deux n'aimait se sentir ivre, ni même un peu éméché, et chez lui, une bouteille ouverte pouvait le rester des semaines. Boire était une chose que lui et moi arrivions très souvent à oublier.

— Il faut que je lui en apporte un. Et à Patricia, qui vient d'arriver.

Je sers un second soda à la canneberge, puis porte un verre à mon père et l'autre à Patricia, qui se tient au bord de la pelouse. Je l'entraîne vers les invités, me disant que je dois la présenter, mais elle connaît presque tout le monde, visiblement.

355

A accueillir les gens, à distribuer des bises, à donner des instructions aux serveurs, à introduire les convives, je me fais l'effet d'être ma mère. J'ai de temps à autre l'impression que Jonathan m'observe, irrité, cynique, secouant la tête et grommelant. Ainsi, une nouvelle mondaine d'Ashing vient de naître. Ou peut-être est-ce Garvey. Jonathan, lui, se contenterait du mouvement de tête, encore en état de choc. Tu as laissé tomber Berkeley et moi pour ça ? En Californie, c'est encore l'après-midi. Celle ou celui qui occupe mon poste a déjà commencé le semestre d'automne. Le projet sur la parenté en milieu urbain a démarré depuis un moment. Et moi j'ai dilapidé mes ultimes deniers dans une soirée avec traiteur, au cœur de la banlieue résidentielle.

— Quand j'ai quitté la maison, elle était en train de préparer un bon repas pour deux ! entends-je mon père déclarer. Elle m'a eu, je te le dis. Elle m'a bien eu.

Je me débrouille pour que tout le monde trouve une place et les serveurs s'approchent aussitôt avec les salades. Mon père et moi sommes à la même table que les Bridgeton, les Utley, Neal et Patricia.

Le ciel s'est rapidement assombri. Sur la pelouse, les cinq tables sont proches les unes des autres, chacune pourvue d'une bougie qui éclaire les assiettes et les visages, mais pas au-delà. L'ambiance est très intime, précisément ce que je souhaitais. Elle est même calme pendant quelques instants. Personne n'est soûl. Personne ne braille. Tout le monde semble contempler le tableau, comme moi. C'est M. Gormley, à la table voisine, qui rompt le silence.

— Eh bien, voilà des années que nous n'avons pas participé à une soirée aussi chic à cette adresse. D'habitude, quand on va prendre l'apéritif chez Gardiner, on finit sur le toit à faire du hula hoop !

— Comme quoi il ne faut jamais désespérer, réplique mon père.

Le plat principal arrive. Je lorgne son assiette : une épaisse côte de bœuf, bleue, noyée sous la sauce, très peu de légumes – exactement ce que j'avais demandé à Philomena.

— Hé hé ! se réjouit-il en la voyant avant de lever les yeux vers moi. Tu es quelqu'un, toi, tu sais ça ?

— Non, *toi* tu es quelqu'un, papa.

— Ouais, quelqu'un d'épouvantable.

— Non, Gardiner, intervient Barbara Bridgeton. Tu es pour nous tous quelqu'un de très spécial.

Elle est assise de l'autre côté et lui tapote la main. Je remarque que Patricia relève la tête.

— Bien dit ! s'écrie M. Utley en portant un toast avec son gobelet d'eau de Seltz.

Garvey et moi le surnommions « la tour Eiffel » parce qu'il mesure au moins deux mètres.

— Comment marche ton magasin ? demande M. Bridgeton à Neal.

— Disons que je ne pense pas que mon bénéfice brut dépassera celui d'IBM ce trimestre-*ci*.

L'espace d'un instant, M. Bridgeton, qui travaille chez IBM, paraît ne pas savoir sur quel pied danser, puis il rit.

— Si tu as dans ta boutique quelque chose d'aussi bon que *Shogun*, je viens te l'acheter demain !

— Je me rappelle avoir lu quelque part que l'auteur avait été prisonnier de guerre au Japon, dit Patricia qui, fine et légèrement translucide, m'évoque une phalène. Et qu'il avait été maltraité, à tel point qu'il avait failli mourir de faim.

— C'est vrai ? s'étonne mon père.

Je me demande ce qu'ils savent l'un de l'autre. Comme mon père, elle va chaque soir à la réunion.

— Et pourtant il a écrit un portrait de ce pays pétri de sensibilité, à la fin duquel ce sont les Anglais qui ont l'air de barbares.

— Hmm, fait mon père.

Aux AA, on recommande aux célibataires de ne pas avoir de relation amoureuse avant un an de sevrage. Cela me semble un bon conseil. J'espère que Patricia sera toujours là le moment venu. Je l'aime bien et je pense qu'elle a une certaine affection pour mon père, même si lui donne l'impression de ne pas du tout en être conscient.

— Je n'ai jamais mangé une aussi bonne côte de bœuf, dit-il en reposant sa fourchette sans avoir touché à ses légumes.

Après que le gâteau est servi, je me lève et frappe le bord de mon verre avec un couteau.

— Ainsi que vous le savez, pour nombre d'entre vous, mon père est un homme plein de surprises. Toute ma vie, il n'a cessé de me surprendre par des cadeaux, des animaux vivants, des sermons, des plaisanteries totalement déplacées...

Hilarité générale.

— Mais rien ne m'a plus surprise que la force et la détermination dont il a fait preuve au cours de ces deux derniers mois. Je ne pourrais pas être plus fière de lui. Ou plus reconnaissante. Je t'aime, papa.

Tonnerre d'applaudissements tandis que je lui fais la bise et qu'il me glisse à l'oreille quelques mots que je ne saisis pas.

— Un discours, un discours ! psalmodie l'assemblée.

Alors mon père se met debout, lui qui, malgré son désir d'attention, appréhende de s'exprimer en public, quelles que soient les circonstances.

— Eh bien, vous m'avez tous bien eu, ça, c'est sûr. Ben qui m'a raconté qu'il devait aller à la pêche avec son fils ce week-end et Neal que voici qui a voulu me faire croire qu'il n'avait pas vu Billy Hatcher voler le marbre, alors qu'en réalité il était *dans les tribunes* du stade, l'heureux salopard ! Alors merci à tous d'être venus ici ce soir. Je dois maintenant lever mon verre à ma fille, qui a fait tout cela pour moi. Elle a abandonné tant de choses pour moi...

Le mot suivant n'est guère plus qu'un couinement et il secoue la tête, cependant que des larmes emplissent les rides de sa peau autour de ses yeux. Il lève son soda à la canneberge, puis se rassoit hâtivement et je remarque que sa serviette tremble entre ses doigts lorsqu'il la porte à son visage pour s'essuyer.

Je lui tapote la jambe. Il me prend la main et la serre fort. Si Jonathan n'avait pas organisé ce repas pour moi en juin, je n'aurais pas offert cette soirée à mon père. J'aimerais qu'il puisse savoir combien je lui en suis reconnaissante.

Après le dîner, je vais dans le pool house pour changer la musique et mettre du Glenn Miller. Lorsque je ressors, les gens sont déjà en train de danser sur l'herbe et au bord de la piscine. Finalement, presque tout le monde se lève pour venir se trémousser. Seule une poignée de vieux copains de mon père, des hommes auxquels il faut quelques verres pour danser, restent assis sur leur chaise de jardin à regarder. Mon père, qui n'a même jamais eu besoin de musique pour cela, me fait tournoyer. Je vois Neal danser avec Patricia, Mike avec Mme Keck, William avec Philomena. Chaque fois que je tourne la tête, j'aperçois une combinaison de personnes différente. Au moment où je danse avec M. Utley, papa interrompt M. Keck pour lui dérober sa partenaire, Patricia. Tous deux virevoltent sur la pelouse. Puis il court jusqu'au pool house et en revient avec une bouée de sauvetage autour de la taille. Peu après, le tempo de la musique ralentit et mon père lui prend une main, plaçant l'autre au creux de ses reins. M. Utley l'imite, mais il est si grand que j'ai les bras tendus, comme si je grimpais à une échelle.

— Je n'avais jamais vu ton père comme ça, Daley. Tu as une bonne influence sur lui.

Patricia paraît soudain mal à l'aise. Elle s'écarte de lui et, à la fin de la chanson, elle quitte l'endroit où les invités dansent. Elle va récupérer son sac, le met à l'épaule et se dirige vers sa voiture. Je la rattrape avant qu'elle parvienne à l'allée.

— Je suis désolée, Patricia. Mon père a-t-il dit quelque chose qui vous a offensée ?

— Non, non. Ce n'est pas ça. Je ne me sens pas très bien, c'est tout.

— S'il vous plaît, dites-le-moi.

— Non, je ne veux pas.

— Je vous en prie. J'ai besoin de savoir ce qu'il vous a dit.

Elle baisse les yeux sur les clés qu'elle tient dans sa main. Elle a juste envie de s'en aller.

— Il boit, Daley.

— Non, il ne boit pas.

— Je suis désolée.

— Je connais mon père quand il a bu. Je sais exactement comment il se comporte.

— Je suis vraiment désolée.

Je la laisse être happée par l'obscurité qui s'étend au-delà des flambeaux et retourne vers les convives d'un pas lent. Mon père est en train de danser avec Philomena, et peut-être de manière plus ridicule encore qu'avec Patricia, toujours avec sa bouée, à se pavaner comme un coq, un tuba en guise de rose dans la bouche. Je comprends pourquoi elle a pu penser qu'il était ivre. Par certains côtés, il est resté un tel enfant. Mais il n'est pas soûl. Il est simplement lui-même, et il est heureux.

— Alors *ça* c'était une fête ! s'exclame mon père.

Nous sommes assis sur l'escalier de la véranda, attendant que les chiens aient fait leur dernier pipi avant d'aller nous coucher.

— Tu as pensé à quoi, quand tu es arrivé avec la voiture ?

— A un incendie. J'ai cru qu'il y avait un incendie.

— Les torches.

— Et tous ces gens. Je te jure que j'en ai vu quelques-uns porter des seaux.

Je ris.

— Tu ne t'en souviens sans doute pas, mais ta mère organisait des soirées comme celle-là : tables rondes, nappes blanches, serveuses. Mais jamais pour moi. C'était toujours pour un démocrate quelconque. Elle n'a même jamais voulu que je sois présent. J'espère qu'elle nous regarde, en ce moment. J'espère qu'elle a vu ce que tu as fait pour moi ce soir.

— Comment as-tu appris sa mort, papa ?

— On jouait au padel chez les Chapman. C'est Herbie Parker qui me l'a annoncée alors qu'on entrait sur le court.

Je vois le terrain de padel des Chapman, dans les bois situés à l'arrière de leur maison, les lourdes raquettes courtes et trapues, mon père qui incline la tête pour écouter. J'ai besoin qu'il me parle du décès de ma mère. La réception l'a ramenée elle aussi à mon esprit, toute la soirée.

— Et qu'as-tu ressenti ?

— Oh, mon Dieu ! je pense que j'ai probablement ressenti tout ce qu'on doit ressentir dans une telle situation. Je n'ai pas très bien joué ce jour-là. Je me souviens de ça.

— Et après, tu as fait quoi ?

— Je suis rentré à la maison. Catherine était déjà au courant. C'était un choc. Ta mère était la première à partir des gens de notre génération.

— T'es-tu déjà demandé ce que je pouvais éprouver ? Ou ce que Garvey pouvait éprouver ? Parce que tu ne m'as jamais appelée ou rendu visite.

C'est dur, pour moi. Je sens tout mon être se mettre à frissonner.

— Je suppose que je n'arrivais tout simplement pas à l'accepter.

— Quoi ? Sa mort ?

— Non, répond-il en baissant les yeux sur ses mains et ses genoux. Ton attachement à elle.

— Parce que tu le vivais comme une trahison ?

— Quelque chose comme ça.

— Je regrette qu'il ait fallu que ce soit toujours une compétition.

— Moi aussi.

Il m'enlace du bras et me dépose une bise sur le front. Il me rappelle Grindy.

— Pardon, Daley.

Il n'a jamais dit cela, pas une seule fois, d'aussi loin que je me souvienne, et pour quoi que ce soit.

Je perçois le bruissement des chiens qui vont et viennent dans les bois. Il est presque deux heures du matin. Mon corps est lourd et fatigué.

Lorsque mon père se lève, les bêtes accourent sur les marches.

362

— Ma foi, j'ai eu beaucoup de surprises dans ma vie, dit-il. Mauvaises pour la plupart. Mais là c'était une bonne surprise.

Il tend la main pour m'aider à me mettre debout.

— T'es vraiment un ange, tu le sais ? conclut-il.

Il se tient solidement sur ses jambes. Il émane de lui une odeur de côte de bœuf. Patricia s'est trompée. Il est parfaitement à jeun.

19

Je ne peux m'empêcher d'appeler Garvey dès le lendemain.

— Ne me dis rien... commence-t-il. Tu as fait la connaissance d'un investisseur capital risque qui habite Marblehead et le mariage aura lieu samedi prochain à l'église épiscopalienne.

— Il va bien, Garve ! Soixante et unième jour.

— Ça donne la chair de poule, cette façon de compter les jours.

— Ça marche !

— Tout cela va mal finir. Tu te souviens que maman disait ça chaque fois qu'on s'amusait ? « Tout cela va mal finir. »

Je lui demande comment ça se passe pour son projet de nouvelle succursale à Hartford et il me répond qu'il a fait passer des entretiens à des « mignonnes » pour le poste de chef de bureau.

— Tu as entendu parler des lois sur le harcèlement sexuel, dis-moi ?

— Je n'ai pas l'intention de les harceler. Après ça, je les laisserai tranquilles. Sérieusement, j'ai rencontré quelqu'un, par contre. Une femme médecin qui déménageait parce qu'elle divorce. Nous fricotons un peu. Elle organise une fête samedi soir.

— Tu vas y aller ?

— Peut-être, si je ne suis pas trop fatigué.

Il a vécu une rupture pénible il y a quelques années, alors il affirme désormais que l'amour ne vaut pas la peine, si c'est pour connaître une fin moche.

— Viens nous voir.

Il rit.

— Ça ne risque pas.

— Qu'est-ce qu'il t'a dit ce matin-là, Garvey ?

— Rien de plus que d'habitude.

— Il souffrait beaucoup, à ce moment-là.

— Mais maintenant, tu as effacé tout ça avec ta baguette magique de docteur en anthropologie.

— Et s'il ne s'est toujours pas remis à boire d'ici Thanksgiving, tu viendras ?

— Non.

Le même matin, je reçois un appel. Tandis que mon père me tend le téléphone, j'ai le cœur qui bat la chamade, mais c'est une voix de femme que j'entends. Mallory.

— Il paraît que tu organises de grosses fiestas, dit-elle.

— Seulement pour les plus de soixante ans. Où es-tu ?

— Ici, mais nous partons cet après-midi. Tu peux venir me retrouver à la crique de Baker's Cove dans une heure ?

Après avoir mis les chiens en laisse, je saisis le petit sac dans lequel je conserve mon carnet, celui sur lequel je consigne des notes en vue d'une lettre à Jonathan. J'en ai déjà une quinzaine de pages – des fragments sans structure, comme un mauvais mémoire d'étudiant de première année. Et si je parviens un jour à la rédiger, je ne sais où la lui adresser. J'ignore où il se trouve. Il a résilié le bail de la maison. Le propriétaire m'a renvoyé les loyers du premier et du dernier mois, mais pas la caution. Et lorsque j'ai appelé le département philosophie de l'université de San Francisco, la personne qui m'a répondu n'avait jamais entendu son nom. Certes, a-t-elle précisé, elle était nouvelle, mais aucun membre du corps enseignant ne portait le patronyme de Fleury.

Comme c'est la marée haute, la crique ne sent pas trop mauvais. Je gravis les rochers pour parvenir à une toute petite lagune dotée d'une minuscule plage. Les chiens se couchent à l'ombre derrière moi, tandis que je demeure un long moment assise, le calepin ouvert, sans rien écrire.

Je perçois un bruit sourd, puis un seau d'enfant pourvu d'une anse blanche torsadée apparaît au sommet de l'un des blocs de pierre. Et alors une petite fille qui ne doit pas avoir plus de six ans se hisse à quatre pattes, puis, me voyant, s'assoit tout d'un coup. Elle a de très courtes nattes derrière chaque oreille. Elle descend à toute allure, son seau bringuebalant derrière elle. Une fois sur le sable, elle le lâche et se précipite vers l'eau, qui lui arrive seulement aux genoux. Elle barbote quelques instants, puis s'immobilise, penchée en avant, les mains sur ses cuisses potelées. Elle ne porte que le bas d'un bikini rouge, orné d'un nœud blanc de chaque côté. Elle demeure complètement figée jusqu'à ce que sa main plonge brusquement dans l'eau, soulevant un nuage sur le fond, avant de revenir vers son seau en portant une créature qui bat l'air de ses pinces.

— Gracie ! Mon Dieu. Je t'ai dit d'attendre sur les rochers jusqu'à ce que je te rejoigne.

Il me suffit d'apercevoir le O allongé de ses genoux au-dessus de moi pour reconnaître Mallory. Elle descend prudemment, un nourrisson dans un porte-bébé en tissu écossais contre la poitrine et des sacs de plage à chaque bras.

— Tu as apporté quoi ? fais-je. Les Lark de ta mère ou les Winston de ton père ?

Elle part de l'un de ses grands éclats de rire, plus graves, maintenant.

— Tu te rends compte, les *délinquantes* que nous étions ? Celle-ci, elle commence tout juste à lire, alors je me dis qu'il va falloir jeter tous mes vieux journaux intimes pour que ça ne lui donne pas des idées ! Je lui ai raconté ce matin même comment on s'était disputées pour savoir qui de nous deux avait le meilleur chien.

Je l'étreins, mais par côté, pour ne pas écrabouiller le bébé, si petit et profondément endormi. A l'école primaire, j'étais chétive par rapport à Mallory, qui était le genre de fille que l'on qualifiait de « fortement charpentée ». Mais à présent, c'est elle qui paraît presque chétive dans mes bras ou en tout cas pas plus charpentée que moi. Elle a les cheveux plus courts, mais son visage n'a pas changé.

— C'était le mien ! lancé-je à Gracie. Le sien était ennuyeux.

— C'était exactement ce que tu avais dit ! J'étais si furieuse, que je ne t'ai pas adressé la parole pendant plusieurs jours. Son chien blanc était toujours crasseux, Gracie !

— Gris. C'était un chien gris.

— Il avait besoin d'un bon bain...

— Tu t'es reproduite.

Elle rit encore. Elle a un rire merveilleux, qui semble prendre naissance dans ses pieds pour parcourir ensuite tout son corps jusqu'à sa bouche.

— Je suis une véritable usine ! J'ai un garçon de deux ans qui est chez ma mère en ce moment, explique-t-elle, sa figure se froissant en une moue. Le fameux deuxième enfant, si difficile...

Nous rions, car c'est le cas de Mallory.

— J'ai du mal à y croire.

Je suis sur le point d'ajouter que je ne la savais pas mariée, mais il me revient soudain en mémoire une invitation que l'on avait très probablement fait suivre deux ou trois fois avant qu'elle me parvienne et qui était arrivée au beau milieu d'une urgence quelconque – un article pour lequel j'étais en retard, deux cents copies à corriger. Avais-je pensé à répondre ? Je ne m'en souviens pas. Est-il possible que je ne n'aie même pas envoyé un mot pour le mariage de Mallory ? Quelques faire-part de mariage défilent brièvement dans mon esprit : Ginny, Stacy, Pauline. Je ne suis pas sûre d'avoir réagi à l'une ou l'autre de ces invitations et je suis certaine de ne pas avoir acheté de cadeau. J'étais incapable de comprendre ce qui pouvait pousser les gens à vouloir se marier.

Elle jette un coup d'œil à l'endroit où j'étais assise sur la plage avec mon bloc-notes.

— Peut-on se joindre à toi ? demande-t-elle avant de remarquer les chiens qui halètent, couchés à l'ombre derrière nous. Qu'est-ce que c'est que ça ? Encore des chiens crasseux ?

— Sois gentille. Tu dois être un modèle, dorénavant.

— Dieu nous aide !

Elle étend deux immenses serviettes de bain et, au moment où le bébé se réveille, elle dresse une tente au toit de laquelle elle attache un jouet.

— Il est aux anges, avec ce poulet suspendu !

Elle ouvre sa glacière et me propose un choix de jus de fruits dans de petites briques aux couleurs vives, sortant également une boîte de biscuits en forme d'animaux.

— Ils sont à moi ! nous lance Gracie en laissant tomber dans le seau ce qui ressemble à un homard miniature. Mais je vous les prête.

— Elle est du style intrépide, n'est-ce pas ?

— Elle est obsédée par les crustacés. Chaque fois que nous venons à Ashing, nous passons tout notre temps au bord de l'eau.

— Tu habites loin d'ici ?

Elle m'avait appris au téléphone qu'elle vivait dans le New Hampshire, maintenant.

— A environ une heure et quart de voiture. Nous habitons pas loin de Nashua.

Nashua. C'était le genre de nom dont nous nous serions moquées étant mômes, le genre de ville dont le champ de courses est vanté par des spots publicitaires diffusés par Channel 56. *Nashua*, aurions-nous dit en prenant l'accent nasal de Boston. *Naaashua, New Hampsha*. Je m'attendais à voir Mallory vivre dans un endroit plus élégant, plus prestigieux.

— En ville, les rumeurs sur toi vont bon train, reprend-elle dans un éclat de rire tonitruant. J'ai même entendu dire que tu sortais avec Neal Caffrey.

— On ne sort pas ensemble, mais il est effectivement le seul ami que j'aie ici.

— Alors c'est vrai que tu habites à Ashing ?

— Mon père a eu un gros coup de déprime quand Catherine l'a plaqué.

— J'ai appris qu'elle était partie. En juin, c'est ça ? Exactement comme ta mère.

— Je suppose que le printemps avec lui, ce doit être un cauchemar.

Gracie pousse un hurlement et Mallory se met debout d'un bond. Quelque chose a pincé le doigt de la fillette. Mallory tient la tête du bébé tandis qu'elle se penche sur Gracie, assise dans l'eau, mais le nourrisson se réveille malgré tout. Lorsqu'elle revient à la serviette, celui-ci a la figure écarlate et il bêle en donnant force coups de pied. Elle défait un ensemble de pressions, puis extrait du bonnet de son maillot de bain une énorme mamelle veinée, avec en son centre un large cercle brun d'où pointe un mamelon d'au moins deux centimètres de long que l'enfant enferme dans sa bouche, aspirant si fort que la peau forme des plis autour de ses lèvres. Seigneur !

— Ton papa m'a toujours fait un peu peur, me confie-t-elle.

Elle me demande alors si je me rappelle le jour où nous avions manqué le train, l'obligeant à venir avec Catherine nous chercher à Allencaster. Je n'en ai aucun souvenir. Elle m'affirme avoir consacré dans son journal intime un long chapitre à cet incident, dans lequel elle rapporte que je leur avais posément expliqué qu'il y avait une erreur sur les horaires, mais qu'ils n'avaient pas cru à cette histoire.

— Ils n'arrêtaient pas de nous crier après, alors je me suis mise à pleurer, mais toi tu étais si calme, pleine de sang-froid, et tu n'as pas craqué.

— Je ne m'en souviens pas du tout.

— C'est vrai ? Je te jure, une fois que tu as des gosses... Gracie !

Elle se relève aussi prestement, le bébé toujours en train de téter, attaché contre elle, et se précipite jusqu'à la mer. Elle marche dans un grand éclaboussement, puis plonge le bras gauche jusqu'au fond tout en maintenant du droit le nourrisson en place, et hisse hors de l'eau Gracie, dont le visage a momentanément perdu son expression confiante.

— Respire ! crie Mallory en lui donnant des claques dans le dos.

Je vois ensuite la face de l'enfant retrouver ses couleurs. Puis elle contemple le fond sablonneux, redresse la tête vers sa mère et éclate en sanglots.

— Ça va. Il n'y a rien, la rassure Mallory en essayant de balayer les mèches de cheveux mouillés qui lui tombent dans les yeux, mais Gracie lui écarte la main d'une tape brusque.

— J'allais attraper une anguille, mais tu lui as fait peur !

Mallory sourit.

— Il n'y a pas d'anguilles ici, ma chérie. Il n'y en a jamais eu.

Ce constat ne fait que décupler la colère de Gracie. Lorsque Mallory revient, j'ai envie de la féliciter pour sa patience, mais j'ai peur que ce ne soit insultant pour Gracie. Le repas du nouveau-né ne s'est pas interrompu un seul instant. Ses jambes et une grande partie du porte-bébé sont trempées, mais ses yeux se ferment un peu plus à chaque tétée.

— Et quand tu penses que ce n'est même pas une gosse compliquée.

Je ris.

— Apprendre à nager ne l'intéresse pas du tout, mais elle veut être dans l'eau toute la journée.

Je suis curieuse de savoir ce qu'elle s'apprêtait à me dire sur le fait d'avoir des enfants.

— Donc tu t'es amusée à relire tes journaux intimes, dernièrement ?

— Ouais. C'est marrant...

Elle grimace, puis retire d'un coup sec son mamelon de la bouche du nourrisson. Cela n'a pas l'air simple. La peau s'étire de deux ou trois centimètres avant qu'il le relâche. Il geint quand elle le soulève hors du porte-bébé mouillé et ses vagissements ne cessent que lorsqu'elle l'installe sous la tente, avec son poulet suspendu.

— Quand il a terminé, il commence à me mordre. Ça me rend dingue.

Elle remet son nichon à sa place dans le maillot de bain. Je vois le mamelon allongé se plier en deux pour rentrer dans le bonnet. Mallory avait eu des seins avant moi, comme tout le monde, mais ils étaient normaux, pas comme ces pâles tubercules irrités. Une nouvelle fois, elle semble avoir oublié ce qu'elle allait dire.

Nous regardons Gracie draguer le fond de la lagune avec ses deux mains, avalant de temps à autre de l'eau qu'elle recrache avec une toux rauque. Elle a des éléments de Mallory au même âge – les cheveux blond foncé et droits, les cuisses fortes –, mais sa figure carrée aux traits légèrement recroquevillés appartient à quelqu'un d'autre. Sa concentration, sa manière de fixer son attention sur une chose, lui vient également de sa mère. Pourtant, c'est une caractéristique que Mallory paraît avoir perdue. Elle n'arrive pas à poursuivre ses pensées jusqu'au bout. Mais les en-cas qu'elle a apportés sont emballés avec soin. Elle sort un récipient en plastique clos par un couvercle vert-jaune qui renferme de fines tranches de pomme méticuleusement alignées. Gracie en prend quelques-unes avant de retourner en courant à la mer.

— On voit la raie de tes fesses, avertit Mallory et Gracie remonte l'arrière de son maillot, qui pend. Tu te rappelles les heures qu'on passait dans le dressing de ta mère ? Toutes ces fringues à la mode, qu'elle avait ! Et ce mur de chaussures ! Oh, c'était une vraie princesse en chair et en os, pour moi.

Les mots me sont familiers. Elle était à l'enterrement, ça me revient maintenant. J'ai sangloté dans ses bras. Et elle aussi a sangloté. Et après cela, je ne l'ai plus revue jusqu'à ce jour.

Gracie revient vers nous avec son seau en se dandinant lentement. De l'eau déborde sur les côtés du récipient.

— J'ai soif et j'ai faim et j'ai soif, déclare-t-elle.

Elle pose son seau sur la plage et s'empare de la briquette de jus de fruits que lui offre sa mère. Elle porte à sa bouche la paille qui se teinte aussitôt de violet. Elle aspire tout le contenu d'un seul trait, respirant plus fort au fur et à mesure tandis que son ventre se gonfle, puis tend la boîte à présent ratatinée à sa mère.

— Encore ! réclame-t-elle d'une voix haletante.

Mais, sous la tente, le bébé a commencé à s'agiter et Mallory s'est mise à genoux pour lui changer sa couche. Je fourre la main dans le sac pour prendre un autre jus de fruits.

— Dis merci, Gracie, lâche Mallory sans se retourner.

D'une main, elle est en train de soulever le nourrisson par les pieds comme un poulet plumé.

— Merci, fait Gracie en me rendant la brique à moitié pleine.

Je lui propose des biscuits, qu'elle refuse de la tête.

— Tu veux voir ma collection ?

Je me lève pour aller examiner son butin. Escargots, langoustines, étoiles de mer et crabes sont entassés les uns sur les autres. Les crabes se battent, à deux contre un. Je l'interroge sur ce qu'elle compte en faire et elle me répond qu'elle va les rejeter à l'eau. Elle me demande si je veux bien l'y aider.

— C'est moi qui porte le seau, dit-elle.

Elle le traîne jusqu'au bord de l'eau. Les petits nœuds sur son bikini rouge se sont défaits.

— Ne les lâche pas tous ensemble. Tu dois trouver le bon endroit pour chacun, explique-t-elle en s'avançant. Ici. Ici, c'est un bon endroit pour un crabe.

Elle insiste pour que j'en attrape un.

— Tu dois d'abord les séparer.

— Plus facile à dire qu'à faire...

— Je sais !

Elle a exactement le même rire que sa mère. J'ai l'impression de me retrouver à jouer avec Mallory, sauf que je serais devenue adulte et elle n'aurait pas encore grandi.

Je plonge la main dans l'eau froide pour en saisir un par le côté, mais j'ai beau secouer, ils restent tous collés ensemble.

— Laisse, intervient-elle.

Ses petits doigts se mettent à l'œuvre et tous les crabes se séparent précipitamment. Je ne comprends même pas comment elle a fait. Puis nous plaçons chacun dans un coin différent de la petite lagune.

— Et voilà, souffle-t-elle à chaque libération.

Nous les observons tandis qu'ils descendent en flottant jusqu'au fond, puis se démènent pour vite aller se dissimuler sous le sable. Avant de lâcher les escargots, elle en pose un dans sa paume, trou vers le haut.

— Est-ce que tu savais qu'ils sortent de leur coquille quand on chante ?

— Quoi ?

— C'est vrai. Regarde bien.

Elle fredonne une note, qu'elle répète encore et encore, mais le trou demeure noir. Elle chantonne alors les premières mesures de *Edelweiss* et nous voyons un filet d'eau s'écouler de l'ouverture, puis un tube marron sortir petit à petit de la coquille tel un périscope.

Sur la plage, Mallory installe le nourrisson dans son porte-bébé. C'est l'heure de partir.

— Je t'appellerai la prochaine fois que nous redescendrons. Tu seras encore là ?

— Peut-être.

Gracie balance son seau en un grand cercle.

— Est-ce que tu vas revenir ici demain, Daley ?

— Oui, mais je pense que je ne te verrai pas.

— Je sais. Je serai chez moi. Mais est-ce que tu pourras dire bonjour à tous mes amis pour moi ? Tu n'es pas obligée de les sortir de l'eau. Tu n'auras qu'à leur faire coucou de la main.

— Je le ferai.

— Merci.

Je caresse la maigre houppe de cheveux fins sur la tête du nouveau-né. Ils sont aussi légers et doux que du duvet. Et le crâne au-dessous a une consistance spongieuse, comme s'il n'avait pas encore entièrement durci. Debout sur les rochers, je les regarde faire le tour de la crique d'un pas lent, les épaules de Mallory ployant sous le poids des sacs de plage, de la tente et de la glacière, cependant que Gracie sautille dans l'eau, sa mère la mettant en garde de ne pas s'aventurer trop loin. J'aurais dû leur proposer de les aider. Je ne connais pas le prénom du bébé, ni son âge. Je ressens pour tous les trois une brûlure dans la poitrine.

Sur mon bloc-notes, j'écris : *Mallory. Gracie. Bambin aux jambes potelées qui donne des coups de pied dans son porte-bébé. Je veux cela. Je veux sincèrement cela, J.*

Il m'a offert une robe en soie bleue pour mon anniversaire. Nous étions sur son lit et il m'a apporté le petit déjeuner, accompagné d'une boîte emballée dans du papier cadeau.

— La tenue que je préfère est celle-ci, bien sûr, a-t-il dit en me découvrant entièrement avant d'embrasser mon ventre nu. Mais à défaut, voici.

J'ai ouvert la boîte. Il savait que c'étaient ma couleur et mon tissu favoris. J'ai glissé mes bras dans

375

les manches et noué la large ceinture. C'était une robe scandaleusement courte.

— Ça, c'est une fille blanche sexy.

— Femme.

— Désolé, mais quand j'utilise le modificatif « blanche », c'est obligatoirement une fille. Quand je dis « une femme blanche », ça me fait penser à Edith Bunker ou à Maude[1].

— C'est dans *Maude* que j'ai entendu parler pour la première fois de la ménopause, ai-je répliqué. Je n'en avais jamais entendu parler auparavant.

De tous les petits amis que j'ai eus, Jonathan est l'un des rares à avoir autant que moi regardé la télé dans les années soixante-dix.

— De grâce, de grâce, ne parlons pas des femmes blanches ménopausées !

— Dans vingt ans, j'en serai.

— C'est vrai ? Seulement vingt ans ? On ferait bien de s'y mettre, alors.

J'ai répondu non de la tête.

— Tu ne veux pas d'enfants ?

Jamais un mec ne m'avait demandé si j'avais envie d'enfants avant ce jour. Jamais je n'ai souhaité que l'on me pose la question. C'était comme de me demander si j'avais envie d'un ours polaire.

Il a défait la ceinture de ma nouvelle robe et laissé courir un doigt le long de la courbe de ma hanche.

— Tu as des hanches à faire des bébés.

— Ouais, en effet.

— Tu ne veux vraiment pas de gosses ?

— Pas de sitôt, ai-je fini par reconnaître.

— Jamais ?

— Je n'en sais rien.

---

1. Personnages de deux sitcoms américaines des années soixante-dix, *All in the Family* et *Maude*.

— D'ici deux ans ? Quatre ans ?

— Je ne suis pas franchement du genre à prévoir à long terme.

— Dis-le-moi, c'est tout. Quand est-ce que tu voudras avoir tes bébés blancs ?

— Oh, alors c'est de ça qu'il s'agit...

— De quoi ?

— Mes bébés *blancs*.

— Je n'ai pas dit ça.

— Si. Tu as dit : « Quand est-ce que tu voudras avoir tes bébés blancs ? »

Il a affiché un large sourire.

— Ce n'est pas ce que j'entendais.

— C'est très connoté, ce sujet.

— Tout va être connoté, avec nous. Noir et blanc, c'est *forcément* connoté.

— Je veux dire toute cette histoire de *bébés*. Je ne sais pas si tu essaies d'éveiller en moi le désir maternel pour qu'ensuite ça te fasse flipper. Ou si tu insinues que je n'ai pas l'instinct maternel. Ou si tu me testes pour savoir si je répugne à voir un bébé tout marron sortir de mon vagin blanc.

Il a haussé les sourcils, les paupières closes.

— OK, on se calme, Miss A, B et C. Inutile de nous montrer aussi *crus* pour le moment. Ou soupçonneux. Je crois que j'ai été assez clair sur le fait que c'est très important pour moi. Il a fallu que je révise mes préjugés pour sortir avec une fille blanche.

— Femme.

— Maude. Alors je veux savoir si ladite fille-femme a envie d'enfants. Parce que moi oui. Je veux des gamins, et ce n'est pas *compliqué* pour moi de le dire.

— Il y a tellement de choses qui sont moins compliquées à dire pour un mec.

— C'est exact.

— J'ai besoin d'y réfléchir. Peut-être que tu pourras me reposer la question en Californie.

— Très bien.

— N'oublie pas.

— Promis, juré.

Je ne parviens pas à trouver le sommeil. L'image de Gracie, de ses petites mains potelées, de ses nœuds défaits me hante. Elle est comme une ritournelle obsessionnelle, une chanson que l'on ne peut chasser de son esprit.

Je me lève et me rhabille. Quand mon père ronfle, on croirait entendre quelqu'un qui vomit un os de poulet. Le bruit, dans le couloir, est fort, assez pour que les chiens qui couchent dans sa chambre ne perçoivent pas le son de mes pas. Je monte dans mon auto et démarre. Je passe devant le Lobster Shack et, après avoir franchi la voie ferrée, devant chez Neal, où l'étage et le rez-de-chaussée sont tous les deux plongés dans le noir, puis je traverse la ville. Un assortiment de Ford et de Chevrolet sont garées devant le Mel's Tavern tandis qu'une poignée de voitures de sport de marque étrangère stationnent à l'extérieur du Captain's Table. Les habitants et les étudiants, comme cela a toujours été, à Ashing. Je fais un signe de la main en roulant devant l'appartement de Water Street. Il y a de la lumière derrière les rideaux de l'ancienne chambre de ma mère. Les premiers temps où nous avions emménagé, il m'arrivait parfois de coucher dans son lit parce que je ne réussissais pas à m'endormir. Je la regardais se bercer toute seule, une main sur la taille, l'autre autour du cou – une étreinte serrée, un balancement court et de faible amplitude, tel un petit canot à rames. Et je gagne ensuite l'autoroute, sur laquelle ne circulent que des camions. Je prends la sortie dès que je vois le toit orange du Howard Johnson's.

Alors que je m'engage sur le parking, une grande clameur résonne dans le ciel. Je lève la tête au moment où un long V effilé et oblique d'oiseaux vole juste à l'aplomb du beffroi de l'établissement, criaillant tous en même temps. Des bernaches du Canada. Jonathan et moi qui les observons à tour de rôle avec les jumelles. Elles sont directement au-dessus de ma tête, leurs voix rauques, profondes et assurées, excitées à la perspective de leur périple. Le son retentit encore avec force dans ma poitrine longtemps après qu'elles ont disparu derrière la cime des arbres.

A l'intérieur du restaurant, quelques personnes demandent des glaces au comptoir. La dame d'un certain âge qui tient la caisse me jette un regard et me dit que je peux m'asseoir où je veux. La casquette de marin orange et bleu turquoise de la chaîne est maintenue sur sa coiffure par des épingles. Je choisis le box du fond à droite. C'était celui où nous nous étions installées. Nous avions commandé des palourdes frites et un club sandwich. Elle portait son fichu et arborait son sourire nerveux. Dans l'auto, nous avions mon vélo, mes cassettes huit pistes et la télévision.

Une serveuse vient prendre ma commande, puis m'apporte un plat de frites accompagné d'une assiette de salade mixte. La porte s'ouvre sur quatre flics. La femme qui travaille derrière le comptoir les salue avec décontraction. Les clients qui prennent des glaces leur laissent plus de place que nécessaire. Ils boivent leur café debout. Leurs talkies-walkies émettent des bips et des sifflements simultanés. Puis l'un des quatre pose sa tasse sur le zinc et s'approche de ma table.

Je suis prise de panique. Plaque d'immatriculation ? Vignette de contrôle technique ? Amende impayée ? Je déteste les flics, déteste quand ils m'arrêtent, ne parviens jamais à être naturelle ou détendue en leur présence comme le sont les serveuses. Je ne sais pas comment se débrouillent les gens qui évitent une contravention en jouant le coup du charme. Je suis incapable de me montrer autrement que renfrognée et humiliée quand un policier apparaît à la vitre de mon véhicule.

— Daley ?

Je redresse tant bien que mal la tête et opine du chef. Il rit devant mon air coupable et mes joues écarlates.

— Tu n'as aucune idée de qui je suis, hein ?

Il ne m'était pas venu à l'esprit une seule seconde que je puisse le connaître personnellement, cet homme armé en uniforme, au torse puissant et au visage rebondi. A Ashing, il y avait deux flics, quand j'étais petite : le grand élancé qui ressemblait un peu au Gilligan de *L'Ile aux naufragés* et qui sortait avec la fille du Mug, et puis le rouquin qui venait à la maison chaque fois que le signal d'alarme se déclenchait accidentellement. Ce type n'est ni l'un ni l'autre. Ma confusion absolue l'amuse.

— Jason Mullens, dit-il enfin. Le pote de Patrick.

— Merde, alors ! Je n'arrive pas à croire que je connais un flic !

Bon sang ! pendant que moi je restais à l'école, d'autres en sortaient, devenaient des adultes, décrochaient de vrais boulots et portaient des uniformes.

Il rit encore et je me lève pour l'étreindre. Le contact avec sa poitrine oblongue, bosselée par son insigne, les boutons et les boucles de sa tenue, est dur. J'ai plutôt l'habitude de fréquenter des hommes élancés, mal rasés, de constitution plus chétive et vêtus de chemises à carreaux. J'ai l'impression de me trouver devant une nouvelle espèce.

Il se glisse sur la banquette qui fait face à la mienne et appuie ses épais avant-bras sur la table. Ma serveuse lui apporte une tasse à café qu'elle remplit.

— Merci, Amy.

Il s'est exprimé d'une voix douce, comme si, ayant conscience qu'il était un cliché tout droit sorti du *Andy Griffith Show* [1], il ne pouvait néanmoins s'empêcher de laisser transparaître ses bonnes manières.

— Je suis sciée. Tu es devenu flic. Je suis assise en face d'un flic.

Que le petit et rusé Jason Mullens se soit mué en cet homme en grandissant me semble tellement ridicule que j'en suis mal à l'aise, que je n'en reviens pas que ce soit réel.

— Pourquoi diable es-tu flic ?

— C'est une histoire un peu longue.

Il jette un regard en direction de ses copains, qui nous tournent le dos, occupés qu'ils sont à bavarder avec un couple d'un certain âge.

— Je voulais être avocat, reprend-il, mais alors, quand j'étais la fac, un ami de papa m'a déniché un boulot d'été dans un cabinet d'avocats et j'ai vu ces types qui passaient leur temps à essayer de contourner la loi pour leurs clients. Ça m'a vraiment mis les boules.

Il baisse les yeux sur ses mains, puis redresse la tête, surpris de me voir attendre la suite.

— J'ai compris que je voulais faire respecter la loi, pas tenter de lui faire des entorses.

---

1. Sitcom américaine des années soixante, qui dépeint la vie du shérif d'une petite bourgade de Caroline du Nord.

— Pourtant, tu les transgressais, les règles : tu étais un tel fouteur de boxon !

Il lève la tête vers le plafond en souriant.

— Surtout chez toi !

Il a des joues rondes et luisantes, impeccablement rasées.

— Comment va Patrick ? Je voulais lui téléphoner, mais...

Je ne sais comment terminer ma phrase.

— Ouais, j'ai appris, pour ton papa et Catherine. Je suis désolé. Patrick est venu ici voilà deux ou trois semaines pour l'aider à déménager.

J'avais appris qu'elle avait loué une ancienne remise à calèches au nord de la ville. Mais Patrick était à Ashing et je ne l'ai pas vu ? Pourquoi ne l'ai-je pas appelé des mois plus tôt ?

— Moi aussi, je l'ai loupé, explique-t-il en constatant ma déception. J'étais absent ce week-end-là.

L'un des policiers est à la porte, tandis que les deux autres sont déjà dehors. Jason lève un doigt et le dernier flic lui adresse un sourire indulgent. Je n'arrive pas à croire qu'il puisse penser que Jason soit en train de me draguer.

— Je finis à minuit, conclut Jason. Tu veux qu'on se retrouve après ?

— A minuit ?

— Le Mel's est ouvert jusqu'à deux heures.

Nous nous retrouvons donc au Mel's. Je reste dans ma voiture jusqu'à ce que je le voie se garer. Il paraît encore plus large en civil. Il sent le propre, ses cheveux épais sont humides et coiffés bien droit. Au bar, tout le monde le connaît. Il me présente. Je le regarde accepter à contrecœur un jeu de joute et de parades verbales avec les autres clients. Il est dans son élément, mais il se soucie de moi. Il essaie de m'inclure dans ce badinage. Il ne comprend pas que c'est plaisant d'être dans un bar, une bouteille de bière à la main, en compagnie de personnes de mon âge un peu trop éméchées pour se préoccuper de ce que je raconte. Il y a tellement longtemps que je n'ai pas bu d'alcool que la bière produit pleinement son effet et m'arrache un peu à moi-même. D'habitude, c'est une sensation que je n'aime pas, mais ce soir, c'est un soulagement. Les gens s'agglutinent autour de Jason. Quelqu'un lui propose un petit verre d'alcool, qu'il refuse après avoir lancé un regard dans ma direction. Un autre lui souffle quelque chose qui le fait rire, puis rougir.

— Je t'expliquerai plus tard, me dit-il.

A l'instar de Garvey, Jason a changé de catégorie socioprofessionnelle, phénomène qui m'intéresse. J'espère que nous allons rester jusqu'à la fermeture, mais au lieu de commander une autre tournée, il m'entraîne jusqu'à la sortie.

Nous allons à son appartement, situé au premier étage d'une maison de South Street. Il y flotte une odeur de salle de sport. Il se hâte d'en faire le tour pour ramasser les vêtements jetés en boule et les verres sales. Il ouvre les fenêtres, puis met en marche un ventilateur et m'offre une bière. Nous nous asseyons sur un canapé en velours rasé rouge et il enlève sa chemise comme s'il lui était douloureux de la porter. Il possède un torse au relief réellement ondulé, à la fois large et profond, aux mamelons tout petits, tendus, avec très peu de poils, qui descend en s'effilant jusqu'à un ventre étroit et ferme, pourvu d'un nombril enfoncé et bien net. Il me prend la main pour la poser sur sa poitrine et je suis incapable de l'en retirer. Il faut que je sache ce que l'on peut ressentir dans ces cas-là. Mon doigt parcourt la peau de son thorax, s'arrêtant brièvement au creux qui en marque le centre, avant de poursuivre jusqu'à son bras droit, lequel est comme de l'acier trempé, bien qu'il ne bande pas ses muscles, et enveloppé d'un entrelacs de veines. Et me voilà ensuite qui baise son ventre chaud et rigide, fourrant ma langue à l'intérieur de son nombril nerveux ; alors il durcit aussitôt en poussant un soupir, puis je sens ses lèvres sur mon cou, ses mains qui me soulèvent en un geste rapide pour me placer sur lui et nous nous embrassons, fougueusement, nos dents s'entrechoquant ; alors j'entends Jonathan – légèrement perplexe tandis qu'il apprécie d'un coup d'œil la situation : le flingue qui doit se trouver quelque part dans l'appartement, les uniformes, la poitrine pâle ridiculement gonflée – qui me dit : « Mais qu'est-ce que tu fabriques, Titi ? » Jonathan, qui dessine ma hanche de son doigt superbe en me parlant de bébés. J'interromps mon baiser et mets ma tête sur son épaule.

— Je suis désolée, Jason. Je suis tellement désolée.

Ses mains courent sur tout mon corps.

— Ce n'est pas grave.

Une fois, en vacances, du temps où j'étais au lycée, j'avais une chambre contiguë à celle de mon père et de Catherine, que seule une très mince cloison séparait de la mienne. « Alors maintenant, tu ne veux plus, l'avais-je entendu se plaindre au milieu de la nuit. Je croyais que tu en avais envie, mais maintenant tu ne veux plus. »

Une immense fatigue m'écrase de tout son poids.

— Je t'assure, ce n'est pas grave, Daley.

Il m'aide à récupérer mon chemisier et mes chaussures.

— C'est ma faute, s'excuse-t-il lorsque je parviens à la porte. Je suis allé trop vite. J'ai mal interprété les signaux.

On dirait une phrase tirée d'une vidéo scolaire sur la communication sexuelle.

— J'ai toujours eu un faible pour toi.

Et maintenant voilà qu'il ment, le pauvre. Personne n'avait un faible pour moi, à l'époque, pas même un petit faible. Il tente de prendre mon visage entre ses mains pour mesurer mon désarroi, mais je pivote sur les talons et franchis le seuil.

20

Je n'ai pas eu de petit ami avant l'université. Le seul souvenir que j'aie d'une vague possibilité d'idylle avant cela est ce week-end où Patrick était rentré du pensionnat en compagnie d'un copain. Le premier soir, après le dîner, Patrick voulut savoir si j'appréciais Cole. Je lui répondis que oui, me semblait-il. Il m'apprit que Cole m'aimait bien, puis me taquina sur la vitesse à laquelle mon visage s'était empourpré. Je m'attendais à voir quelque chose arriver, mais rien ne se produisit, alors qu'il me plaisait de plus en plus. Il était très drôle et intelligent, vif, mais pas cassant. Nous passâmes tous les trois le week-end à jouer au ping-pong, à voir un film au cinéma, à aller manger au Peking Garden. Je ris des plaisanteries de Cole et lui des miennes, mais il n'y eut rien de plus que cela. Ils reprirent le train le dimanche pour retourner à l'école. Lorsque Patrick revint la fois suivante, je lui demandai sur un ton badin – m'efforçant de masquer les heures passées à me tourmenter à ce sujet – pourquoi Cole avait changé d'avis sur moi et il me considéra alors d'un regard curieux.

— On dirait que tu ne piges pas, répondit-il.

— Que je ne pige pas quoi ?

— Après que je t'ai raconté qu'il t'aimait bien, tout ce que tu as fait disait : « Ne t'approche pas. »

Je fus à la fois piquée et estomaquée. *Ne t'approche pas.* J'ignore comment, mais mon moi extérieur avait dit « Ne t'approche pas », alors que mon moi intérieur hurlait « Viens ! ».

— Je n'en reviens pas que tu aies roulé une pelle à un flic ! Il faut croire que les uniformes ça te fait craquer, plaisante Julie.

— S'il te plaît, ne dis rien à personne.

Sous-entendu à Jonathan. Si elle a gardé le contact avec lui, question que je ne pose jamais – je préfère ne rien savoir.

— A part ça, qu'est-ce que tu fais le jeudi avant le week-end de Columbus Day[1] ? demande-t-elle.

— Pas grand-chose. Non, en fait c'est une journée assez chargée, dis-je en faisant semblant de consulter un calendrier. On doit emmener les chiens se faire couper les griffes...

— Je ne pourrai pas être là très tôt.

— Quoi ?

— C'est un cadeau d'anniversaire de mon père. Une soirée à New York pour fêter les cinquante-cinq ans de mariage de mes grands-parents, puis une virée sur les côtes de Nouvelle-Angleterre. Donne-moi les indications pour me rendre chez toi.

— Je ne sais pas qui c'était, mais ça t'a donné le sourire, remarque mon père.

— Mon amie Julie. Son père et elle vont venir ici jeudi prochain.

— Pour quelques jours ?

---

1. Deuxième week-end d'octobre, dont le lundi est férié pour commémorer la découverte de l'Amérique par Christophe Colomb.

— Non, juste pour le déjeuner. Je pense que nous devrions les emmener au Lobster Shack.

— C'est quoi, ces conneries de « nous » ?

— Oh, papa, viens avec nous, s'il te plaît. J'ai envie que tu fasses sa connaissance. C'est une super copine, ma meilleure copine.

— Est-elle ta *meilleuwe*, *meilleuwe*, *supew* copine ? *Meilleuwe* que moi et Maybelle ?

— A égalité, dis-je en caressant le petit crâne de la chienne.

— D'où sont-ils ?

— De Brooklyn. Mais son père habite San Francisco, maintenant, et Julie vit à Albuquerque.

— A San Francisco. C'est un pédé ?

— Papa...

— Je me pose la question, c'est tout.

— Il a été marié trois fois.

— Seigneur !

Je m'abstiens de lui rappeler qu'il n'est pas loin derrière.

— Qu'est-ce qu'il fait ?

— Il est médecin.

Je ne voulais pas lui révéler cela non plus. Il n'aime pas se retrouver en compagnie d'inconnus qui ont eu une carrière brillante. Au moins ai-je été assez vigilante pour ne pas répondre « psychiatre juif ».

Le jeudi matin, il est particulièrement grincheux. La tondeuse ne marche pas comme il faut. Le nouveau type de la quincaillerie est nul. Il crie après les chiens. Je le vois jeter des regards à l'horloge, comme autrefois, quand il attendait l'heure de l'apéritif. Je pense qu'il se comporte ainsi pour me provoquer, mais je ne réagis pas.

Et enfin ils arrivent. Julie bondit hors de la voiture avant même que son père ait coupé le contact, puis esquive les chiens tandis qu'elle avale l'allée pour me rejoindre au pied des marches de la véranda. Elle a les cheveux plus courts, coiffés en un carré au niveau de la mâchoire. Elle me l'avait dit, mais j'avais oublié. Elle porte de nouveaux vêtements. Elle paraît différente, plus âgée. Elle est professeur titulaire d'une chaire, maintenant. C'est déconcertant, de la voir dans mon jardin. Elle incarne le Michigan et les parties de cartes et les nuits blanches et Jonathan assis par terre avec nous, parce que nous n'avions jamais acheté de table de cuisine, tous en train de manger les spaghettis à trois dollars qu'il avait préparés. Elle me serre fort dans ses bras. Il y a tant de choses que je ne peux ravoir.

— Cette ville est jolie comme tout ! Je me demande si je savais même qu'elle était au bord de la mer. Je veux dire *juste* au bord de la mer. Je l'avais toujours imaginée si lugubre et si sinistre. Et cette maison est formidable ! On dirait un bed and breakfast.

Son père remonte le chemin en remettant l'arrière de sa chemise dans son pantalon.

— Je commence à comprendre pourquoi même Berkeley a pu souffrir de la comparaison, plaisante-t-il en me faisant la bise.

— Ce n'était pas réellement un choix géographique en soi.

Puis, percevant l'accès soudain de causticité dans ma voix, je l'adoucis :

— Merci d'avoir fait le détour pour moi.

— Ce n'était pas vraiment un détour : tu as toujours fait partie du plan.

Je n'avais pas revu le père de Julie depuis deux ou trois ans. Il n'a pas changé, un homme de taille moyenne avec une belle chevelure grise et rase : une coupe tondeuse fournie. Je me demande s'il se rappelle son commentaire sur le diamant brut et aussi ce qu'il dira après cette visite. Julie espère chaque fois voir une bonne entente spontanée entre nous. Mais il m'a toujours été un peu douloureux de me trouver en leur présence.

Mon père sort sur la véranda. Je les accompagne jusqu'à lui.

— Vous avez réussi à nous trouver, déclare-t-il en tendant la main. Gardiner Amory.

— Alex Kellerman.

Il y a immanquablement une multitude de messages sous-jacents dans une poignée de main entre deux hommes de leur génération. C'est toujours à qui prendra le pouvoir. Je remarque que mon père accentue l'avantage de sa taille, alors qu'Alex se tient les jambes un peu trop écartées, comme s'il allait avoir besoin de se ramasser sur ses cuisses épaisses avant de bondir.

— Et voici Julie, papa.

Les épaules de mon père se relâchent et il plie le coude pour lui prendre la main.

— Ravi de faire votre connaissance. Je sais que vous manquez beaucoup à Daley. Son colocataire du moment n'est pas très marrant.

De toute ma vie adulte, je n'avais jamais présenté mon père à quiconque.

Alex lance un regard curieux à l'intérieur de la maison. Il a envie de faire le tour du propriétaire, comme je l'aurais à sa place. Mais je ne dispose que de quelques heures avec Julie et je ne veux pas les passer dans le musée WASP[1] de Nouvelle-Angleterre. Je suggère une promenade sur la plage avant d'aller

---

1. *White Anglo-Saxon Protestant* : Anglo-Saxon blanc et protestant, symbole de l'élite.

déjeuner en ville. Alex aimerait d'abord utiliser les toilettes. Je le guide jusqu'aux W-C adjacents au petit salon, traversant avec lui l'office et la salle à manger.

— La lumière marche quand elle veut, dis-je en donnant un grand coup au cylindre noir.

— Ouah ! s'exclame-t-il en découvrant les photos d'équipes sportives.

Au pied de la première rangée de garçons, on voyait toujours le même panneau noir, avec des lettres et des chiffres indiquant le nom de l'équipe et la date. 1940-1949 couvrait la période de la scolarité de mon père à Saint-Paul et je sais que ce détail n'échappera pas à celui de Julie. Pendant que mon père étudiait dans un pensionnat chic, deux grands-oncles de Julie périssaient à Treblinka.

— Lequel est ton père ? interroge-t-il en tapotant le verre de l'équipe trois de football de 1941.

Je pose mon doigt sur le plus petit garçon de la première rangée, qui ne regarde pas l'objectif, mais droit devant lui, d'un air méfiant.

— On dirait qu'il a peur, non ? Ça ne devait pas être facile, de se retrouver séparé de sa mère si jeune. Hé ! il doit avoir dans les douze ans, sur celle-là, et il est déjà dans l'équipe première, s'étonne-t-il en tapotant une autre photo.

— Il a toujours été bon au tennis.

— Il est deux fois plus petit que ses coéquipiers.

— Il était vraiment petit et il a grandi d'un coup. Regardez.

Je montre un cliché suspendu sur l'autre mur, près du lavabo. Sur celui-ci, mon père tient l'un des avirons, debout à l'extrême droite, les cheveux plus foncés et le visage beaucoup plus étroit, le plus grand des membres de son groupe. On a l'impression qu'il a mieux à faire que de rester planté là à être pris en photo par un crétin.

391

— Une vraie tranche d'histoire, n'est-ce pas ? observe-t-il.

— Une lamelle privilégiée, je suppose.

Tous les garçons de Saint-Paul ont les yeux fixés sur moi, des brins d'herbe fraîchement tondue accrochés à leurs crampons. Me rappelant soudain qu'il voulait utiliser les toilettes, je le libère sans tarder.

Sur la véranda, mon père et Julie parlent des aspirateurs pour piscines, semble-t-il. Il consent un effort avec elle. Il la regarde en face, sans laisser ses yeux vagabonder, ainsi qu'il en a souvent coutume avec les gens, et il se penche vers elle pour s'assurer d'entendre ses réponses. Il lui demande si elle s'est déjà constitué un cercle d'amis à Albuquerque et elle explique qu'elle avait imaginé les gens d'un abord plus facile, dans une région au climat chaud, mais que les occupants de son immeuble descendent toujours l'escalier à la hâte, un VTT sur l'épaule, sans prendre le temps de bavarder.

— Vous allez devoir vous acheter un VTT, je pense, dit mon père.

— Ouaip. Quand les poules auront des dents.

Mon père rit. Julie, je m'en rends compte en cet instant, est le genre de femme qu'il qualifierait de sacré tempérament.

Nous montons à bord de leur voiture de location, les hommes à l'avant.

— Nous voici là, deux filles avec leurs pères, dis-je à voix basse.

— Une journée comme les autres, quoi, réplique Julie.

Nous regardons l'arrière de leurs crânes et rions. Puis je lui indique l'allée des sœurs Vance.

— Celles qui se donnaient du mère et du père, récite Julie, comme si c'était une phrase tirée d'un livre qu'elle avait lu il y a longtemps.

Je lui montre la villa des parents de Mallory, puis, discrètement, l'ancienne maison de Patrick. Comme le parking de la plage est rempli, nous nous garons dans le chemin d'accès d'une résidence d'été abandonnée depuis des années, dont tous les volets verts sont baissés.

— C'est comme la demeure des Ramsay, plaisante Alex en descendant de voiture.

— « Allez-vous disparaître ? » enchaîne Julie. « Allez-vous périr ? »

— « Nous restons ! » braille Alex.

Mon père me lance un bref regard : *Il leur manque une case, non ?*

L'océan s'étend de l'autre côté de la rue, mugissant du tonnerre des vagues. Alex s'arrête un instant avant de poser le pied sur le sable.

— C'est magnifique.

Julie et moi ôtons nos sandales et laissons les pères partir devant nous.

— Alors, c'est qui le mec au VTT ? m'enquiers-je.

— Hein ?

— Le mec qui ne veut pas te parler.

Elle croise les bras. La brise souffle dans ses cheveux courts pour les sculpter en un petit entonnoir.

— Merde ! Comment as-tu su ?

— Je ne t'ai jamais entendue te plaindre que les gens n'étaient pas d'un *abord facile*.

Julie serait capable de se lier d'amitié avec un anatife.

— C'est mon voisin du dessus. Il vit seul. Mais je n'ai pas réussi à lui parler.

— Quoi ?

— Je sais, c'est bizarre. Je suis juste tout... inti-
midée.

Je ris au vent.

— Il va falloir suivre cette affaire. C'est une
première. Il fait ressortir ton côté tortue.

Elle glisse son bras dans le mien et je la serre contre
moi.

— C'est bon, de te voir. J'essaie de deviner
comment se passent tes journées ici.

— Mon père a fêté son quatre-vingt-dixième jour
aux AA il y a deux semaines. C'est vraiment quelque
chose.

— Je parlais de *tes* journées.

Mais comme les hommes se sont arrêtés pour nous
attendre, je n'ai pas à lui répondre. Que pourrais-je
lui dire ? Qu'en trois mois et demi, j'ai écrit moins de
trois pages d'un texte sans lien avec mon travail
universitaire ?

— J'adore les proportions de cette plage.

— Les proportions, p'pa ?

Il hausse les épaules. Il aime bien quand elle le
taquine.

— Certaines plages sont trop longues et trop
étroites, d'autres obligent à faire un kilomètre à pied
pour atteindre la mer. Celle-ci est juste comme il faut.

— L'idéal platonicien de la plage ?

— Exactement. Et tu vois cette île, là-bas, un peu
excentrée ? Il doit toujours y avoir un élément asymétrique dans le concept même de perfection. Comme
le nez de Julie.

— Papa !

Elle couvre son nez de la main : il part légèrement
sur la droite. Son père l'entoure d'un bras et lui
embrasse le front.

— La perfection asymétrique, ma chérie. Rien de
plus, rien de moins.

Mon père et moi les suivons pour regagner la voiture.

— Sympa, ce type, dit-il. Tu savais qu'il était psy ?

— Oui.

— Il m'a raconté une histoire sur un gars qui est venu le consulter pendant quelques années. Un passionné de pêche à la mouche. A chaque rendez-vous, il apportait sa boîte de mouches et voilà ce qu'ils faisaient : ils discutaient sur chaque appât – ce qu'on pouvait attraper avec, à quel moment de l'année l'utiliser. Le gus n'était même pas fichu de dire pourquoi il venait là ; il était incapable de répondre à cette question. Deux ans passent, et un beau jour, le type prend une mouche et explique : « C'est celle que mon fils a fabriquée la veille de sa mort. » Bon Dieu ! Sacrée histoire, non ?

Au repas, nous commandons tous du homard, sauf mon père, qui chambre Alex parce qu'il a mis son bavoir.

— C'est une belle chemise, se justifie ce dernier.

— J'espère simplement qu'on ne verra personne que je connais.

— Vous n'aurez qu'à lui dire que je suis votre cousin demeuré d'Akron.

— Papa !

— Excuse-moi, Jules. Alors, comment vous êtes-vous retrouvé à Ashing, Gardiner ?

— Ma femme m'a dit que nous allions quitter Boston et avant que j'aie eu le temps de comprendre ce qui se passait, les fourgonnettes attendaient devant la porte.

Alex rit.

— C'est comme ça, avec les femmes, pas vrai ? Elles savent ce qu'elles veulent.

— Et ce qu'elles ne veulent pas, ajoute mon père en baissant les yeux sur son assiette en carton.

Je demande à qui ils vont rendre visite, dans le Maine, et Alex nous parle de cet ami qu'il avait connu à la fac de médecine, lequel monte des cliniques dans les régions ravagées par la guerre. Ils ont de la chance de pouvoir l'attraper au vol. Alex nous décrit sa propre expérience à la clinique du Guatemala, où il avait dû avoir recours à un traducteur pour la thérapie, ce qui lui avait permis d'avoir beaucoup plus conscience des émotions des patients qui se confiaient à lui, grâce au décalage qu'imposait la traduction. Julie et moi lui posons de nombreuses questions sur les conditions de vie ou sur la guerre civile, et chaque réponse appelle encore d'autres questions. Mon père se contente de manger son hot dog en hochant la tête et en lâchant à intervalles réguliers des « C'est vrai ? », mais il n'écoute pas. Il a énormément de mal à se détendre. Je sens à côté de moi sa jambe qui s'agite continuellement. On dirait un garçon à l'école qui attend la sonnerie ou, en l'observant de plus près, un animal pas tout à fait certain qu'il n'y ait pas un prédateur dans les environs.

Après que la table a été débarrassée et que nous nous sommes nettoyé les mains avec le rince-doigts parfumé au citron, Alex sort une petite boîte de tubes d'aquarelle et un calepin noir à pages épaisses. Il regarde le port par-dessus mon épaule et peint sur une page par petites touches rapides. Mon père insiste pour régler l'addition.

Lui et moi nous installons à l'arrière pour le trajet de retour à Myrtle Street. Les érables qui bordent la route sont de vieux arbres à la frondaison luxuriante, incroyablement hauts, dont les feuilles commencent juste à prendre leur couleur d'automne. Mon père frotte son pouce contre une couture de son pantalon.

Je les invite à entrer, mais Alex explique qu'ils doivent être à Wiscasset à cinq heures. C'est au tour de Julie de vouloir aller aux toilettes, alors je l'accompagne et l'attends dans la cuisine tandis que nos pères bavardent dans le jardin. Lorsqu'elle ressort, elle dit :

— Je pensais qu'en venant te voir ici, je parviendrais à comprendre le pourquoi du comment de ta décision.

— Et ce n'est pas le cas ?

— Cet homme va très bien. Tu n'as pas besoin de te trouver ici, Daley.

— Il fait bonne figure. Et il *commence* à aller mieux. Il progresse.

— Je crains que tu n'attendes de lui quelque chose qu'il ne pourra jamais te donner. Et si ce n'est pas ça, j'espère simplement que tu as conscience que ta vie et ton parcours sont tout aussi importants que les siens.

L'idée d'entendre une nouvelle fois un sermon sur le pas de la porte au moment des au revoir m'est insupportable.

— Désormais, tu dois me voir comme un personnage à la Charlotte Brontë, la fille encore demoiselle du pasteur de la ville.

— S'il te plaît, ne dis pas ça, même pour plaisanter. Je ne sais pas pourquoi tu as tout fichu en l'air comme ça.

Elle semble sur le point de pleurer.

— Ne me dis pas que tu ne laisserais pas tout tomber pour venir auprès de ton père s'il avait besoin de toi.

— Il m'en *empêcherait*.

— Si ton père se rompait le dos et était incapable de sortir du lit, tu serais à ses côtés pour l'aider.

— Il refuserait que je reste. Ça lui briserait le cœur si, à cause de lui, je devais perdre quelque chose pour lequel j'avais travaillé toute ma vie adulte.

— Ton père doit connaître beaucoup de gens sur qui il peut s'appuyer mais le mien n'a personne d'autre que moi en ce moment. Je suis sa seule béquille.

— Je comprends qu'il soit important pour toi de croire cela.

— Epargne-moi le baratin de psy ! Je suis en train de réparer quelque chose avec mon père qui a été détruit quand j'avais onze ans. Quel boulot, même le plus prestigieux, pourrait soutenir la comparaison ?

— Je ne te parle pas du boulot, Daley. Un boulot, tu en trouveras un autre. Je te parle de Jonathan. Tous les deux, vous représentez tout ce que chacun d'entre nous recherche.

— Ne nous idéalise pas. S'il a été incapable de comprendre ma décision, c'est que c'était de toute évidence une relation boiteuse.

— *Je* suis incapable de comprendre ta décision. Personne ne comprend pourquoi tu as fait ça.

— Mais tu continues à me parler. Jonathan, lui, a disparu de la circulation.

— Je pense que, pour une raison ou pour une autre, tu as peur de ce qu'il y a entre toi et Jonathan.

— Il est parti, Julie. C'est fini. Utilise le passé.

— Non.

— Sais-tu où il est ?

— Non.

— Tu n'as vraiment pas eu de nouvelles de lui ?

Mon cœur cogne violemment dans ma poitrine, à présent.

— Non.

Je m'aperçois que je comptais sur elle aujourd'hui pour me dire où il était et comment il allait. Je sens le gros poing de la souffrance changer de position, m'arrachant quelques larmes. Elle m'entoure de ses bras, ce qui accentue encore la brûlure. Elle s'en va et Jonathan est réellement parti.

398

— Essayons d'organiser un peu la suite, dit-elle d'une voix douce. Combien de temps penses-tu rester encore ici ?

— Je ne sais pas pendant combien de temps il va encore avoir besoin de moi.

— Alors, il faut que tu décides combien de temps tu veux qu'il ait besoin de toi.

De la véranda nous parvient la voix d'Alex. Il craint qu'il n'y ait trop de circulation.

— Je t'appellerai ce soir, promet-elle.

Je m'essuie les yeux et l'accompagne jusqu'à la voiture. Mon père dit au revoir et les invite à s'arrêter ici la prochaine fois qu'ils viendront dans le Nord-Est. Il a l'air épuisé. Je sais qu'il montera faire sa sieste aussitôt après leur départ.

Je les serre tous les deux dans mes bras. Alex me donne une aquarelle. Ce n'est pas un tableau du port, comme je m'y attendais, mais de moi et de Julie avec ses cheveux si courts. Nous sommes penchées l'une vers l'autre à discuter. Je ne reconnais pas grand-chose de moi dans la façon dont il m'a représentée, mais il a saisi en quelques coups de pinceau la bouche de Julie et la parfaite imperfection de son nez.

Ce soir-là, après la réunion des AA et le souper, nous regardons le match entre les Red Sox et Cleveland. Mon père est furieux contre Clemens, furieux contre les commentateurs, qui parlent trop à son goût. A la pause de la septième manche, il se lève avec son verre pour aller se resservir un soda. Il laisse sortir, puis revenir, les chiens. A son retour, il se rassoit et lorsque les joueurs réapparaissent sur le terrain, il regarde en silence, la respiration difficile. Quand Mo Vaughn effectue un double jeu, il lâche :

— Voilà qui est mieux.

Il y a un soupçon d'autosatisfaction dans sa voix qui me pousse à tourner la tête vers lui. Nos regards se croisent et il hausse légèrement les sourcils. Il s'est conduit de son mieux toute la journée et il n'a pas eu un mot ironique sur Julie ni sur son père depuis qu'ils sont repartis. Mais sincèrement, je ne sais plus si oui ou non il me mène en bateau.

21

Novembre arrive et Neal est toujours mon seul ami à Ashing, mais je ne le vois que lorsque je vais à sa boutique. Le reste de son existence est un mystère pour moi.

— Es-tu réellement aussi solitaire que tu le parais ? lui demandé-je.

— Assez, oui.

— L'as-tu toujours été ?

— Pas autant.

Il semble particulièrement préoccupé, aujourd'hui, et ne cesse de regarder passer les voitures par la vitre de la porte tout en tripotant un capuchon de stylo. La peau au-dessous de ses yeux est bleuâtre. Je ne dois sans doute pas avoir l'air bien vaillante moi non plus. Le froid a apporté avec lui le doute et la peur. Je suis comme incapable d'avoir un projet. La sensation « étoiles mortes » s'est insinuée en moi. Elle paraît tout frapper, tel le battant qui ferait inlassablement sonner la grande cloche qu'est devenu mon corps tout entier. Je dors de moins en moins. La nuit, j'erre dans la maison. Je cherche des bouteilles cachées. J'ai honte de mon manque de confiance à l'égard de mon père, alors que j'avais toujours cru que le problème entre nous était son manque de confiance à mon égard. Je jette d'autres fragments pour Jonathan dans mon bloc-notes. Mon cœur bat trop vite et trop fort. Que vais-je devenir ? Par moments, j'ai l'impression que seule une cloison aussi mince qu'une feuille de papier me sépare de la panique absolue et permanente. Neal m'apaise. Si je lui décrivais ce que j'éprouvais, je sais qu'il me dirait ressentir la même chose.

— Il paraît que tu as pris un verre avec Jason Mullens.

Je ris.

— Il y a deux mois.

— Tu vas sortir une autre fois avec lui ?

— Non.

— Il t'a appelée ?

— Il a laissé quelques messages. Il se présente toujours comme l'agent Mullens, sur le répondeur. Mon père doit penser qu'un mandat d'arrêt a été lancé contre moi.

Neal feint de rire. Puis il se lève et annonce qu'il doit y aller. Il va fermer la librairie pour la pause déjeuner.

Deux jours plus tard, alors que je suis en train de charger mes provisions dans la voiture sur le parking de chez Goodale, un break s'arrête à ma hauteur, une armoire française rouge vif attachée sur le toit.

La mère de Neal, qui en temps normal roule en Volkswagen Fox depuis qu'elle s'est séparée de la Pinto, en sort d'un bond.

— N'est-elle pas divine ? demande-t-elle en me serrant fort. N'est-elle pas à craquer ?

Il émane d'elle une odeur épouvantable, fétide, à la fois âcre et animale.

J'accorde à l'armoire l'attention requise. Je passe la main sur ses pieds en bois brut, m'émerveille de ses dimensions. J'ai du mal à imaginer un meuble aussi énorme et tape-à-l'œil dans sa petite maison de July Street.

— Waouh ! fais-je.

— Elle doit avoir pas loin de mille rayons sur les côtés ! Indispensable pour organiser le rangement *chez moi*[1].

Elle me regarde avec une intensité particulière, comme si je m'apprêtais à lui révéler un grand secret. Elle n'est pas tombée sur la bonne personne. J'ai consacré ma matinée à nettoyer toilettes et salle de bains. J'ai très peu de temps à lui consacrer.

— Ça a été une journée vraiment étonnante. Je ne suis pas sûre d'avoir déjà vécu une journée pareille, Daley. J'ai découvert quelque chose. Quelque chose sur les collants.

— Les collants ?

— C'est véritablement miraculeux. Et on n'en parle jamais. Je ne pense pas que quelqu'un d'autre soit au courant. On peut pisser dedans. Tu le savais ? On peut pisser dans ses collants et ça ne fuit pas. Ça s'évapore, en quelque sorte. J'ai fait ça toute la semaine. Personne ne s'aperçoit de quoi que ce soit ! Mais il faut que je rentre à la maison, maintenant. J'avais promis à Neal de ne pas sortir et, comme je l'ai fait, il va être furieux contre moi, explique-t-elle, visiblement ravie à cette idée. Tu sais qu'il avait gagné la coupe Renaissance, n'est-ce pas ?

— Oui, je sais, réponds-je en souriant. Je le lui rappelle un peu trop souvent à son goût.

— Oh, il est si *enquiquinant* ! Tu ne peux pas savoir ce qu'un fils peut te faire endurer tant que tu n'en as pas eu un. Mais il vaut encore mieux un fils qu'un mari, c'est sûr. Le mien a tout bonnement disparu. Hop ! Disparu.

---

1. En français dans le texte original.

— C'est vrai ?

— Ça lui arrive parfois. Il adore faire son cinéma. Me donner du « Je ne peux plus supporter ceci et cela ». Tu sais que ce magasin a presque refusé mon chèque, bon sang de bonsoir ! Ils ont vraiment un balai dans le cul ! Sales bâtards de Français.

Puis, comme si je venais d'apparaître devant elle :

— Oh, Daley, comme c'est bon que tu sois revenue !

Elle m'attire de nouveau contre elle et, à présent que je sais à quoi correspond l'odeur, c'est encore pire.

— Cette vieille ville fatiguée a besoin de ta jeunesse, de ta beauté et de ton inspiration.

Elle me braille littéralement dans les oreilles.

— Tu vois ? reprend-elle en s'écartant de moi avant de regarder le sol à ses pieds. Je l'ai refait et ça n'a pas fui.

Après son départ, je file directement chez Neal. Le magasin est fermé et il ne répond pas lorsque je sonne à l'étage. Je me demande s'il est sorti pour partir à la recherche de sa mère. Voilà ce que voulait dire mon père quand il expliquait que ça n'avait pas été facile pour Neal. J'y retourne l'après-midi et il n'y a toujours personne. Je laisse un mot. J'en laisse un autre le lendemain. La librairie demeure fermée toute la semaine. La lumière reste éteinte à l'étage. Je me demande jusqu'à quel point la situation peut empirer et comment cela se termine en général.

Maintenant que les soirées sont plus courtes, mon père va se coucher plus tôt. Le premier soir où Neal vient me voir, il est à peine plus de neuf heures et mon père dort déjà. Neal frappe doucement à la porte de derrière. Dans un premier temps, je pense que c'est le vent qui fait claquer le battant mal fermé.

404

Mais je découvre le visage de Neal, incliné pour s'adapter au cadre de l'un des carreaux.

— Je te vois, Shirley Temple, dis-je avant d'ouvrir.

Je suis surprise de constater à quel point je suis soulagée de le voir.

— Salut, souffle-t-il péniblement d'une voix douce.

Il a les mains dans les poches. Je sors sur la véranda pour aller l'étreindre et il me tombe dans les bras. Il respire profondément, mais de manière irrégulière.

— Je suis tellement désolée.

— Elle m'a dit qu'elle t'avait vue. Je fais vraiment tout ce que je peux pour l'empêcher d'aller en ville, quand elle est comme ça.

— Où se trouve-t-elle, en ce moment?

— A McLean's. Elle finit toujours là-bas. Ils la bourrent de lithium et la sermonnent en lui disant d'en prendre régulièrement, même quand elle a l'impression de ne pas en avoir besoin, *surtout* quand elle a l'impression de ne pas en avoir besoin. Et après ils la renvoient à la maison.

Il ne lève pas sa tête de mon épaule. Je lui touche les cheveux, trop délicatement pour qu'il s'en aperçoive.

— Mon père n'a pas pu le supporter. Il a toujours été incapable de le supporter. Ses accès maniaco-dépressifs déclenchent en lui une sorte de terreur. Alors maintenant je lui dis simplement de s'en aller et je l'appelle lorsque c'est terminé. Je ne sais pas comment elle était quand tu l'as vue, mais elle peut se montrer méchante si elle se met en colère. C'est dingue. Et l'instant d'après elle peut se répandre en mièvreries sirupeuses et te répéter jusqu'à l'écœurement que tu es l'être le plus sacré, le plus parfait qui ait jamais été sur terre. Je me souviens qu'une fois, quand j'étais petit, elle avait essayé de me convaincre que j'étais Jésus-Christ. J'étais effrayé. Je ne voulais pas être Jésus. Je ne voulais pas avoir tous ces trous dans mon corps.

Je le serre fort.

Une fois que sa respiration s'est calmée, je lui demande s'il veut entrer pour prendre un thé.

— Je suis resté enfermé pendant tant de jours. Est-ce que ça t'ennuie si on va dehors ?

Je mets une veste et nous allons jusqu'aux fauteuils de jardin au bord de la piscine. Une couverture verte est désormais tendue sur celle-ci, mais nous n'avons pas encore remisé les fauteuils. Neal s'installe dans l'un des bains de soleil et m'entraîne avec lui. Nous nous couchons de côté, sa poitrine contre mon dos, son souffle dans mes cheveux. C'est bon de sentir quelqu'un qui me tient.

— Ça ne t'embête pas ? demande-t-il.

— Pas du tout.

— Je déteste la voir attachée sur son lit. Ce qu'elle déblatère, je m'en fiche. Je peux faire la sourde oreille. Mais l'expression de son visage... Et son corps entièrement sanglé.

— Ça se produit fréquemment ?

— L'intervalle le plus long entre deux épisodes a été deux ans et demi. Mais en temps normal, le cycle est plus court.

— Je l'ignorais complètement.

— Les gens ont fait preuve de discrétion. De ce côté-là, c'est une ville bien.

— Et ça arrivait, quand on était à l'école ensemble ?

— Toute ma vie. On m'envoyait chez ma tante du Maryland, pendant l'été.

— Tous les étés ?

— Les mauvais étés.

Après cela, il vient la plupart des soirs, donne de petits coups sur le carreau avant d'aller s'allonger avec moi sur un fauteuil de jardin dans le noir. Lorsque les nuits sont plus froides, il apporte une couverture. Nous contemplons les étoiles d'automne, incapables d'en nommer plus que quelques-unes. Nous nous faisons des câlins et parfois nous nous serrons un peu l'un contre l'autre, mais jamais nous ne nous embrassons.

Lorsque sa mère rentre de McLean's, il rouvre son magasin.

— Personne n'a même remarqué que j'avais fermé, plaisante-t-il.

Nos discussions ressemblent plus à des pensées exprimées à voix haute. Souvent, je ne suis plus sûre de ce que j'ai dit. Les soirs où le ciel est dégagé, les étoiles percent les ténèbres d'un million de trous. Une fois, Jonathan m'avait avoué que les étoiles lui donnaient une sensation de puissance.

— C'est bizarre, fait Neal. Moi, elles me donnent la sensation d'être minuscule.

— Moi aussi. Peut-être est-ce particulier aux gens d'Ashing.

— Est-ce qu'elles te font penser à Dieu ?

— Non.

— Tu ne crois pas en Dieu ?

— S'il existe un Dieu, nous n'avons pas encore été présentés.

J'observe la voûte sombre au-dessus de nous, les lumineuses piqûres d'épingle qui sont en réalité des boules de feu, dont bon nombre sont plus grosses que la terre. Toutes ces choses que nous sommes censés croire.

— Les étoiles me font juste penser à la mort, reprends-je.

Je lui raconte la première fois où j'ai éprouvé la sensation « étoiles mortes ». Je m'abstiens de lui avouer que je la ressens en ce moment même, qu'elle semble avoir dressé le camp dans ma poitrine.

Il explique aimer la théorie selon laquelle l'univers se dilate, puis se contracte, en un mouvement inlassablement répété et que nos existences reviennent périodiquement, tous les soixante milliards d'années environ.

Un autre soir, je lui demande :

— Es-tu en train d'écrire un roman qui commence en première année de fac et se termine dans un Pottery Barn ?

Comme il ne répond pas, je me mets à rire.

— Je te déteste, lâche-t-il en me serrant plus fort. Je déteste être un cliché.

Il possède trois vestes différentes : une vieille en cuir qui appartenait à son frère, une en toile marron et une de bûcheron, à carreaux rouges et noirs, qui est vraiment très large. Il m'enveloppe dedans et la boutonne, sa poitrine épousant mon dos. Lorsqu'il m'arrive de le voir dans la rue avec cette veste pendant la journée, je ne peux retenir un sourire.

— Est-ce qu'elle est comme ta mère ?

— Qui ?

— La Morte ?

— Non. Oui. Je veux dire, elle n'est pas complètement piquée, mais elle a beaucoup d'énergie.

— Ma mère a toujours pensé qu'il était important d'avoir un côté pétillant.

— Le côté pétillant, ça me plaît. Mais il doit être associé à une certaine gravité.

— Et la Morte a une certaine gravité ?

— Le fait d'être morte, ça aide.

— Dis-moi son prénom.

— Non.

J'avance des suppositions : Megan, Susan, Leslie. Il répond non à chacune.

— Bien. Je hais le prénom Leslie. Non, ce n'est pas vrai. Je hais Lesslie, mais Lezlie ne me dérange pas. Mais si tu t'amuses à appeler Lezlie une Lesslie, attention. Ça s'écrit de la même manière, alors comment savoir ?

Il retire sa main de mon ventre et la plaque contre ma bouche.

— Elle ne s'appelle pas Leslie.

— Molly ? dis-je contre sa paume.

— Non. Plus de suggestions. Tu as épuisé ton quota de la semaine.

Le lendemain, il explique :

— Je n'ai pas dit que tu étais concave. J'ai dit que ça me serait égal, si tu étais concave. Ce qui n'était pas le cas. Et qui l'est encore moins maintenant.

— Enfin, il le remarque !

Et puis il y a le soir où nous entendons les bernaches, quelques-unes seulement, même pas en V. Elles volent trop bas et, au début, n'émettent aucun son. Et alors je le perçois, ce cri frêle et aigu, suivi d'un autre, plus lugubre, affamé, peut-être.

— Elles sont en retard, observe Neal. Elles n'y arriveront pas.

Puis, me voyant pleurer à chaudes larmes pour ces oies :

— Là, là...

Une autre fois, alors que je suis encore enfermée à l'intérieur de sa veste à carreaux rouges et noirs, il demande :

— Que se passerait-il si tu te retournais pour te retrouver face à moi ?

— Je n'en sais rien.

— Moi non plus.

Le nuage de son souffle flotte à côté de mon oreille pour s'élever ensuite vers les étoiles.

Puis je ne le vois plus pendant trois soirs d'affilée. Je m'arrête à son magasin. Il n'est que quatre heures et demie, mais il fait presque nuit. Réverbères et phares de voiture sont allumés. Il règne un froid tel, qu'il pourrait neiger. Je porte ma vieille parka du Michigan, que j'avais achetée dix dollars dans une friperie. Elle est orange, quelque peu informe, et Jonathan me surnommait « l'Ovni » quand je la mettais.

Neal est en compagnie d'une cliente au moment où je pousse la porte. Ils sont de dos, occupés à regarder le rayon le plus élevé d'une étagère. Ils se retournent tous les deux en même temps. Neal m'adresse un large sourire contrit, reconnaissant, heureux. La femme a le rouge aux joues. Une valise est posée près du bureau de Neal.

— La Morte, ne puis-je m'empêcher de lâcher.

— La Morte, convient-il.

— *Quoi ?* s'exclame-t-elle en pivotant sur les talons.

Elle est ravissante, bien sûr, avec des yeux marron tout ronds et un sourire ironique.

— Je m'appelle Daley, dis-je en tendant la main.

— C'est vraiment comme ça que tu me surnommes ? lui demande-t-elle.

— Comment vous appelez-vous en réalité ?

— Ne le lui dis pas ! l'adjure Neal, mais trop tard.

— Anne.

— Anne ?

Je lance un regard à Neal. Anne, j'aurais pu le trouver. Il hausse les épaules.

— C'est un prénom affreux, se plaint-elle. Je le déteste.

— Mais pas autant que Lesssslie, cependant.

Il plante ses yeux dans les miens pour voir si je comprends. Je comprends. J'ai toujours compris.

— Oh non, loin de là, renchéris-je.

22

Puis vient Thanksgiving. Froid, gris, ainsi que je me rappelle l'avoir toujours vu en Nouvelle-Angleterre. Malgré mes demandes hebdomadaires pressantes, impossible de convaincre Garvey d'être des nôtres. Je réussis néanmoins à l'amener à échanger avec papa au téléphone. Ce fut une conversation brève, un peu contrainte, mais sur un ton affable. Garvey me promit d'essayer de venir pour Noël.

La réunion de mon père a lieu à une heure, ce jour-là, après quoi nous partons déjeuner chez les Bridgeton.

Ils habitent au nord de la ville, au bout d'une longue route qui court sous les arbres, lesquels sont désormais totalement dépourvus de feuilles. Tous, sans exception. Alors que nous sommes sur le point d'arriver, mon père m'explique qu'ils ont parlé de la grâce, aujourd'hui. L'auto s'arrête. La route s'achève à l'océan et à la demeure des Bridgeton.

— Patricia a dit que la grâce, c'est d'accepter l'amour, que nous passons tous tellement plus de temps à résister à l'amour qu'à le prendre. C'est curieux, non, cette idée de rejeter l'amour ? C'est une sacrée idiotie ! Mais je suppose que c'est ce que nous faisons tout le temps.

— Je le crois, en effet.

Ma voix est totalement plate. Je hais Thanksgiving.

— Ouais. Enfin... conclut-il en ouvrant la portière. Allons donc manger de la dinde.

Les Bridgeton possèdent une plage rocheuse privée, en contrebas de la maison de bardeaux verte. J'aurais pu affirmer ne jamais avoir mis les pieds ici auparavant, jusqu'au moment où je parviens à la pelouse et où je regarde les rochers. Alors je me remémore les avoir escaladés avec un garçon blond plus âgé que moi, puis être tombée et m'être égratigné les genoux. Par une fenêtre, j'aperçois le vestiaire pourvu d'un lavabo dans lequel ma mère avait nettoyé mes plaies avant d'y coller du sparadrap.

Mon père et moi avons passé la matinée à faire la cuisine : haricots verts, purée de pommes de terre à l'ail et tourte au pommes. A présent, il sait confectionner cinq plats principaux différents et il s'occupe de son linge seul. Nous contournons l'édifice par l'avant avec nos plateaux de nourriture. Comme mon père a insisté pour que je consente à un effort vestimentaire, j'ai mis ma tenue d'entretien d'embauche : un tailleur beige et des bottes à talons.

Carly Bridgeton nous ouvre.

— Oncle Gardiner ! s'exclame-t-elle.

Elle serre mon père fort dans ses bras. Carly est sa filleule. Je l'avais oublié. C'est l'aînée des enfants Bridgeton, la trentaine bien sonnée, mais le gilet matelassé et les jambières qu'elle porte lui enlèvent vingt ans.

— Holà, petite cacahuète !

— Mais regarde-toi donc ! le félicite-t-elle. Tu as l'air en super forme, oncle G.

Et c'est vrai. Sa peau est d'un rose mordoré, ses yeux sont clairs et alertes. Il a pris un peu de poids. Il paraît en bonne santé, costaud et beaucoup plus jeune que ses soixante et un ans.

413

— Tu te rappelles Daley.

— Mais bien sûr ! répond-elle en m'étreignant à mon tour. On faisait des pliages coin coin ensemble, tu te souviens ?

Mais je n'en ai pas le souvenir. Son nez étroit et ses grosses taches de rousseur ne me sont pas précisément familiers, mais si je la croisais dans une rue d'une grande ville, je me dirais que je la connais. Elle ressemble à beaucoup de gens avec lesquels j'ai grandi.

Après nous avoir débarrassés de nos manteaux, Carly nous guide jusqu'au salon. Dans les canapés en chintz rose sont installés les deux fils Bridgeton, chacun avec veste et cravate, en train d'enfourner de pleines poignées de crackers. Dès qu'ils nous voient, ils se mettent debout en essuyant leurs paumes parsemées de sel sur leur pantalon avant de nous serrer la main. Je suis incapable de me rappeler lequel fait « Dieu sait quoi » dans le Colorado. L'un et l'autre semblent être le produit conjugué du collège d'Ashing, suivi par un pensionnat en Nouvelle-Angleterre et une petite université lettres et arts : des hommes à l'allure soignée, d'une humilité exagérée et d'une certaine aisance en société. Ensemble, nous cherchons qui avait juste un an de plus que Garvey (Scott) et qui en avait juste un de moins (Hatch), qui avait fait partie de l'équipe de poussins de papa n'ayant pas perdu un seul match pendant trois années de suite (Hatch) et qui se souvenait que Garvey avait gagné le concours de déclamation avec le *Gunga Din* de Kipling (tout le monde).

M. Bridgeton entre alors dans la pièce d'une démarche titubante, le pied gauche prisonnier d'une résine bleue qui laisse apparaître l'orteil de sa chaussette blanche. Quelqu'un a dessiné un visage souriant sur le petit morceau de chaussette. Les glaçons s'entrechoquent dans le scotch soda qu'il tient à la main.

— Seigneur Jésus ! s'écrie mon père. Qu'est-ce qui t'est arrivé ?

— Oh, juste un petit différend avec un élan.

Les garçons rient et Hatch traverse le salon pour ramasser un butoir de porte. C'est une brique habillée d'une tapisserie à l'aiguille sur le dessus de laquelle est cousue une tête d'élan brun et beige.

— Aïe ! compatis-je.

— J'ai trébuché sur ce foutu machin en plein jour. Pas compris ce qui se passait.

M. Bridgeton a le regard perdu au-dessus de nos têtes, un sourire béat accroché sur la figure. Visiblement, les analgésiques le mettent dans un état second.

Percevant le ronronnement d'un robot ménager, je m'excuse pour aller aider Mme Bridgeton.

— N'entre pas là-dedans sans armes ! plaisante Hatch.

Scott me tend le couteau à fromage.

La cuisine est petite, du même vert pomme que tant de cuisines d'Ashing des années cinquante. Mme Bridgeton est en train de disposer des noix de pécan sur une purée de patates douces soigneusement étalée dans un plat à four cannelé. Elle a un cocktail sur la table, également, presque fini.

— Ça sent bon, ici !

C'est vrai. Ça sent comme chez nous, lorsque ma mère préparait le repas de Thanksgiving.

— Oh, Daley, je suis contente que tu sois là.

Elle me fait la bise. Sa joue est chaude et dégage une odeur de talc.

— Et regarde un peu comme tu es belle !

Je la vois chercher un compliment pour ma tenue sévère aux coloris ternes.

— C'est mon père qui a insisté pour que je mette ça, dis-je afin de la tirer de ce mauvais pas.

— Ah bon ? Eh bien, tu es ravissante.

Puis elle ajoute, d'une voix plus basse :

— Comment va-t-il ?

Je plonge la main dans le sac de noix de pécan et commence un autre cercle à l'intérieur de celui qu'elle termine.

— Il va vraiment bien. Cette semaine, il s'est mis à entraîner une équipe de basket de jeunes. Il adore ça.

C'est Kenny – le parrain de mon père aux AA, ainsi que je l'ai récemment découvert – qui lui avait parlé de cette activité.

— Si seulement Hugh acceptait de le reprendre.

— Je ne crois pas qu'il ait envie de retourner dans un bureau. Il prend beaucoup plus de plaisir avec son équipe.

Un soir, il y a quelques jours de cela, il m'avait avoué qu'il avait toujours voulu être entraîneur à plein temps, mais que c'était une profession qui n'était pas considérée comme respectable. « On s'en fout, que ce ne soit pas respectable, papa ! Suis ta passion », lui avais-je répliqué.

— C'est qu'avec les enfants, il est formidable, convient-elle. Nous le savons tous.

— C'est un plat que faisait ma mère.

— Oui. C'est moi qui lui avais donné la recette, explique-t-elle en prenant une autre poignée de noix dans le sachet. Elle et moi étions amies, tu sais, avant qu'elle s'engage avec les démocrates et tout le reste.

Elle prononce le mot « démocrates » de la même manière que mon père, comme s'il s'agissait d'une secte qui enlevait les gens honnêtes.

— Et après il faut le tartiner de sucre brun et le placer sous le gril ?

— Tu le mets d'abord au four et tu n'utilises le gril qu'au dernier moment.

— Ma mère le faisait brûler, parfois.

— On peut facilement le laisser brûler. Ça passe du doré au noir très rapidement.

— Merci de nous avoir invités. C'est gentil.

— C'est dur d'être seul pour les fêtes.

Il n'est pas seul. Voilà ce que je veux dire. Je ne suis pas seule. J'aimerais qu'elle soit capable de se rendre compte de ses progrès.

— Il y a qui, là-dedans ?

Mon père baisse la tête à cause de la faible hauteur du linteau.

Mme Bridgeton ramène ses cheveux en arrière et lisse sa robe verte.

— Rien que nous, les lutins de Thanksgiving, fait-elle.

Mon père est superbe, avec son costume anthracite, sa chemise blanche impeccable et sa cravate ornée de poissons bleu et vert.

— Regardez-moi donc ce festin ! se réjouit-il en dévorant des yeux les bols de légumes, la dinde qui dore dans le four éclairé.

— Le même repas depuis trente-neuf ans, tempère-t-elle en s'essuyant les mains sur un torchon à vaisselle.

— Pourquoi changer, du moment que c'est bon ? dit mon père d'un air absent, regardant l'eau grise de l'océan par la fenêtre.

Je sais qu'il brûle d'envie d'aller boire l'apéritif avec les autres au salon. Je le ressens comme si ce besoin rongeait mes propres entrailles. Je voudrais lui tenir la main et lui assurer que ça allait passer. Sois fort, voudrais-je lui dire. Les fêtes, c'est le moment le plus dur.

417

— J'ai acheté une petite bouteille de champ pour accompagner le dessert. Est-ce que tu pourras en boire juste une goutte, Gardiner ?

J'ai l'impression qu'elle vient de me verser un seau d'eau glacée sur la tête. Je me retiens. Ce n'est pas facile. Mon père répond non de la tête.

— Non. Je vais en rester à mon eau de Seltz.

Je lui souris, mais il évite mon regard.

— Daley, est-ce que ça t'embêterait de remplir les verres d'eau dans la salle à manger ? demande-t-elle. Nous pourrons bientôt passer à table.

Dans la salle à manger, il y a de larges saladiers de gourdes orange et vertes, ainsi que des cartes de table en forme de queue de dinde. Je suis entre M. Bridgeton, sur ma gauche, et Scott, sur ma droite. Mon père est placé à l'autre bout de la table, à côté de Mme Bridgeton. Tout le monde autour de lui a un grand verre plein d'alcool. Pourquoi sommes-nous là, parmi ces gens qui n'ont pas conscience de l'effort que cela lui réclame ? qui ne pensent sans doute même pas que c'est une maladie ? Je me dis que j'ai manqué à mes devoirs envers lui, que je n'ai pas réussi à lui trouver un autre groupe d'amis, une autre façon de vivre.

Enfin, nous prenons tous place et remplissons nos assiettes de nourriture. Scott et moi échangeons des questions polies. En face de nous, Hatch et mon père se remémorent des souvenirs des Pirates. Articulant silencieusement le mot « groseille » en l'accompagnant d'un geste de sa serviette, Mme Bridgeton signale à son mari qu'il a de la sauce sur la joue. Malgré une descente solide et régulière, personne ne semble particulièrement ivre. Personne ne se met en colère. Personne ne change de caractère. Ils se taquinent, mais ne s'envoient pas des piques. Ils ont l'air sincèrement heureux d'être ensemble. Je demande s'ils se voient souvent. « Pas assez », se lamente Hatch, mais j'apprends qu'en fait aucun d'eux n'a jamais manqué un Thanksgiving ou un Noël et qu'ils passent au moins deux semaines ensemble chaque été dans leur chalet des monts Berkshire, ainsi que dix jours aux Bahamas en mars.

Après le repas, nous allons tous – à l'exception de M. Bridgeton, handicapé par son pied blessé – nous promener au bord de la mer. La marée basse dévoile l'étroite plage au sable d'un gris mouillé. On aperçoit un plus grand nombre d'îles de chez eux que de Ruby Beach. Hatch me les nomme. Les autres entament un concours de ricochets. Scott se penche et lance un galet sur la surface des bas-fonds.

— Super coup ! le félicite mon père tandis que le caillou rebondit sur l'eau cendrée. Neuf.

Hatch me parle de la start-up de service et de conseil en informatique pour laquelle il a travaillé à Boulder. Je ne comprends pas un traître mot de ce qu'il me raconte.

— Et toi ? Pendant combien de temps comptes-tu rester ici ?

— Plus très longtemps, réponds-je, lasse, sur la défensive. Peut-être jusqu'à la fin des vacances.

Est-ce bien vrai ? Mon avenir a exactement la même couleur que l'océan.

Mme Bridgeton ramasse une pierre, mais son jet est médiocre, même si celle-ci ricoche deux fois avant de sombrer.

— Pas mal, commente gentiment mon père. Tu retenteras ta chance dans une minute.

Mme Bridgeton sourit, le visage écarlate.

Sur le chemin du retour, nous voyons Jason Mullens debout à côté d'une voiture de patrouille, en train de bavarder avec le conducteur. Il lève la tête au moment où nous passons et sa main jaillit pour m'adresser un signe.

— Tu sors avec ce type ?

— Non.

— Alors pourquoi est-ce qu'il te regarde comme ça ? Et qu'il laisse tous ces messages ?

— Oh, c'était stupide. J'ai pris un verre avec lui un soir.

— Tu as pris un *verre* avec lui un soir ? Quand ça ?

— Cet été.

— Tu es sortie en catimini ?

— Je ne suis pas sortie *en catimini*, papa. Je n'arrivais pas à dormir et je suis tombée sur lui et nous sommes allés au Mel's.

— Au Mel's. Il a vraiment la classe, le gus.

— C'est un brave gars.

— Ah ouais ? Tu vas épouser un flic ?

— Jason ne m'intéresse pas.

— Avec qui d'autre as-tu bu des coups ? Tu m'as forcé à aller à ces réunions tous les soirs et toi tu fais la tournée des bars pour picoler.

— Une fois, papa. Une bière.

Nous nous engageons dans Myrtle Street. Quel après-midi sinistre ! Il faut que je pense à quelque chose pour alléger l'ambiance. Nous ne pouvons pas retourner à la maison dans de telles dispositions d'esprit.

— Tu devrais faire gaffe toi aussi, dis-je. Je crois que Barbara Bridgeton en pince un peu pour toi.

— Hein ? Non, s'étonne-t-il, amusé. Là, je crois que tu as réellement perdu la boule.

— Tu devrais faire gaffe, c'est tout ce que je te dis, ou tu vas te retrouver à t'empiffrer de quiches et de ragoûts.

Le lendemain, j'appelle Mme Bridgeton pour la remercier.

— Eh bien, c'était formidable de vous avoir tous les deux à la maison. Peut-être qu'on pourrait instaurer une tradition.

— L'an prochain chez nous.

Est-ce que je plaisante réellement ? Je n'en suis même pas sûre.

— Je pense que cela nous a fait du bien d'être avec votre famille. Papa est d'excellente humeur aujourd'hui.

Je l'aperçois par la fenêtre. Il s'est réveillé plein d'énergie, jurant de réparer la porte du garage et de ratisser les dernières feuilles mortes, deux tâches qu'il repoussait depuis des semaines.

— Je suis contente d'entendre cela, Daley.

A la sincérité dans sa voix, je me sens soudain proche d'elle. Je pense aux repas qu'elle lui avait apportés au début et aux hortensias pour sa soirée d'anniversaire. Beaucoup de femmes me demandent des nouvelles de mon père quand je les croise à Ashing, mais Mme Bridgeton se préoccupe réellement de lui. Elle ne comprend peut-être pas ce qu'est l'alcoolisme, mais elle a la volonté de l'aider. J'éprouve le besoin de m'excuser pour la résistance que je lui oppose.

— Merci. Merci pour tout.

— Ma foi, tu sais que nous sommes là si tu as besoin de nous. Nous connaissons ton papa depuis longtemps. Je l'ai connu avant sa rencontre avec ta mère.

— Je l'ignorais.

— C'était le partenaire de double du camarade de chambre de Ben. Il avait du succès auprès des filles, tu sais. Et puis il a amené ta mère au bal des moissons et ça a été fini. On ne l'a plus jamais vu avec quelqu'un d'autre après ça.

— Comment était-il, en ce temps-là ?

— Exactement comme maintenant. Gentil, doux, honorable. J'espère que tu trouveras bientôt un homme comme lui, Daley.

La neige arrive au cours du week-end. Elle forme un tapis sur la couverture de la piscine et s'élève en bandes régulières sur les lattes en plastique des fauteuils de jardin.

Neal est parti dans le Vermont avec Anne.

Mon père revient de l'entraînement du lundi avec un gros sac à glissière rempli de petits gâteaux secs.

— D'où est-ce que tu sors ça ?

— C'est Barbara qui me les a donnés.

— Où l'as-tu rencontrée ?

— Je me suis arrêté chez les Bridgeton en rentrant à la maison.

Le mercredi, c'est un gâteau de Savoie à la noix de coco. Le jeudi, du hachis Parmentier. Je n'avais pas revu de hachis Parmentier depuis l'école primaire : la couche de viande hachée bien cuite, la couche de purée de pommes de terre, le paprika saupoudré sur le dessus.

Le vendredi, un autre plat dans les bras, mon père m'annonce que Barbara Bridgeton et lui vont se marier. J'éclate de rire.

— Qu'est-ce que tu racontes ?

— Je lui ai demandé de m'épouser et elle a accepté.

— Papa, elle est déjà mariée. Et toi aussi, sur le plan technique.

— Elle va le quitter, explique-t-il en consultant sa montre. Elle va le lui dire ce soir.

422

— Papa. Tu ne peux pas briser une famille comme ça.

— Elle est amoureuse de moi. Elle me l'a avoué. Elle veut m'épouser.

— Ben Bridgeton est l'un de tes plus vieux amis.

— Elle n'est pas heureuse avec lui. Je n'y peux rien, se défend-il en posant le plat avant de pincer le cellophane sur les bords pour le tendre. Ce n'est pas ma faute.

— Est-ce que tu as oublié que les AA disent de ne pas avoir de relation amoureuse avant au moins un an ?

— Les AA disent beaucoup de choses. Barbara ne pense pas que j'aie vraiment eu un problème d'alcoolisme, pas comme eux.

Je sens mes mains et mes jambes se vider de leur sang. Je m'efforce de m'exprimer d'une voix ferme.

— Et toi, qu'en penses-tu ?

— Je ne sais pas ce que j'en pense. Je pense que ça fait un bon moment que je n'ai pas été en mesure de penser par moi-même.

Je sens un bourdonnement naître dans ma gorge et dans ma poitrine. La cuisine me paraît toute petite.

— A cause de moi ?

— C'est juste qu'il y a eu beaucoup de bruit. Tous ces gens qui me parlaient. Qui me parlaient, qui me parlaient, qui me parlaient.

Son visage affiche une expression sanguine que je reconnais et qui me ramène à ses premières années avec Catherine, une mine de prédateur. Il a couché avec Barbara Bridgeton cet après-midi. Après quoi, en garçon bien élevé, il lui a demandé de l'épouser.

— Et puis qu'est-ce que ça peut te faire ? aboie-t-il. Tu t'en vas après les vacances, non ?

Est-ce que c'est cela qui a tout déclenché ?

— Est-ce que tu veux que je m'en aille ?

Il ne répond pas.

— J'ai juste dit cela à Hatch comme ça. Il faut que tu partes à ta réunion. Il est tard.

Il consulte encore sa montre.

— Barbara doit téléphoner.

— Je crois que tu devrais parler à Kenny, papa. C'est à cela que sert un parrain.

— Kenny, j'l'emmerde, réplique-t-il.

Mais il se rend néanmoins à l'église.

Barbara n'appelle pas. Nous dînons en silence. Je monte dans ma chambre, d'où je l'entends hurler contre les Patriots. « N'écoute pas ces ramasse-merde ! » Puis : « Pauvre crétin ! Putain de manche ! », et enfin : « Oui, oui, vas-y, *oui* ! » Il ne monte pas se coucher, mais regarde tout le match et ensuite les infos.

A onze heures et demie, le téléphone retentit. Il décroche avant la seconde sonnerie. Bien qu'il coupe le son de la télé, je n'arrive pas à comprendre ses paroles, alors je sors du lit et m'avance à pas de loup jusqu'au sommet de l'escalier.

— Ça va. Ça va. Tout va bien se passer, ma puce.

Puis, après une longue pause :

— Moi aussi. Tu le sais. Tu le sais bien. Ça va bien marcher, toi et moi.

Le lendemain, Barbara Bridgeton débarque avec deux valises bleu clair à coque dure. Mon père les traîne jusqu'à l'étage pendant que je prépare du thé. Barbara se tient à côté du lave-vaisselle, son manteau toujours sur les épaules. Je veille à accomplir chaque geste lentement, pour retarder l'instant où je devrai me tourner pour lui faire face.

— Je sais que tout cela doit te paraître étrange, Daley, l'entends-je dire dans mon dos, mais d'aussi loin que je me souvienne, je l'ai toujours aimé – je vous ai toujours tous aimés.

Sa voix se brise et elle se laisse tomber sur une chaise.

— S'il te plaît, soutiens-nous. Il faut que quelqu'un nous soutienne.

Le son de ses pleurs est atroce. Je songe à Thanksgiving, à ses fils en veste et en cravate, à la brique recouverte de tapisserie à l'aiguille. C'était leur trente-sixième Thanksgiving dans cette maison, m'avait appris Scott.

— Avez-vous parlé de tout cela à vos enfants ?

Elle répond oui de la tête. Le rythme de ses sanglots s'accélère.

— Ils ont du mal à l'accepter ?

Nouveau hochement, plus vigoureux cette fois.

— Scott m'a raccroché au nez. Hatch et Carly m'ont écoutée, mais ils pensent que j'agis sur un coup de tête.

— Vous agissez tous les deux sur un gros coup de tête.

— Nous ne sommes pas des gamins. Nous savons ce que nous voulons.

— Mon père ne sait pas ce qu'il veut. Il faut que vous le compreniez. Il a encore beaucoup de travail à accomplir.

— Je ne veux pas qu'il accomplisse quoi que ce soit. Il est parfait tel qu'il est.

— Je sais que pour un étranger, il peut donner cette impression, mais...

— Je suis loin d'être une étrangère, Daley.

D'une manière ou d'une autre, il a dissimulé de vastes pans de sa personnalité aux gens qui ne vivent pas avec lui. Nous l'entendons traverser la salle à manger, puis entrer dans l'office. Barbara s'essuie la figure et se lève.

Lorsqu'il la prend dans ses bras, elle se remet à pleurer et il lui explique qu'il a débarrassé dans sa

425

chambre une commode pour elle. Je m'esquive de la pièce.

Barbara insiste pour cuisiner le dîner, ce soir-là, affirmant qu'elle a besoin de s'occuper. Alors qu'il y a un morceau de filet au frigo, elle me demande d'aller chez Goodale acheter de l'agneau coupé en dés et de la crème entière. Il est clair qu'elle ne veut pas s'y rendre elle-même. La rumeur sur l'endroit où elle s'est mise en ménage s'est probablement déjà répandue en ville. Elle a raison. Je m'en rends compte à la façon dont Mme Goodale m'accueille, la voix un peu plus forte que d'habitude et avec un soupçon de malice dans l'intonation.

Lorsque je reviens à la maison avec les courses, ils sont de nouveau à l'étage. Ils ont déjà « fait une sieste », comme dit Barbara, après le déjeuner. Je sors promener les chiens sur la plage. Le froid est glacial. Je n'aime pas quand le sable et la neige se mélangent. Il y a là quelque chose qui ne me semble pas naturel. Je garde les chiens attachés pour éviter qu'ils aillent nager. Sous l'attrait de l'eau, ils tirent sur leur laisse. En dehors de nous, il n'y a nul autre être vivant en vue.

Si je m'en vais maintenant, mon père cessera d'assister aux réunions des AA. Ça ne durera pas, avec Barbara. Après leur aventure, elle retournera dans le giron solide de sa bonne famille. Il faut que je reste ici et que je tienne la place, afin qu'il ne soit pas obligé de tout recommencer à zéro une fois qu'elle l'aura quitté.

Ce soir-là, alors qu'il enfile son manteau pour partir à la réunion, Barbara demande :

— Pourquoi est-ce à sept heures ? Pourquoi pile au moment du dîner ?

J'attends que mon père lui réponde qu'il ne dîne jamais avant huit heures, mais il se contente de hausser les épaules.

— Peut-être parce que c'est à ce moment-là que les gens ont vraiment envie d'un verre, dis-je.

— Je vois, souffle-t-elle avec une moue.

Au retour de mon père, elle veut savoir s'il y avait des personnes qu'elle connaissait, à la réunion.

— Ça, c'est le côté anonyme de la chose, réponds-je.

Mon père sépare l'agneau de la sauce, mange quelques morceaux, puis annonce qu'il est repu. Il se renverse contre le dossier de sa chaise et me regarde.

— Tu ne portes pas souvent les cheveux en arrière comme ça, hein ?

— Non.

— Il vaut mieux. Tu as de sacrées grandes oreilles.

C'est la première critique qu'il m'adresse depuis un long moment. Cela me brûle un peu, mais je n'en laisse rien paraître.

— Je crois savoir de qui je les tiens.

— Oh, vraiment, tu crois ?

— Garvey a aussi de grandes oreilles. Une fois, nous les avons mesurées. A ton avis, lesquelles sont les plus grandes ? Celles de Garvey ou les miennes ?

— Les tiennes.

— Non. Celles de Garvey. De presque un centimètre.

Il se lève et va farfouiller dans un tiroir de la cuisine.

— Allons-y, déclare-t-il en plaçant une règle contre mon oreille gauche. Sept centimètres.

Je fais la même chose sur la sienne.

— Huit centimètres.

Il tend les bras en l'air.

— Les plus grandes oreilles du monde !

— Est-ce que j'ai une chance de rivaliser ? interroge Barbara.

Nous considérons ses oreilles. Elles sont toutes petites.

— Naaan, concluons-nous en chœur avant d'éclater de rire.

Le lendemain matin, Barbara veut m'aider à vider le lave-vaisselle. Papa est dehors, occupé à déneiger les voitures. Je la remercie en l'invitant à s'asseoir pour finir son café, mais elle veut savoir où se range la vaisselle. Je n'ai pas envie de le lui montrer. Je n'ai pas envie qu'elle m'explique que ce serait mieux de mettre les mugs plus près de la cafetière. Mais elle n'en fait rien. Soulevant un plat au bord doré décoré de fleurs roses, elle m'apprend que c'est le service à petit déjeuner en porcelaine que la mère de mon père avait donné à mes parents pour leur mariage.

— Je revois ta mère ouvrir les paquets lors de la soirée cadeaux.

Puis, posant le plat sur le comptoir, elle ajoute :

— J'aimerais bien que tu ne te focalises pas sur les défauts de ton père, Daley.

— Pardon ?

— Ce n'est pas bon pour son amour-propre.

— Vous voulez parler de ses oreilles ?

— Oui, par exemple.

— Je pense que c'est super de pouvoir se moquer de ses propres imperfections.

— Il a de très belles oreilles. Et toi aussi. Si tu veux réellement aider ton papa, tu dois le tirer vers le haut, pas l'enfoncer.

Les trois premiers soirs, mon père se prive de sport à la télé après le dîner. Mais le quatrième, les Patriots ont un match important et il demande à Barbara si ça ne l'embête pas qu'il y jette un œil.

— Bien sûr que non, répond-elle avant d'aller chercher sa tapisserie.

Mon père fournit de tels efforts pour demeurer impassible et se retenir de bondir sur ses pieds en lançant des jurons à l'adresse du poste que ses mains en sont agitées de tics.

Le téléphone retentit. Comme d'habitude, mon cœur se met à palpiter. Je n'ai jamais entièrement abandonné l'espoir que Jonathan appelle. Je décroche à la troisième sonnerie.

— Je voudrais parler à ma femme, Daley.

Je regarde Mme Bridgeton. Elle tient l'aiguille entre ses lèvres pendant qu'elle démêle un nœud parmi les petits carrés. Les deux ronds roses apparus sur ses joues me laissent à penser que le téléphone lui a elle aussi fait battre le cœur. Mais elle est bonne actrice.

— Barbara, dis-je, la voyant se forcer à marquer un temps d'attente avant de lever la tête. C'est pour vous.

Elle se lève et pose son ouvrage dans le creux qu'a dessiné son corps à côté de mon père. Il a les yeux fixés sur elle tandis qu'elle se déplace jusqu'au petit bureau qui abrite l'appareil. Je lui tends le combiné et referme la porte en sortant.

Mon père garde les poings hermétiquement serrés durant la manche suivante. Après que tous les hommes sur le terrain sont tombés les uns sur les autres pour former un énorme tas, une publicité envahit l'écran.

— Il va falloir que je fasse changer le numéro, tu sais, déclare-t-il. Il n'est pas question qu'il appelle ici.

— Papa, tu dois les laisser se parler.

429

— Non, elle a fait son choix.

— Il doit être vraiment anéanti, en ce moment. Et si ça doit se terminer par un divorce, tout se passera plus facilement s'ils communiquent entre eux.

— *Si* ça doit se terminer par un divorce ? Mais elle va divorcer, Daley. Je crois que c'est assez évident.

— Tu dois la laisser prendre ses propres décisions. Tu ne peux pas lui imposer les choses.

— Tu penses qu'elle va retourner auprès de lui ? C'est ça, que tu penses ?

— Je n'ai aucune idée de ce qu'elle fera. Mais quarante ans de mariage, c'est un élément qu'il ne faut pas sous-estimer.

A la pause publicitaire suivante, je reprends la parole.

— Garde la tête froide, papa. Sois patient et réfléchis à ce que tu veux réellement.

— Je sais ce que je veux. Je sais exactement ce que je veux. Et je te dis de te mêler de ce qui te regarde, bon sang !

Il revient au match, son visage furieux rivé sur la télé. Lorsque Barbara ouvre le bureau, je file dans la cuisine et secoue les laisses des chiens, qui arrivent en se bousculant au bruit du cliquetis.

Alors, mon père explose : « C'est une plaisanterie ! » Dans un premier temps, je crois qu'il hurle après un arbitre, mais j'entends alors Mme Bridgeton murmurer quelque chose et mon père lui répondre en criant : « Même s'il fêtait ses cent cinq ans, je m'en fous ! »

Avant que j'aie eu le temps d'accrocher la dernière laisse sur un collier, Mme Bridgeton entre en courant dans la cuisine et gémit : « C'est mon petit garçon ! » Puis son corps est secoué par les sanglots.

J'attends que les spasmes se calment. Je n'ai pas vraiment envie d'être sa confidente, d'autant que les chiens labourent la porte avec leurs griffes.

— Je suis désolée, Daley.

Je lui donne une feuille d'essuie-tout.

— Nous avons prévu de fêter les trente-cinq ans de Hatch depuis janvier dernier, explique-t-elle. Nous avons fait venir ce groupe de Boston qu'il adore et quelques-uns de ses plus vieux copains vont prendre l'avion pour être là. Il y en a même un qui vient d'Allemagne. Ben téléphonait juste pour savoir si j'avais donné au traiteur le nombre définitif d'invités. C'est tout ce qu'il voulait. Mais ton père ne me croit pas et il refuse que j'aille à la soirée.

Elle fond de nouveau en larmes, son petit corps tremblant au ralenti.

— Vous devez y aller, bien sûr. Il aura changé d'avis demain matin, dis-je, ce dont je ne suis pas certaine. Il finira par accepter l'idée.

— Je ne veux rien faire qui puisse détruire ce que nous avons.

Qu'ont-ils ? Qu'ont-ils bien pu bâtir en cinq jours ? Je touche la laine blanche de son pull.

— Mais non. Mais non.

Pendant tout le reste de la semaine, la soirée d'anniversaire n'est plus évoquée – en tout cas, pas devant moi.

Le samedi, l'équipe de mon père joue un match à Allencaster. Il m'annonce qu'il ne sera pas de retour avant six heures.

A quatre heures, Barbara descend, vêtue d'une robe bleu marine et chaussée d'une paire d'escarpins de la même couleur. Au-dessus de son sein gauche est épinglée une broche en forme de teddy bear. Le

431

placage doré est parti sur la gueule et sur les pattes de l'animal.

— C'est Hatch qui me l'avait offerte à Noël quand il avait cinq ans. Son père lui avait dit de prendre ce qu'il voulait dans le magasin et voilà ce qu'il avait choisi.

Ses yeux s'embuent et elle parle fort, comme pour retenir ses larmes.

— C'était il y a trente ans. Oh, Daley, j'espère que je ne commets pas une erreur.

— Qu'a dit papa avant de partir, tout à l'heure ?

— Rien du tout.

— Lui avez-vous annoncé que vous alliez à la soirée ?

— J'avais peur de le faire.

L'inquiétude se lit sur son visage.

— Je lui expliquerai. Allez-y.

Elle affiche un sourire anxieux.

— Merci, Daley. Je ne resterai pas longtemps. Juste pour le dîner. Et ensuite je quitterai le bal, comme Cendrillon.

Son analogie me renforce encore dans la conviction qu'elle n'aura pas envie de rentrer.

Lorsque mon père revient à la maison, il est surexcité. Son équipe a gagné de trente-six points.

— Tu aurais dû voir le dernier quart-temps. Incroyable ! Les gamins étaient survoltés, aujourd'hui.

Puis, balayant la pièce du regard, il demande :

— Barbara est sortie faire les courses pour le repas ?

Je suis incapable de dire s'il joue la comédie.

— C'est l'anniversaire de Hatch.

— Quoi ?

Mais ce n'est pas une question. J'avais toujours cru qu'il ne s'exprimait avec une telle hargne que lorsqu'il était soûl.

432

— Papa, elle a une famille.

Il braque sur moi un index, celui avec la pointe de crayon fichée dans la jointure.

— Elle sait parfaitement ce que je pense de tout ça. Ne la défends pas.

— Très bien.

C'est le combat de Barbara, pas le mien. Mieux vaut qu'elle apprenne trop tôt que trop tard le genre de sacrifice que requiert la vie avec mon père.

Il va à sa réunion, puis dîne devant le match. La neige prévue pour la soirée a été remplacée par de la pluie, une pluie glaciale, battante, qui martèle les fenêtres du petit salon. Je monte me coucher tôt, dans l'espoir de dormir toute la nuit.

Réveillée après minuit par des coups tambourinés quelque part, je sors dans le couloir. Toutes les lumières sont éteintes et la porte de la chambre de mon père est entrebâillée, comme elle l'était avant que Barbara emménage. Je ne perçois pas ses ronflements. Le vacarme provient de la cuisine. Je descends sans bruit l'escalier, veillant à ne pas allumer.

Barbara est sur la véranda, frappant des deux mains contre les carreaux de l'entrée de derrière.

— Daley ! l'entends-je s'écrier d'un ton soulagé. Daley... répète-t-elle en appuyant le front sur la vitre.

Je m'avance dans la cuisine pour aller lui ouvrir, mais je n'ai même pas parcouru la moitié du chemin que me parvient la voix sifflante de mon père.

— Si tu la laisses entrer, je vous fiche toutes les deux dehors.

Je distingue à peine sa silhouette, en bas de pyjama et les poings serrés, comme suspendue dans l'encadrement de la porte de l'office, où elle ne peut le voir.

— Bon sang, papa !

Je continue à me diriger vers la porte. Barbara pleure, plaquée contre le battant, le teddy bear de son bijou heurtant le verre dans un cliquetis. Derrière elle, ses deux valises à coque dure sont détrempées par la pluie. Mon père a dû les placer là avant de fermer à clé. Je pose la main sur le bouton de porte. Il est froid.

— Oh, Daley, gémit Mme Bridgeton.

Je commence à tourner la poignée, puis j'entends Barbara hurler et soudain je ne peux que la lâcher. Je m'écrase contre le mur : tête, épaule, hanche. Puis je me retrouve à terre. J'ai tout le flanc gauche endolori, l'épaule luxée. Je ne vois plus personne par le carreau de la porte. Peut-être me suis-je évanouie. Je remarque mon père, accroupi près de moi.

— Ça va, toi ?

Je réponds oui de la tête.

— T'es sûre ?

Nouveau hochement.

Il m'aide à rejoindre l'étage. Il tire les couvertures pour que je puisse m'installer dans le lit. Il s'assoit à côté de moi, au niveau de mes genoux. J'ai des élancements dans l'oreille. J'ai l'épaule en feu. Je ne veux rien laisser transparaître. Je sens son odeur nocturne, humide et métallique, une odeur qui me ramène à mon enfance. C'est exactement cette odeur-là que je perçois en cet instant et qui émane de lui telle de la vapeur. Il tapote ma cuisse à travers les couvertures.

— Eh bien, on l'a échappé belle, se félicite-t-il.

— Bonne nuit, papa, dis-je d'une voix égale, car il est important que je donne une impression de calme.

Il ne bouge pas. Il me caresse la cuisse. Je clos les paupières et, quelques minutes plus tard, respire plus profondément. Il se lève et descend le couloir pour rejoindre sa chambre.

J'attends. Patiemment. A ce stade, la douleur physique est un soulagement : elle masque tout le reste. Ses premiers ronflements sont faibles et discontinus. Mais bientôt ils gagnent en régularité pour se muer en un bourdonnement cadencé qui résonne dans toute la maison.

Fourrer toutes mes affaires dans des sacs-poubelle ne me prend guère de temps. Comme j'ai mal, je dois les porter un par un jusqu'à la voiture en utilisant mon bras gauche, mais j'en ai terminé en une demi-heure.

Les valises de Barbara sont toujours sur la véranda, mais son auto a disparu.

Je traverse la cuisine avec le dernier sac. Je regarde la table. Je n'ai pas préparé de mot pour lui.

TROISIÈME PARTIE

23

Ma fille s'exprime avec l'accent anglais, ce qui signifie qu'elle est soit une reine soit la directrice d'un orphelinat.

— Tu dois t'efforcer de regarder les gens dans les yeux quand ils te parlent, déclare-t-elle d'un ton impérieux à son petit frère. Ils ne te veulent que du bien.

Elle a entendu cela dans ma bouche, l'encouragement à établir le contact visuel. C'est comme écouter en secret les rêves de mes enfants ; de minuscules fragments de leur vie viennent se greffer à l'histoire.

— Pas les sorcières. Les sorcières à la figure verte ne me veulent pas du bien, réplique Jeremy.

Même si cela remonte à quelques années, il ne s'est toujours pas remis d'avoir vu *Le Magicien d'Oz* chez sa grand-mère.

— Pas toujours. Mais les gens, si.

— Oui.

— Milady, chuchote-t-elle.

— Oui, milady.

Ils parcourent la cuisine d'un air solennel, dans le cliquetis de leurs pas sur le sol, Lena chaussée de mes sandales à talons hauts et vêtue d'une jupe de laine noire en guise de cape, tandis que Jeremy s'est confectionné une ceinture tarabiscotée avec du chatterton et se déplace avec une canne récupérée dans le jardin. Je n'ai pas le droit de m'intéresser à eux.

Le téléphone sonne et une voix très protocolaire demande à parler à Daley Amory.

— C'est moi.

J'attends le boniment commercial. Mais il s'ensuit alors une longue pause.

— C'est Hatch. Hatch Bridgeton.

A sa façon de prononcer son nom, on dirait qu'il s'agit d'une petite plaisanterie entre nous.

— Oh.

Mon père a dû mourir.

Les enfants, sensibles à mes intonations, cessent leur jeu.

— Ton papa a eu une attaque. Une grosse attaque. Les médecins ne parviennent pas à le stabiliser.

J'avais reçu une invitation pour le mariage de Hatch et, six ans plus tard, un e-mail collectif annonçant son divorce. J'avais envoyé un mot d'excuse et un saladier en céramique pour le mariage, puis une brève réponse, que j'espérais néanmoins compatissante, à l'e-mail. En dehors de cela, je n'avais eu aucun contact avec lui depuis toutes ces années où nous étions devenus demi-frère et demi-sœur.

— Tu es là-bas, en ce moment ?

— Oui. Mais je dois prendre l'avion demain pour rentrer à la maison. Ça fait une semaine que je suis ici et tout va de travers au boulot.

— Une semaine ?

Je le sens chercher tant bien que mal une explication aux sept jours séparant l'attaque de ce coup de téléphone. Mais je sais qu'il se contente juste de suivre les instructions.

— J'ai également laissé un message à Garvey. Les médecins pensent qu'il ne passera pas le week-end.

— Je n'en serais pas si sûre, dis-je.

— Je comprends. Scott et Carly ne sont pas là eux non plus.

Dans mon esprit, Scott et Carly sont encore en train de faire des ricochets avec des galets sur leur plage à Ashing, le jour de Thanksgiving. Mais la vie s'est emballée pour eux, comme pour nous tous.

Dans les quinze années qui se sont écoulées depuis la dernière fois où j'avais vu mon père, je ne lui ai parlé qu'en une occasion. C'était le soir où les Red Sox ont remporté le championnat et enfin brisé la malédiction. Je savais qu'il ne serait pas couché. J'ai composé le numéro sans même réfléchir une seconde. C'est Barbara qui a décroché et elle a été surprise de m'avoir. Elle ne savait quel ton employer avec moi. Elle m'a dit d'attendre un instant, tandis qu'elle couvrait le combiné de la main. J'entendais mon père refuser, Barbara insister. Au son, je la devinais s'efforcer de boucher du mieux possible tous les trous du microphone, mais je percevais la voix de mon père devenir de plus en plus bourrue, avant de lâcher un soudain « Allô ! » faussement poli et complètement empâté par l'alcool.

— Je ne te tiendrai pas longtemps, papa. J'appelle juste à cause des Red Sox. Je n'ai pas pu m'empêcher de penser à toi.

— Quoi ? Ah, ouais. C'était quelque chose, hein ?

Il s'exprimait avec une intonation monotone. Pas question qu'il fête l'événement avec moi, ne serait-ce qu'une seconde.

— Ecoute, il faut que je te laisse.

— OK.

— Ouaip, dit-il avant de raccrocher.

Barbara m'attend à l'hôpital d'Allencaster, lequel est plus luxueux, à présent : portes à tambour et hall à coupole vitrée, qui abrite un énorme bureau d'accueil. Elle me paraît plus petite, fripée. Ses yeux sont enfoncés et cernés de noir, donnant l'impression que les orbites reculent jusqu'au fond du crâne. Son front court l'est plus encore qu'auparavant, barré de rides larges et profondes. J'ignore si la transformation s'est opérée durant les quinze années avec mon père ou simplement au cours de cette dernière semaine, avec ses nuits sans sommeil.

— Oh, Daley. Je suis tellement contente que tu sois venue !

Je la trouve minuscule dans mes bras. Elle essaie d'en dire plus, mais un spasme soudain lui soulève la poitrine, comme mes enfants avant qu'ils vomissent.

— Ça va. Ça va aller, dis-je en caressant la chevelure rêche à l'arrière de son crâne.

Nous n'apprécions pas toujours nos enfants, Daley, mais nous les aimons toujours, m'avait-elle écrit après avoir épousé mon père. Elle espérait que je viendrais leur rendre visite. Elle avait refait la cuisine. Ne recevant aucune réponse de ma part à cette carte, à la suivante ni à la suivante encore, elle en rédigea une plus virulente. J'avais toujours été une gamine gâtée et impolie, déclarait-elle. Elle se souvenait parfaitement d'un spectacle de Noël auquel j'avais participé quand j'avais cinq ou six ans : elle m'avait complimentée pour ma jolie robe de velours et je m'étais détournée en levant le nez en l'air. Julie me conseilla d'arrêter de lire ses cartes. Celles-ci étaient toujours décorées au recto d'une fleur tendre ou d'un bébé animal. Elle m'adjura de ne pas les ouvrir et de les brûler. A cette époque-là, j'habitais chez elle, au Nouveau-Mexique. Elle voyait bien la peine que m'infligeait leur lecture, le temps qu'il me fallait pour m'en remettre. Ce n'étaient pas les piques de Barbara sur mon caractère, qui me blessaient, c'étaient les références à mon père qui ponctuaient ces courriers, le tableau de sa vie avec elle qu'elle me dépeignait sans arrière-pensées. Il avait repris son travail chez Hugh. Il n'entraînait plus les « paumés » du centre social. Ils étaient allés à une réception, où il avait fait se tordre de rire tout le monde quand il s'était esquivé à l'étage pour en redescendre vêtu d'un kimono et barbouillé d'eye-liner.

— Comment va-t-il, aujourd'hui ? m'enquiers-je, comme si nous reprenions là où nous nous étions interrompues la veille.

— Les médecins ont stabilisé son rythme cardiaque. Ils n'arrivent toujours pas à faire tomber sa pression artérielle et il a été très agité la nuit dernière. Mais ils l'ont détaché ce matin, alors c'est mieux.

— Détaché ?

— Il n'était pas très coopératif avec les infirmières.

— Je croyais qu'il était inconscient, dis-je, essayant de dissimuler mon malaise et ma surprise.

— Parfois il l'est et parfois il reprend connaissance.

— Est-ce qu'il parle ?

Hatch m'avait affirmé que non. Je ne serais pas venue si je l'avais su capable de me dire quelque chose.

— Non. Rien de cohérent. Juste des balbutiements confus.

Je m'engage à sa suite dans plusieurs couloirs aux murs ornés d'images de ports et de plages. Elle s'arrête devant une double porte et tend les paumes sous un distributeur accroché à la cloison. Je l'imite. Un jet de solution antibactérienne en sort automatiquement. Je m'en frotte les mains tandis que nous franchissons l'entrée. La lotion laisse une sensation froide avant de s'évaporer. Tout l'endroit est imprégné de cette odeur. Il y a une rangée de bureaux en face desquels s'alignent des box, dont la plupart ont le rideau ouvert. Dans le premier, je vois un Noir avec des fils collés sur toute la poitrine par des pastilles adhésives rondes qui ne sont pas de la même couleur que sa peau. Dans le deuxième, une Blanche est assise sur son matelas, les lèvres ouvertes pour recevoir la cuiller de gelée que l'infirmière lui glisse dans la bouche. Les télés beuglent : infos, sitcoms, reportages animaliers. Deux infirmières sont en train de pianoter sur des claviers d'ordinateur. Je perçois des relents de vieux œufs cuits. Je suis consciente de tout ce qui m'entoure, chacun des pores de ma peau agit tel un récepteur guettant un signe de mon père. Je le découvre dans le troisième box. J'ai la sensation de flotter légèrement, de ne pas porter tout le poids de mon corps. Je suis le manteau de Barbara jusqu'au lit de mon père. Il est une bûche allongée sous les couvertures, avec des bras et une tête qui dépassent. Les bras sont couverts de larges ecchymoses noires au centre vert. Partout ailleurs, sa peau est grise et flasque. Elle pend sous son cou comme du tissu et les traits de son visage, toujours marqués et anguleux, apparaissent désormais exagérés, à la façon d'une mauvaise caricature. Son nez droit et osseux est incurvé, tandis que ses grandes oreilles ont dorénavant des lobes tout aussi énormes, parcourus en leur milieu par un sillon qui donne l'impression que l'on vient de les déplier. Ses cheveux ont dépassé le blanc pour devenir jaunes, bien que ses sourcils soient d'un gris argent vif, aussi rêches et fournis qu'ils l'ont toujours été. Un tube est relié au cartilage entre ses narines, mais il respire bruyamment par la bouche. A l'encolure de sa blouse d'hôpital, j'observe là encore des fils fixés à sa poitrine, la saine couleur pêche de la pastille adhésive aussi peu assortie à sa peau grise qu'à la peau noire de son voisin. Au bout de ses bras meurtris, ses mains reposent de part et d'autre de son corps, paraissant en meilleure santé que le reste de sa personne. Elles sont toutes les deux un peu recroquevillées, mais pas fermées, comme si elles tenaient un objet : une raquette de tennis, un verre.

Rien ne m'est plus familier que ces mains brunes aux veines saillantes.

Deux chaises sont installées, l'une près de sa tête et l'autre de ses pieds. Barbara m'indique celle de la tête. Je m'assois sans retirer ni mon manteau ni mon écharpe. Barbara enlève les siens pour les mettre sur l'autre siège, puis rajuste son chemisier et se place au pied du lit, face à mon père.

— Gardiner, c'est Daley.

Elle parle fort, presque sur le ton de la colère, pour qui ne remarquerait pas les efforts importants qu'elle déploie pour se retenir de pleurer.

— Ta fille est venue te voir.

Ses paupières s'ouvrent brusquement. Je ne m'y attendais pas. Je sens mon corps tressaillir en un mouvement de recul. Il scrute la pièce de ses yeux jaunes, dont ni le temps ni la maladie n'ont altéré la couleur et l'air méfiant, puis les braque enfin sur moi. Je souris, comme à l'objectif d'un appareil photo. «Ami ou ennemi ?» semblent-ils demander.

— Bonjour, dis-je, la gorge sèche.

«Ami», décident-ils. La méfiance s'estompe quelque peu. Puis la peur envahit son visage lorsqu'il aperçoit les machines derrière moi et comprend qu'il n'est pas dans son lit, chez lui.

— Ça va aller, reprends-je d'une voix posée.

Sa tête balance lentement d'arrière en avant. Je mets la main sur la barre de métal du bord de son lit.

— Oui, ça va aller.

Le hochement de son crâne se fait plus rapide et plus nerveux. Il soulève le bras qui porte des tubes.

Son index tente de se séparer des autres doigts et touche le matelas.

— Non, papa, tu ne sombres pas.

Il écarquille les yeux, étonné qu'on le comprenne, et opine du chef.

— Tu remontes. Tu vas t'en sortir.

Il clôt les paupières. Ses mains sont agitées de tressautements. Puis il marmonne :

— Ou en as.

Tout en bas. Jusqu'en enfer, veut-il dire.

— Non, papa, tu ne vas pas aller en enfer.

— Daley ! s'exclame Barbara.

Mon père grogne. Ses paupières restent baissées. Sa bouche s'ouvre et il commence à ronfler.

— Qu'est-ce que c'était que cette histoire ? interroge-t-elle, mécontente.

— Il *peut* parler.

— Il ne fait que balbutier. Et il ne parle certainement pas de l'enfer, pour l'amour du ciel !

Elle est irritée, regrettant déjà d'avoir poussé Hatch à m'appeler.

Mon attention est de nouveau attirée par mon père. J'ai besoin d'avoir les yeux rivés sur lui. Regarder et écouter Barbara alors qu'il est dans la même pièce ne me paraît pas naturel. Je repose les mains sur le garde-fou du lit et m'incline vers lui. Au tintement de ma bague sur le métal, ses paupières se relèvent, le regard directement fixé sur moi. Mon pouls s'accélère. Moi aussi, j'ai peur.

— Salut, papa.

Comme c'est étrange de redire le mot « papa ».

— Lai oi diuntuc.

Laisse-moi te dire un truc. Je me penche encore.

— Dis-moi.

Je sens que Barbara observe attentivement.

Le visage de mon père est un dédale de rides qui partent dans toutes les directions. De la bave s'écoule sur un côté de son menton. Sa bouche se ferme, puis s'ouvre lentement.

— Ce ade. Yève a aoire an ce ade.

Ce rade. Ils servent pas à boire dans ce rade.

— On ehande a ote et on e ire.

On demande la note et on se tire.

— Qu'est-ce qu'il dit ?

— Aellehalmury.

Appelle Hal Mury.

— Hal Mury ? fais-je en me tournant vers Barbara.

— Quoi ?

— Il veut que j'appelle Hal Mury. C'est son médecin ?

— Seigneur, non ! Hal Mury. Pas possible qu'il ait cité son nom !

J'attends qu'elle finisse par se rendre compte qu'il est improbable que j'aie imaginé seule le nom de Hal Mury.

— C'est le nouveau patron de La Grand-voile. Ton père ne peut pas le supporter.

— Est ul sten oua.

— Papa, cet endroit n'est pas nul, il est *bon* pour toi en ce moment. Le temps que tu te remettes.

Il secoue nerveusement la tête.

— Uis pas en ome.

— Tu n'es pas en forme actuellement, mais ça va aller mieux. Tu remontes la pente.

Je ne suis pas certaine que ce soit le cas. Après tout, je suis venue pour faire mes adieux. Mais il était censé être inconscient et mourant. Il ne me semble pas mourant à cette minute.

— On. On. Essan, grimace-t-il en tentant encore une fois de pointer son index vers le bas.

— Gardiner, n'essaie pas de bouger. Reste tranquille, le conjure Barbara en lançant un regard vers les bureaux des infirmières. Je vais aller chercher quelqu'un. Il est de nouveau agité.

Il regarde Barbara parler, puis, aussitôt qu'elle a tourné les talons, fronce les sourcils. « Mais c'est qui, celle-là, bon Dieu ? » est la question qu'il pose.

— Barbara, réponds-je à voix basse.

— Quesse è fai à ?

— C'est ta femme, papa.

— A amme ? Uis arié à Barba Bidgeta ?

— Chut, papa, elle va t'entendre.

Mon ton taquin lui fait relever un coin de la bouche.

— A possib.

Barbara revient avec une infirmière qui vérifie tous les tubes de mon père et les machines auxquelles ceux-ci sont reliés. Visiblement, un grand nombre de liquides sont injectés dans son corps. L'un des sacs est aplati, pratiquement vide. L'infirmière en sort un plein de sa poche pour le remplacer.

— Vous voulez vous redresser un peu plus, monsieur Amory ? demande-t-elle.

C'est une femme forte, de mon âge, à la peau d'un marron profond et qui s'exprime avec un accent du Sud-Ouest. Du Texas, peut-être. Par quel hasard s'est-elle retrouvée ici, dans ce coin étrange du pays ?

— Hmm-hmm.

Elle presse pendant quelques secondes un bouton sur le côté du lit, lequel se soulève, mais mon père glisse le long du matelas. Alors, elle le hisse sans effort et il lui braille dans l'oreille.

— Ne criez pas, mon gros bébé, proteste-t-elle. Vous allez m'endommager le tympan et je vais devoir vous coller un procès où je pense.

448

« C'est moi qui vous collerai un procès », réplique mon père, mais l'infirmière ne le comprend pas.

— C'est sa préférée, explique Barbara. Il est très gentil avec elle. Gardiner, est-ce que tu vois le collier que je porte ?

— Ui.

— Tu te rappelles me l'avoir offert ?

— On.

— Tu me l'as offert quand tu es sorti de l'hôpital la dernière fois. Tu te souviens pourquoi ?

— On.

— Parce que je m'étais tellement bien occupée de toi.

Mon père hoche la tête, puis fixe ses yeux sur moi. Je sais ce qu'il veut dire. Je l'entends parfaitement : « Ouais, elle s'est tellement bien occupée de moi que tu vois où j'en suis maintenant, avec des tubes plantés dans le nez et dans le cul ! »

Cette nuit-là, j'avais pris la voiture et dévoré d'une traite le trajet depuis Myrtle Street jusqu'à chez Julie, avec une rupture de la coiffe des rotateurs et trois côtes luxées. Après avoir avalé quelques antalgiques avec du café, je suis parvenue à destination en trente-six heures. Elle m'a conduite à l'hôpital avant de me ramener à son appartement. Aujourd'hui, nous en plaisantons : l'oisillon blessé que j'étais, les mois que j'ai passés à dormir sur son canapé, mes larmes dans les lieux publics. Et Michael, l'homme au VTT à l'abord si difficile, raconte l'épisode de son point de vue : alors qu'il essayait de prendre son courage à deux mains pour proposer une sortie au professeur introverti (« L'une de mes très très nombreuses erreurs d'appréciation », avouera-t-il), voilà soudain qu'il entendait tous les soirs en dessous de chez lui des discussions et des pleurs. Il a supposé que la chérie de sa voisine s'était installée chez celle-ci et il nous a fallu un certain temps pour dissiper ce malentendu. Je trouvai un emploi de guide d'excursions à Chaco Canyon, à Mesa Verde et sur d'autres sites des anciens Indiens pueblo. Tandis que je parcourais ces villages bâtis dans les falaises, je m'efforçais de faire toucher du doigt à mon auditoire – des groupes de retraités ou d'écoliers accompagnés de leurs professeurs – ce qu'avait pu être l'existence réelle de ceux qui avaient autrefois habité ces lieux. Je surprenais souvent des remarques pleines de compassion sur la différence énorme entre leur vie et la nôtre, sur la modestie de leurs besoins, sur l'étroitesse de leur univers. Mais plus je montais entre les maisons à l'agencement minutieux, imaginant les familles qui jadis y avaient mangé et dormi, plus je trouvais la différence minime et nos besoins toujours aussi rudimentaires : de la nourriture, de l'eau, un abri, de la bonté. Je prenais un plaisir immense à tenter de faire revivre ce monde pour les gens, surtout pour les gosses, dont l'imagination était encore ouverte. Lorsque le temps fut venu pour Michael d'emménager avec Julie, je m'installai un pâté de maisons plus loin. Pendant quatre ans, mon cercle d'amis se résuma à Julie et Michael, tout comme celui de Julie s'était à une époque résumé à Jonathan et moi. De temps en temps, ils invitaient l'un ou l'autre de leurs collègues à dîner, mais la greffe ne prenait jamais, ni pour eux ni pour moi. Nous avions notre propre rythme. Une nouvelle personne nous déstabilisait toujours. Julie explique que le jour où elle m'a annoncé qu'ils allaient se marier, j'avais la tête de quelqu'un qui essaie de se montrer enjoué alors qu'on est en train de lui scier la jambe. Je n'arrivais tout simplement pas à comprendre pourquoi ils voulaient gâcher une relation géniale par un mariage.

Je m'asseyais souvent devant mon ordinateur, les yeux fixés sur l'écran où s'affichait l'adresse de Jonathan trouvée sur Internet.

1129 Trowbridge Avenue
Philadelphia, PA 19104

Le voilà donc. Le voilà donc là-bas. Il avait réussi à retourner chez lui. J'avais aussi son numéro de téléphone, mais chaque fois que me venait l'idée de l'appeler, la seule chose que j'imaginais était qu'il allait chercher tous les prétextes pour raccrocher. Julie voulait l'inviter au mariage, mais je ne pouvais pas courir le risque d'avoir à rencontrer une petite amie ou une épouse, à voir les photos d'un bébé. Mais alors, sans rien dire à Julie, je lui ai posté une invitation. Je savais où elle gardait les cartes que les gens lui retournaient ; il n'a jamais répondu.

Julie et son père se disputèrent au sujet de la cérémonie. Alex n'était pas d'accord pour qu'il y ait des demoiselles d'honneur, des lectures de poésie et des vœux de mariage écrits par les futurs époux. Il s'était pris d'un intérêt soudain pour les rites orthodoxes. Il voulait qu'elle fasse sept fois le tour de la houppa avant d'y entrer seule, la tête entièrement couverte. Il voulait que le rabbin lise le contrat de mariage traditionnel en araméen. Elle répliqua que ça prendrait quarante-cinq minutes et que ce n'était rien d'autre qu'un acte qui stipulait combien de vaches Michael devrait payer pour divorcer d'elle. Alex insista pour qu'au moins Michael brise un verre afin de mettre en garde contre toute joie excessive. « Mais je *veux* de la joie excessive », entendis-je Julie lui crier.

Le mariage eut lieu dans le petit jardin de la maison qu'ils venaient d'acheter. Tandis que les convives s'installaient dans les sièges disposés à l'extérieur, j'aidai Julie à s'habiller, glissant les boutons de satin dans leurs trous, passant des fleurs dans ses cheveux. Nous étions debout côte à côte, moi vêtue d'une robe de soie bleu foncé, elle de tulle blanc.

— Ma thèse s'intitulait « Les femmes et les rites : de la misogynie des coutumes », dit-elle. Comment expliquer cette robe blanche à mes étudiants ?

— Ils ne sont pas obligés de l'apprendre un jour.

Puis elle me regarda de plus près.

— Tu es si belle, Daley.

A sa façon de prononcer ces mots, on aurait cru que ce jour était important non pas pour elle, mais pour moi. Je réfutai sa remarque d'un mouvement de la tête.

— C'est toi, qui es belle. Tu es superbe, Jules.

Et c'était vrai. Elle resplendissait de joie excessive. Mais je ne comprenais toujours pas pourquoi elle tenait à se marier.

Puis son père nous appela. C'était l'heure.

Je ne le vis pas immédiatement. Il était assis derrière les grands chapeaux des tantes de Julie et j'étais sous une houppa à fanfreluches. Alex était au premier rang, radieux, ému aux larmes, toute la tension entre eux deux déjà oubliée. Et alors que l'une des tantes se penchait pour souffler quelque chose à une autre, il m'apparut. Ma stupéfaction balaya la nervosité de son visage, qui s'épanouit en un large sourire et ce soleil particulier revint baigner ma face après ces années dans l'ombre. Je ne pus retenir mes pleurs. Pendant que sa cousine lisait un poème d'Emily Dickinson, Julie pressa ma main et chuchota :

— Tu vois, j'avais *beaucoup* de bonnes raisons de me marier.

A l'issue de la cérémonie, nous nous retrouvâmes au milieu du jardin pour une longue étreinte muette, nos corps emboîtés l'un dans l'autre. Tout – son odeur, sa peau, le battement sourd de son cœur, son souffle sur mon cou – m'était connu, aussi familier que le sont les saisons. Voici donc la suite de l'histoire pour moi, songeai-je, et je comprenais enfin les propos de ma mère sur l'amour. C'était la surprise de reconnaître que tout avait tendu vers ce moment sans même que vous en ayez eu conscience.

— Je ne pensais pas que tu viendrais, dis-je.

Il sortit de la poche de sa veste quatre invitations.

— Comment faire autrement ?

Malgré mes réserves, Julie lui en avait quand même envoyé une. Mais Michael l'avait devancée. Tout comme Alex, d'ailleurs. Toutes ces personnes, qui prenaient soin de moi.

— Je savais que ça finirait par arriver, me murmura-t-il à l'oreille.

Je voulais que sa bouche demeure là, juste là. C'était la seule chose au monde que je pouvais désirer.

— Hein ?

Il glissa sa main entre nous pour frotter sa poitrine.

— Tous ces *sentiments*.

— Ça n'a pas l'air de te faire tellement plaisir.

— Tu sais que j'aime avoir un peu plus de maîtrise de moi.

Je le savais. J'en savais soudain tant.

Nous nous mariâmes précisément à cet endroit du jardin de Julie et de Michael quelques années plus tard. Les seuls autres invités furent la mère et les frères de Jonathan, ainsi que Garvey et Paul. Avant cet instant, j'ignorais que, telle une brise, on peut sentir l'amour lorsqu'il souffle assez fort. Tu peux le faire, semblaient-ils tous dire. Voilà où tu peux mettre ton amour à l'abri.

Après avoir raccroché avec Hatch, je vins me camper sur le seuil du bureau de Jonathan.

— Mon père est en soins intensifs.

— Que s'est-il passé ?

— Une attaque.

Il s'approcha de moi et me prit dans ses bras.

— Les médecins croient qu'il va mourir.

Je reposai ma joue sur sa clavicule. Je n'étais pas triste parce que mon père était à l'hôpital. J'étais triste pour son existence tout entière.

— Qu'en penses-tu ? demanda-t-il au bout d'un moment.

— Je n'en sais rien. Je ne me sens pas le courage d'y aller seule. J'aurais besoin que tu sois avec moi.

Voilà ce qui m'était arrivé au cours de ces onze années. J'avais appris à avoir besoin de lui, à m'appuyer sur lui, ce qui est différent de l'amour.

Je devinais qu'il réfléchissait à ce que je venais de dire.

— Alors j'estime que nous devrions y aller. Tous les quatre, conclut-il. Trouvons un hôtel avec une piscine. Les gosses adoreront ça.

— Tu crois ?

Nous étions en train de mettre de l'argent de côté pour aller voir la famille de son père à Trinidad.

— Il faut savoir tenir compte des imprévus.

— Je ne sais pas, Jon. Je ne sais pas si j'en serai capable.

— Il est inconscient, n'est-ce pas ? Tu pourras lui dire ce que tu as sur le cœur sans avoir d'objections.

— Je ne suis pas certaine d'avoir quoi que ce soit à lui dire.

— Alors tu pourras lui faire tes adieux. Tu n'as pas eu cette possibilité avec ta mère.

Et lui ne l'avait pas eue avec son père.

— Mais c'est si compliqué.

— Evidemment, que c'est compliqué.

— Je ne pense pas que j'aurai des regrets si je n'y vais pas.

Il me faudrait prendre des jours au travail ; les gamins manqueraient l'école.

— Mais il y a une chance pour que tu sois contente d'y être allée, et c'est une éventualité aux conséquences bien plus positives que l'absence de regrets.

— Ainsi parlait le philosophe...

— Je savais bien que ce doctorat me serait utile un jour.

Aucun de nous deux n'a obtenu de chaire. J'enseigne au collège – les civilisations anciennes et l'histoire. J'aime ces classes, de la sixième à la troisième, car mes élèves sont encore ouverts, disposés à laisser s'exprimer leur curiosité, leur imagination et leur humour, disposés à accepter que j'en fasse de même. Jonathan travaille à temps partiel pour son frère, qui construit des maisons, et il écrit des romans. L'an dernier, Dan et lui avaient été nominés au même prix – que ni l'un ni l'autre n'avait gagné –, mais c'est le premier livre de Jonathan qui a été le plus remarqué. A l'automne, j'en aperçois des éditions de poche à l'école, un de mes collègues étant professeur au lycée. L'histoire est inspirée par l'année qui a suivi notre séparation sur la terrasse de Myrtle Street, année au cours de laquelle il avait parcouru le pays à bord de son pick-up, travaillant lorsqu'il avait besoin d'argent et poursuivant sa route une fois qu'il en avait amassé suffisamment, tous les projets qu'il avait élaborés avec soin désormais détruits. Il avait mené la même vie de nomade sans le sou que son père, quand celui-ci avait débarqué ici en provenance de Trinidad, et plus d'une fois sa vie avait été menacée. C'est un récit dont la lecture m'est difficile.

Nous décidâmes de partir pour le Massachusetts le lendemain matin.

Barbara et moi déjeunons à la cafétéria. Elle me remercie d'être venue. Son visage est encore plus fripé.

— C'est si important pour lui, Daley.

— Je ne suis pas certaine qu'il sache vraiment qui je suis, mais je suis contente d'être là.

— Si, il le sait. Tu lui as manqué.

J'ignore si je dois la croire, mais il m'a manqué lui aussi. Nous nous sommes manqué. Et nous avons manqué notre cible.

Dans l'après-midi, mon père somnole dans un râle sonore. Il fait de courts sommes, de quelques minutes seulement. Puis ses yeux s'ouvrent. Ils se fixent d'abord sur la télé, puis sur Barbara et moi, et enfin sur les bureaux des infirmières, où se concentre l'activité – les médecins qui prennent ou déposent de la paperasse, les gens qui tapent sur des claviers d'ordinateur.

— Très bien, dans ce cas, alors *faites-le*, dit son infirmière préférée au téléphone.

Mon père l'imite sans desserrer les lèvres. Il reproduit parfaitement ses inflexions. On dirait un perroquet avec le bec fermé. Barbara sort son ouvrage de tapisserie et m'exhorte à lire mon livre ou à aller chercher des magazines dans la salle d'attente, mais je ne veux pas de dérivatif.

Des visiteurs passent pour aller voir des patients alités plus loin, puis repassent en partant. Ils apparaissent brièvement et traversent d'un rideau à l'autre notre scène d'un mètre quatre-vingts avant de s'éloigner. Arrive une grande jeune femme aux longs cheveux noirs, vêtue d'une cape. Elle ressemble un peu à Catherine, telle qu'elle était il y a des années de cela. Mon père tourne brusquement la tête vers moi, les yeux écarquillés. Je ris. Il essaie de parler, mais n'émet qu'un son rauque prolongé, un croassement plein d'espoir, presque comme s'il voulait lui dire bonjour.

— Je ne crois pas que c'était elle. Mais elle lui ressemblait, pas vrai ?

Il fait oui de la tête, le regard toujours rivé sur l'endroit où elle a disparu.

— Qui ressemblait à qui ? s'enquiert Barbara.

Je décide de ne rien répondre.

Il s'assoupit. Quinze minutes plus tard, il se réveille et déclare, très distinctement, que Chad Utley est venu le voir ce matin.

— Oh, Gardiner, ce n'est pas possible, objecte Barbara. Chad Utley est mort.

Mon père m'interroge des yeux.

— Ort ?

Je hausse les épaules. Je suis triste de l'apprendre. M. Utley, la tour Eiffel. Il était toujours gentil avec moi. Mais je pense que mon père n'a pas besoin de s'entendre rappeler son décès en cet instant.

— Nous sommes allés à l'enterrement, explique-t-elle.

Mon père est très affecté par la nouvelle. Il garde les yeux baissés sur ses mains, qui sont jointes sur son ventre. Barbara et moi avons des objectifs divergents. Elle a besoin qu'il soit avec elle au présent, alors que

457

cela me convient très bien qu'il reste profondément dans le passé.

Sa bouche se relâche et il se rendort.

— Tu sais, Daley, ton père a perdu beaucoup d'amis lorsqu'il m'a épousée, dit doucement Barbara. Ils se sont tous rangés du côté de Ben et ont pris parti contre nous. C'était très désagréable. Nous étions seuls. Complètement seuls. Hatch était à peu près l'unique personne qui venait nous rendre visite. Et la pire de tous a été Virginia Utley. Mais le jour où Chad est mort, ton père a été le premier à se rendre chez elle, cet après-midi-là. Et elle n'a jamais cessé de l'en remercier. Je sais que vous avez eu vos problèmes, tous les deux, mais je pense que tu ne te rends pas compte combien il est bon.

La voyant réaliser une autre vignette, je l'interroge sur sa tapisserie.

— C'est le bateau avec lequel ton père et moi sommes partis en France lorsque nous nous sommes mariés. Franchement, c'était le voyage le plus romantique qui soit. Nous avons dansé tous les soirs. Il y avait un orchestre merveilleux.

— Quel genre de musique jouait-il ?

Je suis contrainte de parler fort, car mon père fait un vacarme de tous les diables dans son sommeil.

— Oh, que des airs d'avant que tu sois née. Notre chanson était *Reaching for the Moon*. Il la jouait chaque soir ; le dernier morceau. Nous dansions sur le pont. Sous les étoiles.

— Je ne la connais pas.

— Tu ne la connais pas ? Elle est exquise.

— Comment fait-elle ?

On ne sait jamais, en écoutant parler quelqu'un, si cette personne est capable ou non de chanter. Barbara n'a pas une voix mélodieuse, mais elle chante

458

admirablement, avec un timbre étonnant, à la fois grave et riche.

> *It's like reaching for the moon,*
> *It's like reaching for the sun,*
> *It's like reaching for the stars...*
> *Reaching for you* [1].

Au début, elle a le visage baissé sur son ouvrage, mais elle le lève bientôt vers moi. Je ne cache pas mon plaisir. Puis elle regarde mon père et s'arrête net.

— Oh, mon trésor ! oh, mon trésor ! ne fais pas ça !

Elle se met debout d'un bond et va de l'autre côté du lit pour essuyer avec sa paume les larmes qui coulent sur les joues de mon père, mais ses propres larmes tombent sur le dos de sa main et sur la face de mon père. Elle prend ses mains dans les siennes.

— C'était notre chanson, hein ?

Mon père répond oui de la tête. Il a la figure rougie et mouillée.

— C'est étrange, dis-je à Jonathan ce soir-là à l'hôtel. Ils ont eu une vie tous les deux. J'avais toujours pensé que c'était un acte désespéré, mais je crois maintenant qu'il a fini par réellement tomber amoureux d'elle. Et elle raconte un tas d'histoires dans lesquelles il est le héros.

— Comment s'est-elle comportée avec toi ?

— Elle a été très gentille, reconnaissante que je sois venue.

— Je suis content.

---

1. « C'est comme tendre les bras vers la lune, c'est comme tendre les bras vers le soleil, c'est comme tendre les bras vers les étoiles – quand je tends les bras vers toi. »

Nous sommes sur le grand lit de notre chambre. Lena et Jeremy sont assis par terre devant la télé, les cheveux mouillés de leur bain dans la piscine, et ils passent en revue les deux cent quatre-vingts chaînes. Je garde un œil sur l'écran, redoutant l'image qui pourrait surgir la seconde d'après. Du doigt, Jonathan me détourne du téléviseur pour orienter mon visage vers le sien.

— C'est bon, me tranquillise-t-il.

Mon tempérament surprotecteur est un défaut que nous nous efforçons de combattre.

— Ce qui est dingue, c'est que mon père est tellement lui-même. Même quand quelqu'un est dépouillé de plein de choses, sa personnalité est toujours là. Rien que sa manière de poser les mains sur le matelas.

— Ce doit être dur, de le voir comme ça.

— Je sais que c'est ce que je devrais ressentir. Mais c'est tellement rassurant, qu'il soit dans ce lit. Je n'avais jamais pensé qu'il puisse être terrassé par quoi que ce soit.

— Moi non plus, d'ailleurs.

— Merci, chuchoté-je avant d'embrasser le creux au-dessous de ses oreilles. Merci de m'avoir accompagnée ici.

Je sens combien mon amour pour lui me fait baisser la garde pour me laisser sans défense, dans une vulnérabilité totale.

Il m'avait fallu plusieurs années avant d'accepter le mariage. En réponse à toutes les craintes que j'exprimais, Julie me disait : « Tu as l'air de croire qu'une fois que vous serez mariés, votre amour l'un pour l'autre va s'écouler jusqu'à s'épuiser, comme du liquide dans un seau qui fuit, comme si on t'avait donné un seul plein et que tu ne pouvais t'arrêter pour refaire de l'essence. Tu n'envisages pas la possibilité qu'au lieu de fatalement commencer à mourir un jour, l'amour peut en fait croître. » Je la trouvais d'un optimisme aveugle.

— Tu es fondante, me taquine Jonathan.

C'est le mot de Lena pour décrire la façon dont les sentiments la ramollissent.

— Oui.

— Arrêtez les câlins ! s'exclame Jeremy, sa tête apparaissant soudain au pied du lit.

Comme nous ne relâchons pas notre étreinte, il grimpe sur le matelas et tente de nous séparer. Mais il est incapable de nous faire bouger.

Je ne me rappelle pas avoir jamais vu mes parents se toucher. Je suppose que l'aversion de Jeremy à l'égard de nos gestes d'affection mutuels est un luxe. J'espère qu'un jour il les considérera différemment.

Lena tombe sur CNN. Alors que les primaires ne débuteront pas avant quatre mois, la chaîne diffuse des clips de Hillary Clinton et de Barack Obama en campagne dans divers endroits de l'Iowa, comme si les caucus avaient lieu la semaine prochaine. Jonathan et moi regardons les spots, mais sans engager notre débat habituel à ce sujet.

— Est-ce que ton père va mourir ? demande Lena alors que nous sommes allongés tous les quatre sur l'immense lit après avoir éteint la lumière.

Mes enfants n'ont pas de nom pour lui. Il est mon père, mais pas leur quelque chose.

— J'ignore ce qui va se passer.

— Est-ce que nous irons à l'hôpital avec toi, demain ? poursuit Lena.

— Pas longtemps. Papa vous y emmènera en milieu de matinée et si l'état de votre grand-père est stabilisé, vous pourrez lui dire bonjour.

— Bonjour et adieu, fait Jeremy.

La mort ne pèse guère à un enfant de six ans. Puis il réfléchit un peu.

— Est-ce que tu aimes ton papa ?

Que j'aie un papa, voilà qui est nouveau pour eux. Ils ont toujours su que mon père vivait dans le Massachusetts et que je ne l'avais pas revu depuis bien avant leur naissance. Mais jusqu'à ce jour il n'avait jamais été réel pour eux. Je ne sais pas comment tout leur expliquer.

— Oui, j'aime mon papa.

J'essaie de trouver pourquoi, car c'est la question qu'ils vont me poser ensuite.

— Je le connais tellement bien.

— Ouais, parce que c'est ton papa.

— Exactement.

Mais cela ne lui suffit pas.

— Pourquoi est que mamie est le seul de nos grands-parents qu'on voit ?

— Parce que le papa de papa est mort, réplique Lena. La maman de maman est morte et le papa de maman est mourant. Voilà pourquoi.

— Mais il n'a pas toujours été mourant.

J'avais pensé qu'une fois que j'aurais des enfants, je reprendrais contact avec mon père. Je croyais qu'il serait important pour moi que ceux-ci connaissent leur grand-père. Mais c'est en fait l'inverse qui s'est produit. « Voici les petits négrillons », l'imaginais-je marmonner à voix basse en les voyant s'approcher de la maison. Ce n'était pas seulement la crainte qu'ils puissent surprendre au passage une insulte raciste ou découvrir le spectacle de mon père ivre et fulminant. Quand je suis devenue mère, même les moments dont j'avais jusque-là conservé un souvenir tendre prenaient désormais un goût rance : lorsqu'il ridiculisait M. Rogers, lorsqu'il rouait de coups mes peluches le soir. Un jour, quand les gosses étaient en bas âge, notre voisine Maya, qui avait onze ans, est venue à la maison pour confectionner avec nous des petits gâteaux secs. Elle portait un bracelet en corde autour du poignet et l'on devinait, sous son tee-shirt, l'ébauche de ses seins. Je pris alors conscience qu'elle avait le même âge que moi au moment du divorce de mes parents et que Lena avait celui d'Elyse. Toutes les deux n'étaient que des fillettes. Ma gorge se serra et je ne pus leur donner mes instructions autrement que d'une voix râpeuse. « Pourquoi tu parles si bizarrement, maman ? » demanda Lena. Une fois les gâteaux mis au four, j'allai dans la salle de bains m'appliquer un gant de toilette humide sur la figure. Moi aussi, j'avais été une fillette avec un bracelet en corde, une poitrine naissante et un père qui nous lisait *Penthouse* le soir.

Le lendemain matin, le personnel a de nouveau dû attacher mon père. Il avait passé une nuit agitée, à brailler et à se débattre. L'une des infirmières se promène avec une minerve et j'ai peur qu'il n'en soit responsable.

Barbara a presque terminé la mer dans son carré de tapisserie. Il ne lui reste plus que la coque rouge du navire. Mon père dort. Il s'est épuisé.

Une nouvelle infirmière trafique une machine. Elle change sa perfusion, puis lui pique un doigt pour en tirer une goutte de sang. Il se réveille en hurlant.

— Allons, arrêtez ce cinéma et calmez-vous, dit-elle. Vous voulez qu'on vous détache ?

Mon père opine du chef avec un regard implorant.

— Vous serez sage ?

Nouveau hochement de tête.

Avec une dextérité forgée par la routine, elle défait les épaisses lanières de tissu et les retire.

— Vous êtes tout tassé dans le fond.

Puis elle se tourne vers nous :

— Vous voulez m'aider à le remonter ?

Pendant que Barbara et elle prennent une aisselle chacune, je suis chargée de pousser ses pieds. Mon père s'alarme.

— On, proteste-t-il. On !

— Maintenant, il faut que vous nous aidiez, monsieur Amory, explique l'infirmière en tirant le bas de ses couvertures jusqu'à ses genoux. Bon, votre fille va mettre les mains sous vos pieds et vous allez pousser avec vos jambes.

M'entendre appelée sa fille est étrange. Je place mes mains sous ses pieds nus. Ils ne sont qu'os, avec leurs orteils aux ongles longs, gris et bosselés. Ses mollets me sont doublement familiers : ils sont presque aussi fluets que ceux de Lena et ont la même forme.

— Allez ! Allez ! lui enjoignent de concert Barbara et l'infirmière. Il faut pousser !

Dès qu'elles lui soulèvent le torse, il se met à gémir.

— Tension aoua.

Je ne sais pas ce qu'il veut dire.

— Tension aoua.

C'est la première fois que je suis incapable de le comprendre.

— Que dit-il, Daley ? demande Barbara.

— *Tension aoua !* s'exclame-t-il, le visage rouge et grimaçant.

Nous le remontons de quelques centimètres sur le matelas. Il est en nage. « Attention à moi », suppliait-il. Je songe à sa mère ivre qui regardait fixement le mur. N'est-ce pas ce que nous nous disons tous d'une génération sur l'autre, au fond ? *Attention à moi.* Je m'efforce du mieux que je peux d'être attentionnée envers mes enfants. Je considère mon père. Il geint encore un peu. Je regrette, déclaré-je en silence. Je

464

regrette que nous n'ayons pas su être plus attentionnés l'un envers l'autre.

Après cela, il se rendort. J'essaie de lire, je feins de lire, mais je passe le plus clair du temps les yeux rivés sur lui. Il me fascine comme un tableau. Son corps me raconte une longue histoire que les quinze années écoulées avaient failli me faire oublier.

Mon téléphone émet quelques *ding*.

— Ils sont là, dis-je à Barbara après avoir lu le SMS.

Nous nous retrouvons devant la double porte de l'unité de soins intensifs. Ils sont en train de se mettre de la lotion antibactérienne. Jeremy sent ses paumes, puis celles de sa sœur.

Jonathan tend la main à Barbara, qui l'ignore pour se jeter à son cou, comme si dans sa dernière missive elle n'avait jamais écrit, après une conversation avec la mère de Neal – qui nous avait vus au mariage de son fils et Anne –, que je n'étais pas obligée de sortir avec un Noir pour éveiller l'intérêt de mon père. Cette fois-là, je lui avais répondu et n'avais plus jamais eu de ses nouvelles par la suite.

— Merci, vraiment, murmure-t-elle.

Je regarde les bras de Jonathan entourer le pull rose pâle. D'une manière ou d'une autre, elle comprend que, sans Jonathan, je ne serais pas ici et elle lui est reconnaissante de son indulgence. Elle s'incline pour s'adresser aux enfants. Ils ne savent quoi penser de cette face de Hobbit et des larmes qui coulent le long des plis de ses joues.

— Vous avez fait beaucoup de route, tous les deux. Il y a de délicieuses tourtes à la cafétéria. Est-ce que vous avez des préférences ?

Les petits m'incitent du regard à répondre pour eux.

— Fraise rhubarbe ou pécan, dis-je en posant la main sur la tête de Lena. Et myrtille, conclus-je en m'approchant de Jeremy.

— Ou pomme. Ou cerise, à la limite, ajoute-t-il.

Il porte une casquette de baseball à l'envers. *A la limite*. Mes yeux s'embuent.

Pour la première fois, Barbara sourit.

— Je crois qu'il y a presque tout ça. Est-ce que je peux les y emmener pendant que vous allez le voir ? demande-t-elle en nous interrogeant des yeux.

Je ne m'attendais pas à cela. Je ne suis pas prête à lui confier mes enfants. Les rouages de mon cerveau se mettent en branle pour chercher une excuse. Mais Jonathan réagit avant que j'aie eu le temps d'en concocter une.

— Bien sûr.

Les mômes sautillent de joie. De la tourte à dix heures du matin !

Jonathan et moi franchissons seuls les portes de l'unité de soins intensifs. Le patient du premier box lève brièvement la tête au passage de Jonathan, croyant un instant avoir de la visite. Jonathan remarque le geste et adresse un petit signe de main à l'homme.

Mon père a les yeux ouverts. Il est face à mon mari pour la première fois.

— Bonjour, dit Jonathan.

A l'instar de nos enfants, il n'a pas de nom pour mon père. Son visage affiche une certaine réserve, un mince écran de protection que moi seule suis capable de discerner. Il a lui-même eu une relation torturée avec cet homme. Il a lutté contre lui à travers moi, lutté contre le spectre de mon père qui me hante toujours.

Mon père hoche la tête et émet un son doux sans jamais cesser de fixer Jonathan. Il ne paraît pas avoir peur, comme lorsqu'on l'avait remonté dans le lit tout à l'heure, et il ne paraît pas être en colère ni étonné. Non, c'est plutôt une curiosité enfantine que je lis dans ses yeux. « Et maintenant, que va-t-il se passer ? » semble-t-il demander. Et il a l'air de penser que Jonathan a la réponse.

— Papa, voici Jonathan, mon mari.

Sans un regard pour moi, mon père hoche de nouveau la tête. « Je le sais », veut-il ainsi signifier. Un mouvement convulsif agite son bras droit.

— Ahé ous ?

— Je vais bien, merci, répond Jonathan. Comment vous sentez-vous, aujourd'hui ?

— Puo en ome.

Plutôt en forme.

— Puo en ome.

— C'est bien. Dans ce cas, vous sortirez bientôt d'ici.

Mon père lorgne à gauche et à droite de Jonathan et découvre où il se trouve.

— Oh, dit-il. Ui.

— Est-ce qu'on s'occupe bien de vous ?

— Oh, ui. Est bon hôial.

Jonathan prend quelque chose dans la poche de sa veste.

— Comme je n'étais pas sûr de pouvoir vous voir, j'avais acheté ça au cas où.

C'est une carte, une carte de vœux qui représente des chiots dans un panier. Jonathan la lève pour permettre à mon père de la voir. Je ne sais pas d'où elle vient.

Mon père produit un faible gémissement de plaisir.

— « Si tu te reposes bien... » commence à lire Jonathan.

Puis il ouvre la carte. D'une puce électronique insérée dans le carton sort le bruit de plusieurs chiots en train de glapir.

— « ... tu iras bientôt *ouahchement* bien ! »

Mon père adore. Pour la première fois, je le vois soulever ses deux bras meurtris. Il saisit la carte, la referme puis la rouvre pour les aboiements, la referme et la rouvre encore. Il considère Jonathan.

— A me plaît.

— Alors, je suis content.

Mon père pointe son index vers Jonathan.

— Aé un ien ?

— Pas de chiens. Deux gosses, mais pas de chiens.

Ça, c'est à cause de moi.

— Des osses ? Où sont ?

— Ils mangent des tourtes avec Barbara, expliqué-je.

Il semble déconcerté.

— Barbra, è qui ?

— Barbara Bridgeton. Ta femme.

— Ma amme !

Il rit, puis grimace et se tient le ventre avant de rire de nouveau. Il me montre du doigt.

— L'est marrante, Daley, dit-il d'une voix parfaitement compréhensible.

L'entendre prononcer mon prénom me procure un choc, brise cette illusion d'avoir été un personnage générique, la fille quelconque d'un père quelconque. Mais avant que j'aie le temps de réagir, il s'est rendormi, sa bouche ouverte laissant échapper ce curieux gargouillis de suffocation.

Jonathan me prend la main et m'attire contre lui. Nous étions à distance l'un de l'autre, ce qui ne s'imposait nullement, et nous en rions sans un mot.

Un chariot passe devant le box dans un bruit de ferraille. Mon père ne se réveille pas. Nous nous installons sur les chaises. Je me confie à Jonathan à voix basse :

— Chaque fois qu'il s'endort, j'ai peur que mon répit s'achève et qu'il se réveille en se rappelant qu'il me hait.

Puis j'entends les gamins dans le couloir, leurs petites enjambées, leurs efforts pour chuchoter. Barbara ouvre le rideau.

— On m'a dit que, comme il est calme aujourd'hui, je pouvais les amener discrètement, juste pour quelques minutes. De toute façon, il faut que je descende à la pharmacie, au sous-sol. Qu'est-ce qu'ils sont *polis*, ces enfants !

Elle leur sourit. Aurait-elle dit la même chose s'ils avaient été blancs ?

— A tout à l'heure, lance-t-elle en tirant le rideau, nous enfermant avec mon père.

Il ouvre les yeux et mon cœur s'emballe. Et si c'était maintenant qu'il se souvenait de tout ? Et si c'était maintenant que, en présence de mes deux enfants, la mémoire lui revenait et qu'il se mette à brailler : « Putain, mais qu'est-ce que vous foutez tous là ? » Je regrette qu'on l'ait détaché.

Il émet un son faible, qui ne trahit aucun mécontentement. Lena lui adresse un signe de la main. Il produit un autre son, plus aigu et affectueux. *Salut*, voilà ce qu'il dit, avec un plaisir qui n'est pas feint, mais réel ; le genre de son qu'il pourrait employer avec les chiens en rentrant à la maison le soir et en les voyant bondir autour de lui aussitôt la porte franchie.

Je pousse gentiment les enfants à s'avancer de quelques mètres, veillant à rester juste derrière eux. Jonathan demeure au pied du lit, tout aussi vigilant. J'ignore si mon père se souvient d'avoir fait sa connaissance quinze minutes auparavant.

— Voici Lena et Jeremy, papa. Nos enfants.

Il dévisage Lena. Elle a les cheveux ramenés à l'arrière et retenus par un bandeau en tissu à pois.

Elle ressemble un peu à ma mère avec son fichu sur la tête. Elle a hérité de mon visage étroit, mais du sourire de Jonathan. Elle établit le contact visuel. Puis le crâne de mon père pivote aussi vite que celui d'une chouette pour se tourner vers Jeremy, qui s'est lourdement adossé à moi. Il porte un tee-shirt des Sixers, sur lequel mon père lâche un commentaire que je ne parviens pas à comprendre, mais lorsque je lui demande de le répéter, il répond en secouant la tête de gauche à droite. Il tente de lever la main, mais ne la décolle guère du matelas. Il reporte son regard sur les enfants, comme pour s'excuser. Lena tend la sienne et lui touche les doigts.

— Enchantée.

— Enchanté, déclare à son tour Jeremy.

— Enté oi aussi, réussit à articuler mon père, dont les yeux passent de l'un à l'autre.

Si mon père a remarqué la couleur de leur peau – celle de Lena est d'un fauve laiteux et celle de Jeremy d'un marron plus intense –, il n'en laisse rien paraître. Il tâtonne autour de lui pour retrouver la carte que lui a donnée Jonathan. Cela lui prend un peu de temps, mais il finit par la saisir et brandit la photo des chiots dans leur panier.

— Ooooh, s'extasient en chœur mes enfants.

Mon père hoche la tête d'un air heureux. Puis il ouvre la carte et, au son, Lena et Jeremy éclatent de rire.

Dans un tressaillement, la bouche de mon père se relève haut d'un côté. Il respire bruyamment par le nez.

— Eux etites ahailles.

Deux petites canailles.

Il contemple mes enfants.

— Il n'a pas dit quelque chose à propos des *Petites Canailles* ? chuchote Jonathan tandis que je les accompagne jusqu'au hall d'entrée.

Je ris. Je me sens légère.

— Pas la série télé. Il voulait juste dire qu'ils étaient trognons, tous les deux.

— Il n'est pas méchant, maman, remarque Jeremy. Pourquoi est-ce qu'on ne l'avait jamais vu avant ?

Mes deux enfants me regardent attentivement. Ai-je eu tort de le leur cacher ? Peut-être mon père les aurait-il aimés, peut-être se serait-il montré gentil et généreux. Je l'imagine sur le court avec eux, leur expliquant comment jouer un revers. Je les vois imiter avec facilité son geste gracieux.

Je ne sais que leur répondre. Je veux être juste : avec lui, avec eux, avec moi.

— Parfois, il y a des gens qu'on ne peut aimer que de loin, dit Jonathan.

Je leur fais la bise dans le hall. Ils vont déjeuner à Ashing. Lena a dans sa poche une carte de la ville que j'ai dessinée le matin même, avec Myrtle Street, Water Street, Ruby Beach, la sandwicherie et le magasin de bonbons. La Librairie du phare n'existe plus. C'est une boutique de téléphones portables, à présent, m'avait appris Neal dans son dernier e-mail. Jonathan leur montrera la terrasse de devant de Myrtle Street, où il m'avait demandé de l'accompagner en Californie. Ils connaissent cette histoire. Ils adorent l'entendre, ils adorent frissonner à l'idée que nous avons failli ne pas être une famille. Je peux écouter Jonathan la raconter – avec sa manière d'exagérer les proportions de la maison, sans oublier les aboiements des chiens et moi, les laisses à la main – et en rire. Mais lorsque je suis seule, je me

471

remémore les années de souffrance qui ont suivi, le vide de mon existence après cet instant, et, pendant un moment, ce souvenir est douloureux, comme si cette période ne s'était jamais achevée, comme si elle n'était jamais devenue une anecdote drôle que nous narrons à nos enfants.

Je prends un sandwich à la cafétéria avant de remonter à l'unité de soins intensifs. On est en train d'emmener la voisine de mon père dans une autre aile de l'établissement. Elle est assise, un pot de fleurs à la main. Ses deux fils, des vieillards eux-mêmes, marchent de part et d'autre de son lit à roulettes. Mon père dort, bruyamment, la bouche ouverte, des cordons de bave blanche tremblant avant de se rompre, puis de se reformer après chaque déglutition. Barbara part pour aller faire quelques courses et je me retrouve seule avec lui pour la première fois. Je l'observe, ainsi que j'observerais un événement quelconque. Les rides de son visage se sont creusées : celles causées par le rire, par les froncements de sourcils, par les plissements d'yeux. Sur le haut de sa figure, elles sont parfaitement horizontales et verti- cales, gravées en carrés, un filet de tennis en travers de son front. Ses mains tressautent pendant qu'il rêve. A l'inverse de sa face, elles ne sont pas du tout fripées et déformées, mais étonnamment douces, les veines saillantes, plus vertes que violacées, leur relief plus prononcé à l'endroit où elles franchissent les os, au centre, la pointe de crayon toujours bleue sous la peau de la jointure.

L'une des machines émet des bips et son infirmière préférée entre dans le box. Elle scanne le code-barres de son bracelet, vérifie sa perfusion et appuie sur un bouton pour interrompre les bips. Il la considère avec des yeux emplis de dévotion.

— Avez-vous soif, monsieur Amory ?

Il acquiesce de la tête et elle ouvre un tiroir, puis défait l'emballage en plastique de ce qui ressemble à une sucette, avec laquelle elle lui tamponne la bouche avant de la jeter à la poubelle. Il s'agit d'une éponge humide. Il la regarde avec reconnaissance.

— Elles sont ici, m'explique-t-elle en tapotant le tiroir. Vous pouvez lui faire ça à la demande.

D'une chiquenaude, elle manœuvre un interrupteur sur le côté du lit et la tête de mon père remonte, tandis que son buste se redresse presque jusqu'à la position assise. Ouvrant un autre tiroir, elle en sort deux petits oreillers qu'elle lui coince sous chaque bras. Il semble beaucoup mieux installé qu'il ne l'avait été de toute la journée. Je la remercie, mais ne suis pas sûre qu'elle m'entende.

— Jolis yeux verts, me dit-elle en sortant. Exactement comme ceux de votre père.

J'attends que le sommeil le gagne, mais cela ne se produit pas. Je ne l'avais jamais vu se tenir aussi droit, les bras reposant sur les coussins, comme s'il avait un verre dans une main et une cigarette dans l'autre, comme s'il se prélassait sur un bain de soleil au bord de la piscine, songeant à aller se baigner et plaisantant : « Je me demande ce que font les pauvres, aujourd'hui. » Les yeux toujours braqués droit devant lui, il gonfle les joues, puis expire, tandis qu'il observe par l'ouverture son infirmière taper un rapport sur le clavier d'un ordinateur tout en riant d'une remarque que lui souffle un médecin dans son dos. Mon père a-t-il seulement eu une conscience ? Lui est-il déjà arrivé de se réveiller dans la nuit et de penser : je me suis mal conduit avec certaines personnes, j'ai été égoïste, j'ai peiné des gens ? Ou n'est-il en fait jamais parvenu à ce stade de son développement ? N'a-t-il été capable que de ressentir ses propres besoins, sa propre souffrance ? Aurais-je pu d'une manière ou d'une autre avoir une bonne relation avec lui ?

Il se tourne vers moi et gémit.

— Ouh ! Ouh, ouh, dit-il en montrant son ventre. Ya un uc arre à bas.

Y a un truc bizarre, là-bas.

— Oui, papa. C'est un cathéter.

— Ouh ! s'exclame-t-il, plus fort.

Il fourre les mains sous les couvertures et lâche une plainte terrible.

— N'y touche pas, papa. Si on l'a mis, c'est qu'il y en a besoin.

Il ressort ses mains, mais me fusille des yeux. Il serre les poings et crache quelques mots. « Plein le cul », me semble-t-il entendre. « Plein le cul », répète-t-il.

— Je sais que c'est désagréable, papa.

Il a le regard noir. « Non, tu n'en sais rien, tu n'en as pas la moindre idée », est-il en train de me dire. Le voilà. Le voilà, l'homme que je connais.

— Essaie de te détendre. Pense à des choses agréables.

Je me demande ce qui, en dehors d'une vodka martini, pourrait lui être agréable en cet instant.

— Imagine-toi que tu es à la maison un jour d'été.

Ses yeux lancent des éclairs. Il se met à grommeler si vite que je suis incapable de le comprendre. Il est en pétard. Il hurle après le monde entier, mais ne parvient pas à hausser le ton au-delà du chuchotement. Je réussis à saisir au vol deux ou trois jurons, mais pas grand-chose de plus. Il regarde ses poings. Je me rends compte combien je suis à des lieues de toute son émotion, à présent, combien celle-ci a peu de liens avec moi. Je suis contente que les gosses ne soient pas ici pour l'entendre.

— Dors, papa, finis-je par suggérer. Il faut que tu te reposes.

Il se tourne et remarque de nouveau ma présence. Des larmes perlent au coin de ses yeux. Je me lève pour les essuyer, puis ouvre le tiroir qui contient les sucettes en éponge. Je déchire l'enveloppe et en place une sur sa langue. Il referme la bouche dessus en soupirant. Lorsqu'il la rouvre, je retire l'éponge, la mets dans la poubelle et m'assois sur ma chaise, à côté de lui. Sa main frappe la barre de métal.

— Tu eux as e enir a ain ?

Je passe la main au-dessus du garde-fou et la pose sur la sienne. Elle est froide. Je la serre et il serre la mienne en retour. Je laisse ma main dans la sienne pour le reste de l'après-midi.

Cette nuit-là, je me réveille en pleurant vers trois heures du matin. Je pleure couchée sur le ventre, mes larmes se répandant sur le drap-housse de l'hôtel. Malgré les spasmes qui secouent mon corps, personne ne se réveille.

Barbara téléphone à six heures. On a découvert un énorme caillot de sang dans ses poumons.

— Nous arrivons, dis-je.

Après nous être habillés à la hâte, nous la retrouvons à la cafétéria. Je permets aux gamins de manger de la tourte avec leur petit déjeuner. Barbara insiste pour payer. Ses mains tremblent tandis qu'elle essaie de prendre de la monnaie dans son portefeuille.

Nous nous installons à une table placée dans un coin, au bout de la salle. Et soudain, Lena et Jeremy ont un hoquet de stupéfaction. Je lève les yeux pour découvrir quel horrible bombardement en Irak ou en Afghanistan ils ont pu voir sur les écrans suspendus au plafond, mais ce n'est pas la télévision, qu'ils regardent. C'est un homme planté au milieu de la cafétéria qui grimace pour les amuser, s'aplatissant le visage avec les mains. Ils regardent leur oncle Garvey.

Ils traversent la pièce en courant et lui sautent au cou, grimpant sur lui comme sur un arbre, tandis qu'il se trémousse en feignant de tenter de se débarrasser d'eux. Ils sont encore accrochés à son dos lorsqu'il vient étreindre Barbara, en larmes, puis Jonathan et moi. Il sent l'odeur de sa fourgonnette : un mélange de poulet et de cigarettes.

— Ils ont refusé de me laisser aller le voir, annonce-t-il.

— Ils sont en train de l'intuber, expliqué-je.

— Merde ! Qu'est-ce que ça signifie ?

— A cause d'un caillot, son sang ne reçoit pas assez d'oxygène, alors ils sont obligés de lui mettre un tube respiratoire pendant qu'ils essaient de lui fluidifier le sang.

Garvey hoche la tête et inspire. Il est nerveux. Il espérait voir papa ce matin. Il va devoir attendre, maintenant. Il est peut-être trop tard, maintenant.

— Vous tenez le coup ? demande-t-il à Barbara.

— D'avoir tous les enfants ici, ça met du baume au cœur.

Sa voix se brise. Je repense à ce Thanksgiving, à cette famille qu'elle avait gardée unie pendant quarante ans avant de tout casser pour mon père. La famille, c'est important pour elle. Et nous sommes celle de mon père.

— Allons te chercher une portion de tourte, proposé-je en entraînant Garvey vers la nourriture.

— Il y en a une qui a perdu de sa virulence, dit-il une fois que nous sommes hors de portée de voix.

Lui aussi a eu sa part.

476

— Je sais.

— Qu'est-ce qui se passe avec papa ? Il va clamser avant qu'on ait eu le temps de se friter une fois de plus tous les deux ?

— Je n'en sais rien. Il avait l'air d'aller mieux. Il était alerte et il parlait.

— Et comment ça se déroulait ?

— Bien. Il est en quelque sorte bloqué au début des années quatre-vingt, alors ça rend les choses plus faciles entre nous.

— Sans blague ?

— Il croit que je plaisante quand je lui dis qu'il est marié à Barbara Bridgeton.

Garvey rit.

— Hatch m'avait dit qu'il était inconscient, et quand j'arrive ici, le voilà qui ouvre les yeux et qui se met à me parler. Ils sont parfois obligés de l'attacher, parce qu'il s'en est pris à des infirmières. Elles se baladent toutes avec des minerves et des bandages.

— Bon Dieu !

— C'est un peu hallucinant.

La présence de Garvey me fait tellement de bien que je peux me permettre d'exagérer.

— Est-ce qu'il est sur le point de mourir ? Est-ce que le docteur va venir nous voir et nous donner des tapes sur le dos en nous annonçant qu'ils avaient fait tout ce qu'ils pouvaient.

— Je n'en sais rien.

Que mon père puisse mourir est une éventualité qui ne me paraît toujours pas possible. Ne m'a jamais paru possible. Le voir dans un lit d'hôpital semble violer une loi naturelle. Et à présent que Garvey est là, il est redevenu une caricature, de la matière à blagues, non quelqu'un qui est notre père et qui est sur le point de décéder. Nous sommes incapables d'être sérieux sur le sujet.

— Je n'ai pas trop envie d'être ici quand ça arrivera, dit Garvey en tournant la tête vers le parking.

Nous payons et retournons à la table.

— Les gamins sont superbes, reprend-il. Lena a pris un mètre depuis la dernière fois. Ils ne t'en veulent pas, de les avoir traînés ici pour la scène macabre au chevet du mourant ?

Il rejette la tête en arrière, fait saillir tous les tendons de son cou en les crispant et ânonne d'une diction hachée, mais à voix basse, pour que Barbara n'entende pas :

— *Ne les laissez pas m'emmener !* C'est sûr qu'il ne sera pas du genre à mourir tranquillement, pas vrai ? Jeremy a la peau plus sombre qu'à Noël dernier. Je crois qu'il a carrément des gènes africains, tu ne trouves pas ? Très masai. Le petit veinard. Merde ! Il va échapper aux portraits de lui à côté d'une putain de fontaine, façon petit lord Fauntleroy à coiffure bouffante.

— Comment va Baby D ? s'enquiert Lena lorsque nous les rejoignons.

Baby D est mon homonyme. Garvey sort une nouvelle photo. C'est une petite de deux ans très costaude et Garvey aime la photographier dans des poses d'hercule de foire. Sur celle-ci, elle soulève l'arrière de l'une de ses camionnettes de déménagement.

— Comment y arrive-t-elle ? s'étonne Jeremy.

— C'est une petite fille très forte, répond Garvey avec un clin d'œil à l'adresse de Lena.

— Dans notre chambre d'hôtel, on a une gigatélé !

— Avec le câble ?

— Deux cent quatre-vingt-six chaînes !

— On ne les laisse pas trop regarder la télé, à la maison, expliqué-je à Barbara. Alors là c'est quelque chose.

Même si elle hoche la tête, elle ne nous écoute pas.

— Il y a une télé ici, poursuit Garvey en pointant le doigt vers l'un des téléviseurs suspendus.

L'écran est partagé en trois, avec John McCain qui monte à bord d'un gros 4 × 4 noir, Hillary qui prononce un discours devant une foule immense et Obama qui grimpe d'une démarche bondissante les marches de métal de son avion, orné du gros O en soleil levant.

— Je suppose qu'il est inutile que je vous demande qui soutient qui.

J'attends la réaction de Jonathan. Il laisse passer beaucoup de choses à Garvey, mais cette préconception-là le vexe particulièrement.

— On est comme ces familles qu'on interviewe aux infos locales, partagées en deux, commente-t-il.

— Daley a toujours eu un côté gouine, plaisante Garvey. J'aurais dû te prévenir.

— Surveille un peu ton langage, s'il te plaît, dis-je, remarque récurrente quand Garvey est avec nous. Et c'est moi qui soutiens Obama, merci beaucoup.

— Tu es pour *Hillary* ? demande-t-il à Jonathan.

Jonathan est habitué à cela. Il a une réponse condensée.

— Il ne peut pas gagner. Elle, si. Elle a le parti derrière elle et elle sait comment se montrer agressive quand il le faut.

— Des examens médicaux ont révélé qu'elle avait un testicule de plus que lui, ironise Garvey.

Lena et Jeremy affichent une mine perplexe. Il faut que je songe à emporter des boules Quies.

— Je ne sais pas, mec, reprend-il d'un ton plus sérieux. Je crois que tu le sous-estimes. Ce type connaît les pièges du jeu.

— Mais dans le jeu, le vrai jeu, il n'y a pas de place pour un homme de couleur.

479

— Tu as vu les foules qu'il attire ?

— Dans les sondages, Hillary le bat cinquante à vingt.

— Pas pour longtemps.

— Si c'est lui qui gagne la primaire, alors on verra combien ce pays est profondément raciste. Ce type n'a pas la moindre chance.

— Il va être notre prochain président.

— Comme ça, tout le monde pourra s'épousseter les mains et oublier le taux de pauvreté chez les Noirs, ou le fait qu'un jeune Noir sur neuf est en prison. Nous serons une société *post-raciale*. Tu ne l'as pas encore entendue, celle-là ?

— Eh bien, et moi qui *me* croyais cynique ! réplique Garvey. Je parie que ta mère ne partage pas tes sentiments.

A force de passer des congés et des week-ends fériés ensemble, la mère de Jonathan et lui sont devenus très amis.

— Non, c'est sûr, rit Jonathan. Ma mère croit au père Noël. Je suis certain qu'en cet instant, elle fait du porte-à-porte avec ses tracts d'Obama.

— Notre mère faisait la même chose, se rappelle Garvey. Tu te souviens de tous ces meetings où elle nous traînait ?

Je réponds non de la tête. Garvey m'inclut souvent dans ses souvenirs d'enfance, mais j'étais la plupart du temps à la maison avec Nora.

— Je voterais bien pour Obama, intervient Barbara.

Garvey lui tapote la main.

— Je crois qu'il va falloir arrêter la gnôle le matin, Barbara.

— Je l'aime bien. J'aime bien son sourire.

480

— Bon, nous avons le vote blanc à cette table, conclut Garvey. C'est pour le vote noir, qu'il va falloir ramer.

A midi moins le quart, nous quittons la cafétéria pour aller dans la salle d'attente de l'unité de soins intensifs. Comme Jeremy a apporté des cartes, Jonathan, Garvey, Lena et lui s'installent par terre pour une partie de bataille. Garvey introduit toutes sortes de nouvelles règles et stratégies, autorisant alliances, pactes, espions et explosifs. Entre leurs bombardements et leurs éclats de rire, ils font un vacarme épouvantable, mais nous avons la pièce pour nous seuls. Je m'assois avec Barbara sur un canapé à fleurs et, remarquant ses larmes, je lui tapote le bras.

A une heure et quart, le médecin apparaît. Ils ont réussi à augmenter un peu son taux d'oxygène dans le sang. Il est encore sous sédatifs, mais nous pouvons lui rendre visite, par deux et pas longtemps. Barbara insiste pour que Garvey et moi soyons les premiers.

— Il voudra vous voir. Il voudra savoir que vous êtes ici tous les deux.

Vraiment ? Ou sommes-nous tous en train de faire semblant, tout bêtement, de jouer les rôles que nous sommes censés tenir ?

Il est dans le même box. Son lit a été ramené à l'horizontale, ce qui donne l'impression qu'il est plus gravement malade. A présent, il a un tube qui sort du coin de sa bouche, collé sur la joue par du sparadrap, et un autre, plus fin, fiché dans son nez. Il dort, sans émettre ce bruit de crécelle. La machine respire pour lui, *pshhh*, *clic*, *pshhh*, *clic*. Garvey s'immobilise avant d'arriver au lit.

— Merde, alors !

Il se tourne vers moi.

— Je sais, dis-je.

Je lui laisse ma chaise. Il s'assoit avec hésitation et ne se penche pas en avant. Il contemple longuement mon père, son père. C'est étrange, cette réunion de tout notre ADN dans une même pièce : nos grandes oreilles, nos genoux osseux, notre humour cassant comme arme de défense. Et notre père allongé là : la déchirure dans le cœur de ses enfants. Garvey ouvre la bouche pour parler, puis se lève.

— Je ne peux pas, Daley. Je ne sais pas ce que je fiche dans cette pièce.

— Assieds-toi. Ça te viendra.

— J'en doute.

Mais il se rassoit. Nous observons tous les deux la respiration mécanique de notre père. Puis Garvey se met à rire.

— Tu te rappelles Libby Moffet ?

Je vois une adolescente trapue en plein saut de l'ange.

— Celle qui faisait la baby-sitter pour les Tabor ?

— Oui, elle. Une fois où j'étais à la maison, j'étais monté voir papa et Catherine, mais ils étaient sortis et elle gardait Elyse.

— Je ne m'en souviens pas.

— Tu n'y étais pas. Tu étais en colo.

— Je ne suis jamais allée en colo.

— Alors, tu devais être chez Goodale à sniffer de la coke avec le gars qui s'occupait du réassort des rayons. Bref, ils rentrent à la maison ; Libby et moi, on s'est endormis après avoir baisé dans leur lit, et papa est furax. Il veut me casser la figure. Alors je lui dis qu'il est trop bourré et que je reviendrai le lendemain matin pour un combat plus loyal. Donc j'arrive le lendemain matin, à huit heures pétantes comme

482

convenu, et je trouve papa assis sur l'escalier de la véranda de derrière. Il a les larmes aux yeux.

Je m'aperçois maintenant que Garvey m'a déjà narré cette anecdote, mais je le laisse continuer.

— C'était le matin où Gus Barlow s'était tiré une balle dans la tête. Tu te rappelles ? Papa venait d'apprendre la nouvelle. Il m'a fait promettre de ne jamais faire quelque chose d'aussi stupide.

Il ne m'avait jamais raconté cette partie de l'histoire, sur la promesse.

— Pour être franc, j'avoue que tenir cette promesse n'a pas toujours été facile. Il est vraiment en piteux état, hein ? On dirait qu'il a pris cinquante ans, depuis la dernière fois où je l'ai vu. Quel âge a-t-il ? Tu es sûre que c'est notre père ?

Il se lève comme pour aller chercher une infirmière.

— Il a soixante-seize ans.

— On lui en donnerait quatre-vingt-seize.

— Une vie dure.

— Ouais, c'était sacrément dur, toutes ces journées au club de tennis et de voile d'Ashing, toutes ces soirées de vodka martini *on the rocks* et de filet mignon.

— Je pense qu'il doit être d'une constitution plus fragile, avec tout cet alcool.

— Tu as peut-être raison.

— Peut-être qu'on devrait lui raconter le meilleur souvenir qu'on a de lui et puis lui dire au revoir.

Il rit en secouant la tête, puis se passe lentement les deux mains sur la figure.

— D'accord. Commence.

Je pensais que j'allais me lancer dans le récit de la fois où lui et moi avions couru tout nus autour de la piscine. Malgré tous mes efforts, je n'ai jamais réussi à effacer de mon esprit la joie, l'élan et l'amour de ce moment-là. C'était un souvenir auquel je m'étais accrochée pendant si longtemps, après que mes parents avaient divorcé. Mais au lieu de cela, j'avoue :

— J'ai aimé quand nous nous sommes tenu la main hier, papa.

Garvey attend que je poursuive et, voyant que je n'en fais rien, il rit.

— Pff ! C'est un souvenir bien trop récent.

Il se tourne vers mon père.

— J'aime la façon que tu as eu de te baver sur le menton, papa. J'ai trouvé ça vachement beau et plein de sincérité.

— Ferme-la. A toi.

— Maintenant, je vais te raconter mon souvenir, papa. Tu m'écoutes ? Quand j'étais un petit gars, de six ans à huit ans, tu m'emmenais en voiture au hockey pour les poussins. Tu te rappelles ? L'entraînement était à cinq heures du matin, cinq fois par semaine. Tu ne jouais pas au hockey, tu n'aimais même pas spécialement le hockey. Mais tu me réveillais à quatre heures et quart, et on se tapait toute la route jusqu'à la patinoire de Burnham. On s'arrêtait au Dunkin' Donuts, où tu prenais un café noir et moi un chocolat chaud, et on s'enfilait quelques beignets sur le reste du trajet. On se gelait toujours et le chauffage du break ne se mettait à marcher qu'une fois qu'on était presque arrivés. On discutait et je n'ai aucune idée de quoi on pouvait bien parler, et puis on se garait sur le parking et moi j'entrais par une porte et toi par une autre, après quoi j'étais sur la glace pendant une heure et demie, pendant que toi tu étais dans les tribunes à frapper des pieds et à souffler dans tes mains pour te réchauffer. Tu devais ensuite te faire toute une journée de travail dans un boulot que tu détestais, on le savait, et moi je ne suis jamais devenu un bon joueur de hockey, mais je ne t'ai jamais entendu te plaindre. Tu te plaignais de tout un tas d'autres trucs, c'est sûr, mais jamais de ça.

Je pose la main sur le dos de Garvey tandis qu'il appuie le menton sur le garde-fou de métal. Il ne dit plus rien durant un long moment.

Nous rentrons à la maison le soir même. Mon père quitte l'unité de soins intensifs cinq jours plus tard, reste encore huit jours à l'hôpital et est ensuite transféré dans un centre de rééducation à Lynn. « Lynn, Lynn, ville de stupre et de rapine, dirait mon père s'il s'en souvenait. Quand on y entre, on ne sait jamais comment ça se termine. » En juin, il est assez rétabli pour retourner à la maison d'Ashing.

Je suppose que c'est le genre de chose qui se produit assez souvent. On se précipite au chevet d'une personne qui finalement ne meurt pas. La vie, de manière parfois étonnante, reprend cahin-caha.

Mon père ne retrouvera jamais totalement la mémoire. Il semble juste maîtriser vaguement le présent. Les derniers mois de son existence s'apparentent un peu à un jeu, comme dans ces histoires que mes enfants mettent en scène : je lui téléphone, sa voix s'anime, puis, sans me laisser le temps de m'enquérir de sa santé, il veut savoir comment je vais et comment vont les gosses, les appelant par leurs prénoms. Parfois, il ne se souvient plus que nous habitons Philadelphie, mais il ne manque jamais de demander si nous avons enfin pris un chien. Nous finissons par en acheter un, un chiot au pelage épais et à la tête volumineuse, ce qui réjouit mon père. Il est toujours gentil avec moi au téléphone, mais il éloigne de temps à autre la bouche du combiné pour lancer une bordée de jurons à je ne sais qui – Barbara ou l'infirmière qu'ils ont embauchée pour l'aider au quotidien. Barbara explique que cela le frustre de ne plus être capable de faire ce qu'il faisait auparavant. Elle dit cela comme si c'était nouveau, ce côté soupe au lait et vulgaire. Elle aimerait bien que je vienne leur rendre visite, mais je préfère les coups de fil courtois.

Notre dernière conversation a lieu au soir de l'élection. Jonathan et moi restons à la maison pour regarder la proclamation des résultats. Il n'a pas envie de suivre l'événement en compagnie de qui que ce soit d'autre. Sa mère organise une « fête de la victoire », à l'autre bout de la ville, mais il pense que c'est tenter le sort et refuse de s'y rendre. Je ne l'avais jamais connu superstitieux, mais au cours des jours précédant le 4 novembre, il n'a perçu que des présages défavorables et tout lui a paru de mauvais augure. Depuis l'Iowa, nous avions consacré notre temps à la campagne d'Obama, téléphonant aux gens le soir, traînant nos enfants le week-end pour faire du porte-à-porte. Il avait dû ravaler toutes ses paroles. Garvey y avait veillé.

Lorsque les premiers résultats apparaissent et que la Virginie puis l'Indiana semblent pencher en faveur de McCain, il menace d'éteindre la télé.

— Tu vois ? Tu vois ? C'était complètement naïf d'imaginer que ce type pouvait gagner dans ce pays !

Lena et Jeremy lui disent de s'asseoir et de se taire. Je lui tiens la main. Je prie. Je me suis mise à prier, brèves éruptions de suppliques reconnaissantes. Il est dur de ne pas croire en quelque chose dont votre cœur est plein à ras bord. Et alors ils tombent, les uns après les autres : la Pennsylvanie, l'Ohio, la Floride, tous pour Obama. Lorsqu'il est déclaré nouveau président des Etats-Unis, nous bondissons tous les quatre en même temps, comme tirés en l'air d'un coup sec par une main invisible, et nous nous tombons mutuellement dans les bras, dans un enchevêtrement qui, en cet instant, forme un organisme unique, un tout soudé dans l'incrédulité et la stupéfaction. J'ai du mal à croire que c'est notre monde. Jonathan me serre fort, longtemps après que les mômes nous ont lâchés, le corps tremblant, au point que même Jeremy n'essaie pas de nous séparer.

— C'est si bon, gémit-il.

Nous sommes toujours en train de pleurer et j'explose en une gerbe de remerciements sincères. J'étreins mon mari. Je me sens si proche de lui, partie intégrante de lui, et en même temps, je perçois aussi à quel point nous vivons ce moment différemment. En cette soirée, je suis devenue à la fois plus proche et plus dissemblable de lui, de Lena et de Jeremy.

Le téléphone sonne quelques minutes plus tard. Je suppose que c'est la mère de Jonathan ou l'un de ses frères, ou bien Garvey, ou encore Julie et Michael.

— Pas couchés ?

Il articule mieux, comme si au lieu d'avoir dix billes dans la bouche, il n'en avait que deux.

— Oh que non ! Pas encore couchés, ça, c'est sûr !

— Jonathan est là ?

— A côté de moi.

— Les gosses aussi ?

— Ouaip.

— Bien. C'est important qu'ils voient ça.

— Il est tard.

— Presque onze heures et demie. Il faut que je dorme un peu, nom de Dieu ! Attention à toi et gaffe aux ennuis, OK ?

— Toi aussi, papa.

— Je ne risque plus d'avoir d'ennuis.

— C'est sans doute mieux.

— Ce Jeremy. Dis-lui qu'il pourrait devenir président, un jour.

— Lui ou Lena.

Il rit.

— Ou Lena. Bon sang ! C'est quand même énorme, hein ?

— Oui, c'est énorme. Vraiment énorme.

Trois jours plus tard, c'est Barbara qui appelle. Une autre attaque.

Il est parti paisiblement, dit-elle. Sans un bruit.

Cet ouvrage a été imprimé en France par

BUSSIÈRE

à Saint-Amand-Montrond (Cher)
en février 2012

Composition et mise en pages : FACOMPO, LISIEUX

N° d'édition : 9198 – N° d'impression : 12507/1
Dépôt légal : février 2012